CHICAGO PUBLIC LIBRARY
P9-ANZ-282

Chicago Public Library
Ref
Pol/
UC
525
.P7
W78
1990
C
P
L
REFERENCE
Form 178 rev. 1-94

Wrzesień 1939
POJAZDY WOJSKA POLSKIEGO
Barwa i broń

ADAM JOŃCA
RAJMUND SZUBAŃSKI JAN TARCZYŃSKI

Wrzesień 1939
POJAZDY WOJSKA POLSKIEGO
Barwa i broń

WYDAWNICTWA KOMUNIKACJI I ŁĄCZNOŚCI
WARSZAWA 1990

Autorzy
część I *Rajmund Szubański*
część II *Jan Tarczyński* i *Adam Jońca*
część III *Adam Jońca*

Opracowanie graficzne całości *Tadeusz Pietrzyk*

Koordynacja, kolorowe plansze
i ilustracja na okładce *Adam Jońca*

Opiniodawcy
mgr Tadeusz Jeziorowski, płk dypl. Stanisław Komornicki,
mgr Leszek Rościszewski, mgr Eugeniusz Stańczykiewicz

Tłumaczenie na język angielski *Tomasz Bylica*

Tłumaczenie na język francuski *Andrzej Janik*

Fotografie ze zbiorów *Archiwum Akt Nowych, Archiwum Dokumentacji Mechanicznej,*
Centralnego Archiwum Wojskowego, Muzeum Techniki,
Muzeum Wojska Polskiego, W. Jelenia, M. Mrajskiego, R. Medwicza, L. Kukawskiego,
M. Okołów-Podkorskiej, St. Panczakiewicza, A. Rummla, W. Rychtera, Wł. Zawadzkiego
oraz autorów

623.437.4 (091)

Redaktor *Małgorzata Romańska*

Redaktor techniczny *Mirosława Kostrzyńska*

Korekta *Małgorzata Wiśniewska*

ISBN 83-206-0847-3

Warszawa 1990

Spis treści

Wstęp

Ciągle jeszcze dalece nie wszystko wiemy o Wojsku Polskim i jego walce we wrześniu 1939 roku. Ukazało się wiele opracowań ogólnych i szczegółowych o losach różnych związków taktycznych, wiele jest wspomnień i pamiętników, lecz zagadnień wymagających dalszych badań jest w dalszym ciągu mnóstwo. Różne są tego przyczyny. Przez wiele lat temat września 1939 roku był wykorzystywany w konstruowaniu różnorakich tez politycznych – i rzetelne przedstawienie działań, wysiłku żołnierza i oficera oraz poziomu technicznego i wyszkolenia nie miało miejsca, bo fakty niezbyt dokładnie pasowały do tworzonych obrazów. Od września 1939 roku jeszcze przez lata Polska była w stanie wojny – przez ten czas wielu świadków odeszło, bezpowrotnie przepadł niejeden dokument. Już tylko te przyczyny sprawiają, że dzisiaj obraz wrześniowych walk – z przeciwnikami atakującymi tak z zachodu, jak i po 17 września również ze wschodu – sklejać przychodzi pracowicie z rozrzuconych strzępów.
Jedną z dziedzin umykających historykom wojskowości jest wyposażenie techniczne armii. Dzieje się tak zresztą nie tylko u nas.
Nie chcemy ani przez chwilę twierdzić, że książka ta wyczerpuje całość zagadnienia i że się nie mylimy. Do przeszukania, analiz i interpretacji pozostały jeszcze całe obszary. Chcielibyśmy jedynie przekazać to, co już wiemy i pokazać, że istnieje dziedzina taka jak ta – frapująca, nie zbadana do końca. Zajęcie się tą dziedziną obiecuje emocjonujące odkrycia, choć okupione żmudnymi poszukiwaniami i nudnymi, w gruncie rzeczy, analizami. I jednocześnie dziedzina, w której bez przerwy znajdujemy dowody, że my, Polacy, umiemy się nie tylko bić, lecz również konstruktywnie myśleć i rzetelnie pracować.
Książce nadaliśmy formę swego rodzaju encyklopedii. Informacje podaliśmy zwięźle, nie zrezygnowaliśmy jednak z możliwości popularnej i atrakcyjnej formy. Nawiązaliśmy tu do formuły zastosowanej w wydanej w 1985 roku przez „Interpress" pozycji „Wojsko Polskie 1939–1945. Barwa i broń". Chcielibyśmy traktować niniejszą książkę jako uszczegółowienie jednego z wątków tamtej książki.
Tematem naszej książki są oddziały pancerne i zmotoryzowane Wojska Polskiego w jednym z decydujących w jego dziejach okresów – we wrześniu 1939 roku.
Część pierwsza książki, której nadaliśmy tytuł „Oddziały pancerne i motorowe w wojnie 1939 roku" (autorem tej części jest Rajmund Szubański), ma za zadanie w skrótowej formie pokazać sytuację, w której przyszło działać oddziałom motorowym. Zrezygnowaliśmy ze szczegółowej analizy uwarunkowań towarzyszących tworzeniu i działaniu tych oddziałów, nie chcemy wydawać ocen i sądów – może

szkoda, bo oczywista jest konieczność rewizji niejednego poglądu. Ale sądzimy, że trzeba to zrobić w innej niż ta książce.
Warto zdać sobie sprawę, że już choćby proste zestawienie danych liczbowych sprzętu polskiego i niemieckiego, tak ulubione jeszcze niedawno w argumentacji niektórych publicystów, to już swoista manipulacja – jeśli jednocześnie nie zestawia się danych dotyczących innych państw europejskich. Nie można zapomnieć, że gdy Polska Niepodległa przystępowała do odbudowy kraju zniszczonego w stopniu porównywalnym do stanu po drugiej wojnie światowej, to Niemcy, które wyszły z pierwszej wojny bez zniszczeń, już myślały o nowej. „Pokraczny bękart Traktatu Wersalskiego" zrobił wiele, a pomawianie tak zwanych „winowajców klęski wrześniowej" o głupotę i zacofanie, polegające na negowaniu znaczenia techniki wojskowej na korzyść kawalerii, i o nieudolność w budowie przemysłu umożliwiającego uzbrojanie armii na poziomie hitlerowskich Niemiec – jest po prostu prymitywne. W Polsce z wieloma problemami nie umiano sobie poradzić, popełniono też bardzo wiele błędów – ale warto przypomnieć sobie, co w ciągu 20 lat niepodległego bytu zbudowano na ugorze stworzonym przez 150-letni okres niewoli i zastanowić się przez chwilę, dlaczego na przykład Francja, której sytuacja gospodarcza i militarna była przecież nieporównywalna z sytuacją Polski, też nie wytrzymała konfrontacji z wrogiem. Ale jak już powiedzieliśmy – miejsce na to jest w innej książce.
Zdecydowany nacisk w tym rozdziale położyliśmy na działania broni pancernej – bo w wizerunku oddziałów motorowych ta broń jest najważniejsza.
W części drugiej, noszącej tytuł „Pojazdy" (autorami tej części są Jan Tarczyński i Adam Jońca), zawarliśmy opisy pojazdów bojowych, motocykli, samochodów i pojazdów gąsienicowych, ich zdjęcia i rysunki. Na rysunkach pokazaliśmy wygląd sprzętu i jego charakterystyczne malowanie. Zastosowanie metody rzutów i ujednoliconej skali pozwoliło pokazać techniczny aspekt pojazdów.
Nie udało się nam zaprezentować wszystkich typów pojazdów użytych przez Wojsko Polskie we wrześniu 1939 roku. Skupiliśmy się na konstrukcjach najważniejszych, to znaczy pojazdach etatowych, będących w wyposażeniu jednostek lub znajdujących się w wojskowych magazynach mobilizacyjnych. Interesują nas również pojazdy zmobilizowane z organizacji paramilitarnych – Policji Państwowej i Polskiego Czerwonego Krzyża – i przekazane wojsku przed ogłoszeniem mobilizacji powszechnej. Rozszerzyliśmy ten dobór o pojazdy prototypowe lub wyprodukowane w seriach informacyjnych – jednak tylko te, które zostały zatwierdzone do produkcji dla potrzeb wojska i brały udział w walkach.
O istnieniu innych pojazdów, również tych użytych w pojedynczych egzemplarzach, zapominać nie chcemy, ale ograniczamy się tylko do wspomnienia o nich – to już materiał na inną i inaczej przygotowaną pracę.
W opracowaniu tym znajdą się też informacje o pojazdach, których istnienie w Wojsku Polskim odkryliśmy dopiero przed oddaniem książki do druku, jak francuskie samochody *Unic* z radiostacjami ER 30 – w łączności 10 Brygady Kawalerii, 4 ciężarówki niemieckiej firmy *Mercedes-Benz* (nr rejestr. 14.121–124) przysłane 18 sierpnia 1939 roku z Kierownictwa Zaopatrzenia Broni Pancernych do 10 Pułku Strzelców Konnych i używane w 4 szwadronie w czasie wojny (3 z nich przekazano władzom węgierskim po internowaniu oddziału), kilka także niemieckich terenowych (6×4) *Kruppów* (jeden z nich z nr rejest. 13.185) wykorzystywanych jeszcze w czasie pokoju w 10 Brygadzie Kawalerii oraz osobowe *Chevrolety* w wersji „łazik" (!) używane w Policji Państwowej i zmobilizowane w czasie wojny.
W części trzeciej – „Godła, znaki, mundury", której autorem jest Adam Jońca – chcemy pokazać jak wyglądał, jak był umundurowany i pod jakimi znakami walczył żołnierz oddziałów motorowych – a więc wszystko to, co w tradycyjnej polskiej terminologii określamy terminem „barwa". Czasy wojny nowoczesnej ujednoliciły mundury i oporządzenie, wgniotły wojsko w okopy, zamaskowały na zakrytych

stanowiskach strzeleckich – ale przecież nie pozbawiły cech indywidualnych. A broń i sprzęt, same w sobie, bez ludzi, są martwe.
Rozszerzamy ten rodział o informacje na temat malowania i oznakowania pojazdów. Wywoła to być może protesty znawców munduru, którzy zaanektowali termin „barwa" dla własnej dziedziny – wychodzimy jednak z założenia, że żołnierza charakteryzuje mundur i mundurowe szczegóły, ale trudno mówić o kompletności wizerunku, jeśli kawalerzystę pozbawimy konia, a pancernego – czołgu.
Broń jest elementem charakterystycznym i wyróżniającym w stopniu nie mniejszym niż „barwa". Decydują tu cechy konstrukcyjne broni, pewna, jakże nieuchwytna, a przecież wyraźna stylizacja wyglądu broni, pozwalająca często absolutnie jednoznacznie określić jej proweniencję. Sposobu pomalowania czołgu czy samochodu nie określamy terminem „barwa" – ale w gruncie rzeczy moglibyśmy to zrobić, bo nawet tego samego typu pojazdy lub samoloty, ale z różnych armii czy formacji, różnią się kolorem, sposobem ułożenia plam kamuflażu, znakami rozpoznawczymi i taktycznymi itd., a więc spełniają wymogi terminu „barwa".

*

Trudności, na jakie trafiliśmy w czasie pracy nad tą książką, każą nam przypuszczać, że niestety nie udało się uniknąć pewnych nieścisłości i uchybień merytorycznych, spowodowanych między innymi brakiem źródeł lub naszą nieumiejętnością dotarcia do nich. Dlatego uważamy, że szeroka weryfikacja munduroznawców, bronioznawców, a też i skromnych hobbystów, oraz wszystkich tych, którzy w tych mundurach i tą bronią walczyli – jest niezbędna. Apelujemy do Czytelników o nadsyłanie uzupełnień i sprostowań, wypożyczanie do zreprodukowania nieznanych fotografii i dokumentów, słowem tego wszystkiego, co udoskonalić będzie mogło ewentualne wznowienie książki.

AUTORZY

Część I

Oddziały pancerne i motorowe w wojnie 1939 roku

Rozdział 1

Mobilizacja oddziałów pancernych i motorowych

Broń pancerną zaliczano w siłach zbrojnych II Rzeczypospolitej do wojsk technicznych, mających w zakresie taktycznym wspierać działania piechoty i kawalerii. Możliwości wykorzystania broni pancernej na skalę operacyjną traktowano na razie eksperymentalnie. Wyrazem tego może być słabe wyposażenie w czołgi, przy silnym nasyceniu artylerią, zwłaszcza przeciwpancerną i bronią maszynową, pierwszej naszej jednostki zmotoryzowanej – 10 Brygady Kawalerii. Druga jednostka zmotoryzowana – Warszawska Brygada Pancerno-Motorowa, którą zaczęto organizować na niewiele tygodni przed wybuchem wojny, miała podobne wyposażenie.

To stanowisko ówczesnych naczelnych władz wojskowych wynikało z realistycznej oceny sytuacji i możliwości kraju. Polska była krajem dźwigającym się z zacofania, odbudowującym się po straszliwych zniszczeniach wojennych, rozwijającym przemysł i skazanym na własne siły.

Odbiciem sytuacji gospodarczej było wyposażenie w sprzęt i typy tego sprzętu. Z tysiąca posiadanych wozów bojowych ponad dwie trzecie, to znaczy 574 czołgów rozpoznawczych i 100 samochodów pancernych, to sprzęt stosunkowo tani, ale też i przydatny wyłącznie do celów rozpoznania. Do właściwych działań na polu walki nadawało się jedynie 327 czołgów lekkich. Należy również podkreślić, że pewna część sprzętu (przeszło 100 czołgów jeszcze z okresu pierwszej wojny światowej i wszystkie samochody pancerne) była przestarzała, a czołgi rozpoznawcze, ze względu na słabe uzbrojenie i opancerzenie oraz małe możliwości jazdy w trudnym terenie, miały tylko ograniczoną przydatność. Z pozostałych wozów bojowych największą wartość miały krajowej produkcji czołgi *7TP*, górujące nad pojazdami nieprzyjaciela. Czołgi te stanowiły jedynie niespełna 15% ogólnej liczby sprzętu.

Jaśniejszą stroną było dobre przygotowanie strzeleckie, techniczne i kondycyjne załóg wozów bojowych, choć i tu wystąpiły objawy tak zwanego kryzysu mobilizacyjnego, spowodowanego wcieleniem tuż przed wojną znacznej liczby rezerwistów. Ze względu na szybki rozwój organizacyjny broni pancernej w latach trzydziestych i późne rozwinięcie jednolitego szkolenia poziom wyszkolenia i przydatności kadry oficerskiej był w 1939 roku nierówny. Braki sprzętowe odbijały się nieuchronnie na koncepcji użycia broni pancernej – dawało się to odczuć również w przygotowaniu taktycznym, także oficerów sztabowych.

Organizacja broni pancernej w czasie pokoju miała niewiele wspólnego z przewidywaną organizacją wojenną, a istniejące jednostki pełniły rolę szkoleniową i administracyjną. Dopiero w czasie mobilizacji miały wydzielić ze swego składu właściwe oddziały bojowe (wydawać by się to mogło niewłaściwe – mobilizacja

1. Pluton czołgów lekkich *7TP*

broni pancernej przebiegała jednak bardzo sprawnie i wszystkie jednostki znalazły się w wyznaczonych rejonach w przewidzianym czasie). Dowództwu Broni Pancernych, za pośrednictwem trzech terytorialnych grup pancernych, podlegało 11 batalionów pancernych (w tym jeden skadrowany) i 2 dywizjony pociągów pancernych. Zadania mobilizacyjne miał także realizować doświadczalny batalion z Centrum Wyszkolenia Broni Pancernych. Jednostki te nie miały ujednoliconego składu – uwarunkowane to było potrzebami mobilizacyjnymi, a także konkretnymi możliwościami pomieszczenia ludzi i sprzętu. Najmniejszy batalion miał tylko 2 kompanie, największy aż 9, osiągając właściwie rozmiary pułku.

Na wojnę 1939 roku przewidywano ogółem zmobilizowanie po 1 kompanii czołgów lekkich oraz po kompanii i szwadronie czołgów rozpoznawczych dla każdej z brygad zmotoryzowanych, 3 bataliony i 3 kompanie czołgów lekkich dla odwodów Naczelnego Dowództwa, 11 dywizjonów pancernych dla brygad kawalerii, 15 samodzielnych kompanii czołgów rozpoznawczych dla osłonowych dywizji piechoty oraz 10 pociągów pancernych dla poszczególnych związków operacyjnych. Ponadto w ostatnich dniach przed wojną, a także już w toku działań powstało wiele doraźnie zaimprowizowanych oddziałów: 2 kompanie czołgów lekkich i kompania czołgów rozpoznawczych (nie licząc plutonów, o których działalności bojowej brak jednak konkretnych informacji), a także 4 pociągi pancerne (w walkach wziął także udział jeden ze szkolnych pociągów pancernych).

W różnych fazach wojny 1939 roku działało więc 805 polskich wozów bojowych i 15 pociągów pancernych. Z tego tylko około 10% wchodziło w skład wielkich jednostek zmotoryzowanych, niespełna 30% – w skład wielkich jednostek kawalerii, około 25% współdziałało z dywizjami piechoty, przeszło 25% wspierać miało działania odwodów, 7% zaś, wyposażonych w tak zwane prowadnice do jazdy po torach, wchodziło w skład pociągów pancernych.

Polskie brygady zmotoryzowane nie były związkami pancerno-motorowymi w dzisiejszym rozumieniu tego słowa, nie można też ich porównać do jednostek, które istniały w armiach obu naszych sąsiadów, a także niektórych państw zachodnich. Świadczy o tym chociażby liczba żołnierzy przypadających na jeden wóz bojowy: przeszło 100 w polskich brygadach, trzy razy mniej w niemieckiej dywizji pancernej. Dlatego też w zamieszczonych dalej „metrykach" wyszczególniono i opisano tylko ich elementy pancerne.

Struktura organizacyjna oddziałów pancernych zależała od ich przeznaczenia i rodzaju sprzętu. I tak: batalion czołgów lekkich składał się z 3 kompanii czołgów oraz kompanii techniczno-gospodarczej i liczył około 450 żołnierzy. Wchodzące w skład brygad kawalerii dywizjony pancerne składały się ze szwadronu czołgów, szwadronu samochodów pancernych oraz szwadronu techniczno-gospodarczego i liczyły

2. 1 Pułk Strzelców Konnych. Uroczysta, symboliczna zmiana koni na samochody *Polski FIAT 621L* (sierpień, 1939 rok)

blisko 200 ludzi. Samodzielne kompanie czołgów rozpoznawczych, liczące blisko 100 ludzi, miały dwa plutony czołgów i pluton techniczno-gospodarczy, zapewniający im niezależność działania (kompanie czołgów wchodzące w skład brygad zmotoryzowanych takiego plutonu nie miały). Etat mobilizacyjny takiej kompanii był następujący: 13 czołgów *TK/TKS* (dwa plutony po 5 czołgów, czołg dowódcy i 2 czołgi zapasowe), 7 motocykli, samochód osobowy, 13 samochodów ciężarowych, samochód warsztatowy, 2 przyczepki czołgowe, samochód z radiostacją, samochód z kuchnią polową. Uzbrojenie i wyposażenie: 2 najcięższe karabiny maszynowe (nkm) 20 mm, 11 ciężkich karabinów maszynowych (ckm), 54 karabiny (kbk), 85 bagnetów, 6 kordzików, 3 rakietnice, 10 lornetek, 91 hełmów, 91 masek przeciwgazowych. Żołnierze: 4 oficerów, 32 podoficerów, 55 szeregowców.

Bataliony pancerne były również dostawcą motorowego sprzętu transportowego dla całego wojska. W tym celu mobilizowały one 16 kolumn samochodów ciężarowych typu I, wyposażonych w wozy o nośności do około 2 ton: *SPA*, *Ursus* i *Polski FIAT 621L*, oraz 14 kolumn typu II z cięższymi samochodami: *Berliet CBA*, *Polski FIAT 621R* i *Chevrolet 157*. Każda z nich składała się z 2 plutonów po 10–12 samochodów oraz wozów technicznych i liczyła przeszło 50 ludzi. Podobny skład miało 17 kolumn samochodów sanitarnych, wyposażonych w samochody *Polski FIAT 621L* i *FIAT 614*, oraz 9 kolumn samochodów osobowych (2 dalsze mobilizował Główny Inspektorat Sił Zbrojnych). Przewidywano także zmobilizowanie 12 tak zwanych krajowych kolumn samochodów ciężarowych i 10 mieszanych kolumn osobowo-sanitarnych dla poszczególnych okręgów korpusów; ich sprzęt pochodzić miał z rekwizycji.

Służby broni pancernej stanowić miało 7 stałych i 4 ruchome parki (składnice i warsztaty), 5 parkowych czołówek naprawczych oraz 8 polowych rozlewni paliwa i smarów. Pozostałości batalionów pancernych weszły z chwilą zakończenia mobilizacji w skład 4 ośrodków zapasowych, mających przygotować uzupełnienia dla oddziałów walczących w polu. Przewidywano, iż zmobilizowane oddziały broni pancernej osiągną liczebność 1516 oficerów, 8949 podoficerów i 18 620 strzelców. Z tego około 350 oficerów, 1900 podoficerów i 4400 strzelców liczyć miały

3. Samochody Polski *FIAT 508 III* i *621L* z przyczepami. Dar dla wojska pracowników Elektrowni Miejskiej w Warszawie.

oddziały bojowe, w tym załogi czołgów i samochodów pancernych – blisko 2000 żołnierzy.

W myśl polskiego planu rozwinięcia i koncentracji wojsk dla poszczególnych związków operacyjnych przewidziano następujące formacje mobilizowane przez bataliony pancerne:

– *Samodzielna Grupa Operacyjna „Narew"* – 2 dywizjony pancerne oraz 2 stałe parki, 2 kolumny samochodów ciężarowych i kolumnę samochodów sanitarnych;

– *Armia „Modlin"* – 2 dywizjony pancerne, 2 samodzielne kompanie czołgów rozpoznawczych, pociąg pancerny oraz stały park, kolumnę samochodów osobowych, 4 kolumny samochodów ciężarowych i 2 kolumny samochodów sanitarnych;

– *Armia „Pomorze"* – dywizjon pancerny, samodzielną kompanię czołgów rozpoznawczych oraz czołówkę naprawczą, kolumnę samochodów osobowych, 3 kolumny samochodów ciężarowych i 2 kolumny samochodów sanitarnych;

– *Armia „Poznań"* – 2 dywizjony pancerne, 4 samodzielne kompanie czołgów rozpoznawczych, 2 pociągi pancerne oraz ruchomy park i czołówkę naprawczą, kolumnę samochodów osobowych, 3 kolumny samochodów ciężarowych i 2 kolumny samochodów sanitarnych;

– *Armia „Łódź"* – 2 dywizjony pancerne, 5 samodzielnych kompanii czołgów rozpoznawczych, 2 pociągi pancerne oraz stały park z czołówką naprawczą, kolumnę samochodów osobowych, 6 kolumn samochodów ciężarowych i 2 kolumny samochodów sanitarnych;

– *Armia „Kraków"* – zmotoryzowana 10 Brygada Kawalerii (z kompanią czołgów lekkich oraz kompanią i szwadronem czołgów rozpoznawczych), dywizjon pancerny, 3 samodzielne kompanie czołgów rozpoznawczych, 2 pociągi pancerne oraz

4. Postój zmotoryzowanej kolumny artylerii przeciwlotniczej. Na pierwszym planie motocykl *Sokół 1000*, dalej dwa *Łaziki 508*, samochody *508/518* i ciągniki *C2P*

stały park i czołówkę naprawczą, kolumnę samochodów osobowych, 5 kolumn samochodów ciężarowych i 3 kolumny samochodów sanitarnych;
– *Armia Odwodowa* – 2 bataliony czołgów lekkich, dywizjon pancerny, kolumnę samochodów osobowych i 3 kolumny samochodów ciężarowych;
– *Grupa Operacyjna „Wyszków"* – pociąg pancerny oraz 3 kolumny samochodów ciężarowych i 2 kolumny samochodów sanitarnych;
– *Oddziały dyspozycyjne Naczelnego Dowództwa* – Warszawska Brygada Pancerno-Motorowa (z kompanią czołgów lekkich oraz kompanią i szwadronem czołgów rozpoznawczych), batalion i 3 kompanie czołgów lekkich, 2 pociągi pancerne oraz pozostałe oddziały służb i kolumny samochodów.

Na czele dowództwa Broni Pancernych w Ministerstwie Spraw Wojskowych stał gen. bryg. Stanisław Kozicki, a dowódcą broni pancernych w sztabie Naczelnego Wodza został płk dypl. Józef Kapciuk. Stanowiska dowódców broni pancernych i szefów służby samochodowej w poszczególnych związkach operacyjnych objęli: w Armii „Modlin" – ppłk Michał Piwoszczuk, w Armii „Pomorze" – ppłk Jerzy Gliński, w Armii „Poznań" – ppłk dypl. Jan Naspiński, w Armii „Łódź" – płk dypl. Stanisław Rola-Arciszewski, w Armii „Kraków" – ppłk Janusz Górecki, w Armii Odwodowej – płk Józef Koczwara.

Motoryzacja kraju i wojska znajdowała się w 1939 roku w stadium rozwoju i nasycenie sprzętem motorowym jednostek wojska było minimalne; etat dywizji piechoty na stopie wojennej przewidywał 76 samochodów (osobowych, ciężarowych i specjalnych), z czego znaczna część (57) przypadała na baterię przeciwlotniczą i zmotoryzowaną kompanię z batalionu saperów, podobnie w brygadzie kawalerii na 65 samochodów aż 56 wchodziło w skład baterii przeciwlotniczej i dywizjonu pancernego. Przykład: etat szwadronu samochodów pancernych w dywizjonach pancernych brygad kawalerii oprócz samochodów pancernych obej-

5. Dywizjon rozpoznawczy 10 Brygady Kawalerii. Na pierwszym planie tankietka *TK-3*, w głębi *Łazik Polski FIAT 508*. Żołnierze w umundurowaniu polowym

6. Samochód *Polski FIAT 508 I* z radiostacją

mował – samochód typu *Łazik – Polski FIAT 508* lub – rzadziej – *518* w poczcie dowódcy szwadronu, motocykl *CWS M 111 – Sokół 1000 M 111* z wózkiem bocznym i samochód ciężarowy *Polski FIAT 621* w każdym plutonie pancernym, *Polski FIAT 508 Łazik-radio, CWS M 111 – Sokół 1000* z wózkiem i dwa *Sokoły 600 RT solo* w drużynie łączności oraz samochód warsztatowy *Polski FIAT 621* z przyczepą paliwową i samochód *Polski FIAT 621* z kuchnią polową w drużynie gospodarczej.

Zmotoryzowana brygada kawalerii (była tylko jedna – 10 Brygada Kawalerii) miała na stanie około 550 samochodów różnych typów i ciągników oraz około 300 motocykli. W 10 Brygadzie Kawalerii 24 Pułk Ułanów miał 1 września następujący sprzęt motorowy: 74 motocykle *Sokół 600* i *CWS M 111 – Sokół 1000* (etat 66 sztuk), 16 *Łazików Polski FIAT 508* i 12 *Łazików Polski FIAT 518* z ciężkimi karabinami maszynowymi (etat 20 sztuk), 78 samochodów ciężarowych *Polski FIAT 621* i 22 samochody ciężarowe *Praga* (etat 56 sztuk), 1 samochód warsztatowy *Polski FIAT 621*, 1 samochód sanitarny *Polski FIAT 618* i 1 samochód *Polski FIAT 518-radio* (etat pojazdów specjalnych – 6 sztuk).

W 10 Pułku Strzelców Konnych było 9 motocykli *Sokół 600 RT solo* i 50 motocykli *CWS M 111 – Sokół 1000* z wózkiem (etat 66 sztuk), 14 samochodów *Polski FIAT 518* z ciężkimi karabinami maszynowymi i 7 furgonów (pick-up) *Polski FIAT 508/III* (etat 20 sztuk). Samochody ciężarowe to 5 samochodów *Polski FIAT 618* i 39 *Polski FIAT 621*, 21 samochodów *Praga* (po 7 na szwadron liniowy), czyli 65 pojazdów – etat 56 samochodów. Samochody warsztatowe to 1 samochód *Ursus* i 1 *Praga* (etat 6 sztuk). Ciągnikami (kołowymi) działek przeciwpancernych 37 mm były 3 samochody *Polski FIAT 508/518* (*PZInż. 302*, etat 3 sztuki). W pułku były poza tym 3 przyczepki benzynowe, 6 przyczep kuchennych, 6 przyczep osobowych i 2 przyczepy bagażowe (etat 20 sztuk). Pułk miał też 2 samochody osobowe pochodzące z rekwizycji.

W Dywizjonie Rozpoznawczym 10 Brygady Kawalerii prócz sprzętu pancernego szwadronu czołgów rozpoznawczych (czołg dowódcy, 2 plutony po 5 wozów i 2 czołgi zapasowe; w każdym plutonie 1 wóz z najcięższym karabinem maszynowym 20 mm) był jeszcze samochód warsztatowy szwadronu czołgów, samochody szwadronu strzelców (pluton na samochodach *Polski FIAT 508* i dwa na samochodach *Polski FIAT 621* z przyczepkami) oraz samochody i motocykle plutonu łączności, plutonu motocyklistów, plutonu ciężkich karabinów maszynowych, plutonu przeciwpancernego i gospodarczej drużyny pionierów. Razem było to 6 ciągników do armat przeciwpancernych 37 mm, 9 terenowych samochodów osobowych, 23 samochody ciężarowe i ciągniki, 9 samochodów specjalnych (warsztatowe, sanitarne, radio), 9 przyczep i 52 motocykle. Stany te były zgodne z etatem.

Etaty w Brygadzie Warszawskiej były o wiele wyższe – brygadę organizowano na wzór 10 Brygady Kawalerii, ale uwzględniając wszystkie doświadczenia, jakich dostarczyło działanie tego pierwszego związku motorowego. Oddziały Brygady Pancerno-Motorowej miały około 400 motocykli i ponad 700 samochodów różnych typów – bez wliczania pojazdów kolumn transportowych i sanitarnych pracujących dla brygady. Etaty 1 Pułku Strzelców Konnych, którego odpowiednikiem w 10 Brygadzie był 10 Pułk Strzelców Konnych wynosiły 107 motocykli, 24 samochody osobowe i *Łaziki*, 126 samochodów ciężarowych i specjalnych i 26 przyczep, a także 6 czołgów *TKS*, ponieważ w 1 Pułku Strzelców Konnych istniał dodatkowy szwadron rozpoznawczy, którego nie było w strukturze 10 Pułku Strzelców Konnych.

W artylerii były zmotoryzowane dwa pułki: 1 Pułk Artylerii Najcięższej i 1 Pułk Artylerii Motorowej. W mobilizacji 1 Pułk Artylerii Najcięższej wystawił trzy dywizjony – 11, 12 i 13. Dywizjony miały po 6 moździerzy 220 mm z ciągnikami gąsienicowymi *C7P*. 1 Pułk Artylerii Motorowej, w którym sprzętem motorowym były ciągniki półgąsienicowe *C4P* i samochody *Polski FIAT*, wystawił w mobilizacji dwa dywizjony dla brygad pancerno-motorowych: 16 Dywizjon dla 10 Brygady Kawalerii (1 bateria haubic 100 mm i 2 bateria armat 75 mm) i 2 Dywizjon dla Brygady Warszawskiej (o takiej samej strukturze). Trzeci dywizjon wystawiony przez pułk, 6 Dywizjon Artylerii Ciężkiej Motorowej, liczył trzy czterodziałowe baterie 120 mm. Dywizjon nie miał braków w sprzęcie holującym, za mało miał jednak samochodów zwiadu, radiowych i amunicyjnych. Zaradzono temu rekwirując samochody prywatne, które wcielono do dywizjonu i przemalowano na kolor ochronny.

Praktycznie cała artyleria przeciwlotnicza była zmotoryzowana – z wyjątkiem baterii stacjonarnych. Sprzęt motorowy baterii przeciwlotniczej to w bateriach 40 mm ciągniki gąsienicowe *C2P*, samochody *Polski FIAT 508*, *508/518* i *621* (bateria czterodziałowa miała: 4 działa 40 mm, 8 karabinów maszynowych, 8 ciągników, 15 samochodów, 4 przyczepki i 5 motocykli). W bateriach 75 mm ciągniki *C4P* i samochody *Polski FIAT* (w większości typu *621*), a w kompaniach reflektorów przeciwlotniczych ciągniki półgąsienicowe *Citroën-Kegresse P.19*. Zmotoryzowane oddziały ciężkich karabinów maszynowych przeciwlotniczych miały na ogół samochody *Polski FIAT 508/518*. Kompanie balonowe też były zmotoryzowane – głównym sprzętem były w nich ciągniki *C4P*, wyposażone między innymi we wciągarki balonowe.
Częściowo została też zmotoryzowana artyleria przeciwpancerna wyposażona w działka 37 mm – w oddziałach zmotoryzowanych z ciągnikami *PZInż. 302*.
Wojska saperskie były zmotoryzowane w niewielkim procencie. Wystawiono 12 zmotoryzowanych kompanii (z tego 4 odeszły do brygad pancerno-motorowych tworząc tam po jednym batalionie saperów) i dwa samodzielne plutony Korpusu Ochrony Pogranicza – KOP (pluton „Czortków" i pluton „Stołpce"), zmotoryzowano niektóre kolumny pontonowe i kompanie mostów ciężkich.
W znacznym procencie były zmotoryzowane rzuty naziemne jednostek lotniczych. Prócz samochodów technicznych i ciężkich sporo w nich było autobusów – do przewożenia załóg.
Niewielkie liczby pojazdów znajdowały się też w jednostkach nie motorowych – praktycznie w każdym pułku piechoty, kawalerii i artylerii znajdowało się po kilka samochodów i motocykli (przeważnie krajowej produkcji) kupowanych z oszczędności kwatermistrzowskich, do czego zachęcały odpowiednie zalecenia władz wojskowych.
Ogólna liczba pojazdów wojskowych trudna jest do określenia. W batalionach pancernych, które prócz formowania oddziałów bojowych miały wystawiać kolumny transportowe, było w przededniu wojny 1800 samochodów ciężarowych, 300 samochodów osobowych i 400 samochodów specjalnych oraz ponad 1100 motocykli. Są to dane z połowy lipca 1939 roku – a więc nie obejmują na przykład pojazdów Warszawskiej Brygady Pancerno-Motorowej. Do danych nie wliczono samochodów artylerii i saperów oraz pojazdów z centralnych zapasów mobilizacyjnych. Do tego doliczyć trzeba niewątpliwie dużą, lecz trudną do ustalenia, liczbę pojazdów cywilnych przeznaczonych do mobilizacji i zmobilizowanych spośród posiadanych w kraju 8609 samochodów ciężarowych i 1535 samochodów specjalnych, 31 804 samochodów osobowych oraz 12 061 motocykli (dane z 1 stycznia 1939 roku). Część z nich znalazła się w armii w trybie mobilizacyjnym, a część już w czasie działań, na zasadzie rekwizycji lub, bardzo często, jako darowizna.

Rozdział 2

Broń pancerna

W działaniach polskiej broni pancernej podczas wojny obronnej 1939 roku wyodrębnić można – podobnie jak w ogólnym przebiegu walk – kilka zasadniczych okresów. I tak: w dniach od 1 do 3 września trwały boje w rejonie pogranicza, między 4 a 6 września – przede wszystkim na linii głównego oporu, dni od 7 do 9 września – to odwrót na linię wielkich rzek, w dniach od 10 do 13 września miały miejsce liczne akcje zaczepne, między 14 a 17 września nastąpiło rozbicie większości polskich związków operacyjnych, toteż od 18 do 29 września walczyły już tylko nieliczne oddziały pancerne w polu i izolowanych ośrodkach oporu.

*

W trzech pierwszych dniach wojny większość polskich oddziałów toczyła walki graniczne, a niektóre z nich już także na linii głównego oporu. Walczyły niemal wszystkie dowiezione na front oddziały broni pancernej: 10 Brygada Kawalerii, 8 dywizjonów pancernych, 11 samodzielnych kompanii czołgów rozpoznawczych i 8 pociągów pancernych. Mogły one w tym okresie działać w sposób zorganizowany, dysponując nie zużytym jeszcze sprzętem i korzystając ze sprawnie na ogół funkcjonującego zaopatrzenia. Prowadziły początkowo przede wszystkim działania rozpoznawcze i osłonowe, starając się powstrzymać posuwanie się nieprzyjaciela. Drugi, coraz częstszy, rodzaj działań to udział w kontratakach mających na celu utrzymanie lub odzyskanie stanowisk. Wysiłek bojowy w tym okresie można mierzyć liczbą przeszło 30 starć siłą co najmniej kompanii, szwadronu lub pociągu pancernego, nie licząc wielu drobniejszych utarczek. Ceną odnoszonych niejednokrotnie sukcesów była strata około 60 czołgów i samochodów pancernych, które stanowiły przeszło 10% etatowego stanu zaangażowanych w boju oddziałów.
Na północnym kierunku operacyjnym jedyne walki stoczyły oddziały pancerne na skrzydłach pozycji mławskiej, biorąc udział w licznych kontratakach. Podobne działania toczyły się na Pomorzu, gdzie można wyodrębnić działania 81 Kompanii Czołgów. Działania te doprowadziły do odcięcia, a następnie zniszczenia, przypartego do jeziora Mełno niemieckiego oddziału. Także załogi wozów bojowych 81 Dywizjonu prowadziły działania szturmowe, aby otworzyć drogę przedzierającym się z Borów Tucholskich oddziałom Pomorskiej Brygady Kawalerii. Na tym samym, północnym, kierunku żołnierze 71 Dywizjonu byli pierwszymi pancernymi, którym dane było walczyć na terytorium wroga.
Na zachodzie frontu, pod Mokrą i pod Ostrowami, Wołyńska Brygada Kawalerii stoczyła dwudniowy bój z niemiecką 4 Dywizją Pancerną. O pierwszeństwo w

męstwie, zawziętości i poświęceniu rywalizowały tu załogi dwóch pociągów pancernych, czołgiści i załogi samochodów pancernych, przyczyniając się do odniesionego przez Brygadę sukcesu obronnego.
Żołnierze różnych rodzajów broni pancernej odznaczyli się także w obronie Górnego Śląska, ofiarnie wspierając wiele przeciwnatarć, zmierzających do zaryglowania groźnego włamania na lewym skrzydle odcinka Grupy Operacyjnej „Śląsk". Dalej, na południowym kierunku operacyjnym 10 Brygada Kawalerii skutecznie powstrzymała napór przeważających sił w Beskidzie Wyspowym. Jej czołgi lekkie i rozpoznawcze zdecydowanymi uderzeniami pomagały ratować sytuację w krytycznych momentach bojów.

*

Między 4 a 6 września została ostatecznie przegrana bitwa o główną pozycję polskiej obrony i poszczególne związki operacyjne rozpoczęły odwrót. Wyprzedzane przez pancerne i zmotoryzowane oddziały nieprzyjaciela armie pierwszego rzutu zaczęły tracić ze sobą łączność. Szczególnym problemem stała się nie kontrolowana ewakuacja ludności z zagrożonych obszarów. Nieprzeliczone tłumy uciekinierów i sznury konnych wozów tarasowały drogi, utrudniając ruchy wojsk. Dotknęło to zwłaszcza oddziały broni pancernej, które na każdy przemarsz musiały zużywać wielokrotnie więcej czasu i paliwa. Mimo tych trudności wiele z nich toczyło nadal zacięte, niekiedy zwycięskie, starcia, przychodząc z pomocą ciężko walczącym żołnierzom broni głównych.
W dniu 4 września polska broń pancerna osiągnęła niemal pełny przewidziany stan organizacyjny. Na froncie znajdowała się jedna brygada zmotoryzowana, a druga zajmowała pozycje w drugim rzucie, 2 bataliony czołgów lekkich, wszystkie dywizjony pancerne i kompanie czołgów rozpoznawczych – razem około 580 wozów bojowych – oraz 9 pociągów pancernych. Ich aktywność wyraziła się liczbą około 20 starć, w których uczestniczyły kompanie lub równorzędne oddziały. Utracono około 100 wozów bojowych. Tylko w Armii „Łódź" w dniu jej najcięższych bojów, 5 września, straty wyniosły około 50 wozów.
32 Dywizjon, jako drugi oddział pancerny, walczył 4 września na terytorium nieprzyjacielskim podczas wypadu Podlaskiej Brygady Kawalerii w kierunku Białej Piskiej. Na północnym kierunku operacyjnym istotne znaczenie miały też działania dwóch pociągów pancernych, które w czasie spiesznego odwrotu sił Armii „Modlin" operowały na przedpolu, przynosząc najaktualniejsze – i praktycznie jedyne – konkretne wiadomości o postępach nieprzyjaciela.
Znacznie osłabła działalność bojowa na północnym zachodzie frontu, jakkolwiek nie można nie doceniać znaczenia akcji patrolowych i osłonowych, wykonywanych przez różne oddziały pancerne Armii „Pomorze" i „Poznań".
W przeciwieństwie do tego, dni 4–6 września to apogeum aktywności sił pancernych Armii „Łódź". Walki ogniskowały się głównie w rejonie Sieradza, gdzie do przeciwnatarć mających na celu wyparcie Niemców za Wartę skierowano dywizjon pancerny, 3 kompanie czołgów i pociąg pancerny. Oddziały te poniosły w tych walkach dotkliwe straty. Drugim rejonem intensywnych walk było przedpole Piotrkowa. Czołgiści z 2 Batalionu osłaniali tutaj skrzydło pozycji na Borowej Górze, a następnie flankowo uderzyli na pancerne siły wroga. Nie udało się niestety skupić na tym odcinku innych rozporządzalnych sił, mimo sugestii dowódcy broni pancernej Armii.
Na południu najbardziej aktywnie nadal działała zmotoryzowana 10 Brygada Kawalerii. Jej oddziały pancerne brały udział w wielu pomyślnych, dokonanych na czas, działaniach interwencyjnych, które były istotnym wkładem w sukces operacji, jakim było powstrzymanie przez 5 dni XXII Korpusu Pancernego w ciaśninach Beskidu Wyspowego.

*

W czasie ogólnego odwrotu armii polskiej na linię Bugu, Wisły i Sanu między 7 a 9 września położenie militarne kraju zaczęło się gwałtownie pogarszać. Coraz trudniej było powstrzymać napór zarówno przeważających sił przeciwnika, jak i wyprzedzających je związków szybkich oraz licznych i ruchliwych zmotoryzowanych oddziałów rozpoznawczych, siejących popłoch na tyłach.

Dnia 7 września frontowe oddziały polskiej broni pancernej stanowiły: elementy pancerne obu brygad zmotoryzowanych, dwa bataliony czołgów lekkich i improwizowany batalion mieszany Dowództwa Obrony Warszawy oraz wszystkie dywizjony pancerne, kompanie czołgów rozpoznawczych i pociągi pancerne. Uwzględniając straty, oddziały te rozporządzały nie więcej niż 480 wozami bojowymi. W okresie 7–9 września oddziały pancerne w warunkach ogólnego odwrotu dokonywały dalekich przemarszów, z wszystkimi tego konsekwencjami – jak rosnące trudności z zaopatrzeniem, straty marszowe oraz konieczność pozostawiania uszkodzonych w boju pojazdów, które w innych okolicznościach można by ewakuować i naprawić. Podczas blisko 20 walk stoczonych siłą co najmniej kompanii utracono ponad 100 wozów bojowych, co stanowiło 22% sprzętu posiadanego na froncie 7 września. Największe straty – jedną trzecią stanu – zanotowano na zachodnim kierunku operacyjnym. Na północy oddziały pancerne prowadziły działania na małą skalę, z rzadka tylko mając kontakt bojowy z przeciwnikiem. Podobnie wyglądała sytuacja na północnym zachodzie, gdzie odnotować należy jednak akcje kolejnych improwizowanych pociągów pancernych Lądowej Obrony Wybrzeża. Sytuacja ta zmieniła się z chwilą rozpoczęcia przez jednostki Armii „Poznań" uderzenia nad Bzurą. Już w pierwszych walkach tej bitwy pancerni szli ze skuteczną na ogół pomocą piechurom i kawalerzystom. W czasie natarcia nie wykorzystano jednak wszystkich posiadanych sił pancernych, a także nie dawano im bardziej samodzielnych zadań w głębi luźnego początkowo i wstrząśniętego ugrupowania nieprzyjaciela.

Na styku z zachodnim kierunkiem operacyjnym nowe ognisko walk powstało w rejonie Warszawy. Zaimprowizowane do obrony Warszawy oddziały pancerne użyto z powodzeniem na dalekim przedpolu, gdzie pełniły rolę „dzwonka alarmowego". W dniu szturmu niemieckiej 4 Dywizji Pancernej na stolicę skutecznie zwalczały nieprzyjacielskie czołgi, którym udało się przeniknąć na tyły polskich pozycji.

Na zachodzie zanikła niemal zupełnie aktywność wykonujących dalekie przemarsze oddziałów pancernych Armii „Łódź". Większe walki toczył 1 Batalion Czołgów, użyty poszczególnymi kompaniami, a nawet plutonami, dla „dodania kręgosłupa" obsadzającym linie rzeki Drzewiczki oddziałom Armii Odwodowej. Odrzucając pancerne czołówki nieprzyjaciela, czołgiści uratowali niejedną zapóźnioną kolumnę własnych wojsk.

Na południu frontu trudności z zaopatrzeniem były główną przyczyną odłączenia się od 10 Brygady Kawalerii większości jej oddziałów pancernych. Pozostałą przy niej wzmocnioną kompanię tankietek dowództwo brygady traktowało jako swój ostateczny odwód. Sposób przeprowadzenia szybkiego, skutecznego ataku na przeważającego wroga pod Łańcutem można określić jako wzorcowy przykład zaczepnego działania pododdziału pancernego.

*

Między 10 a 13 września strona polska podejmuje próby stabilizacji frontu, a nawet zwroty zaczepne. Najważniejszym z nich była przeprowadzona przez grupę armii gen. Kutrzeby kontrofensywa nad Bzurą, powstrzymana przez Niemców dopiero po ciężkich walkach. Przykłady akcji zaczepnych – w których brały udział również oddziały pancerne – można znaleźć także i na innych kierunkach operacyjnych.

7. Armaty przeciwlotnicze 40 mm. Artylerzyści w umundurowaniu polowym: hełmy stalowe *wz. 31*, kombinezony

Do 10 września zakończono formowanie ostatnich oddziałów broni pancernej. Brak jednakże już było niektórych zniszczonych lub rozwiązanych oddziałów. Na froncie znajdowały się obie brygady zmotoryzowane, 2 bataliony czołgów lekkich i improwizowany batalion mieszany (każdy z nich przedstawiał już jednak tylko siłę wzmocnionej kompanii), 9 dywizjonów i 17 kompanii czołgów lekkich i rozpoznawczych (również o zmniejszonych składach) oraz 9 pociągów pancernych. Liczbę sprzętu tych oddziałów szacować można na około 430 wozów bojowych. Oddziały bojowe stoczyły ponad 30 potyczek siłą co najmniej kompanii lub równorzędnego oddziału. W potyczkach stracono jedną trzecią posiadanego sprzętu – ponad 150 wozów (na południu utracono aż połowę stanu).
Również na północnym kierunku operacyjnym oddziały pancerne były bardzo aktywne. Doświadczyła tego na sobie między innymi Dywizja Pancerna „Kempf", atakowana przez polskich czołgistów przez kilka dni na różnych odcinkach – od lasów Czerwonego Boru przez okolice Łukowa po Seroczyn nad Świdrem, gdzie ostatecznie zatrzymano jej marsz ku Wiśle.
Pierwsza faza bitwy nad Bzurą obfituje w przykłady skutecznych działań naszych oddziałów pancernych, na przykład rozbicie oddziału pionierów w rejonie Ozorkowa, opanowanie sprzętu dywizjonu artylerii pod Piątkiem, uratowanie stojących z powystrzelanymi zaprzęgami dział w okolicach Głowna oraz przeprowadzanie takich działań, w których żołnierze pancerni wspierali nacierającą lub kontratakującą piechotę. Sztab armii „Poznań" popełnił jednak kolejny błąd, nie pozostawiając po pierwszej fazie bitwy na przedpolu żadnych oddziałów styczności – co z powodzeniem mogły realizować właśnie oddziały broni pancernej.
Lekkie czołgi uczestniczyły we wszystkich niemal akcjach zaczepnych obrońców Warszawy. Akcje te często kończyły się zwycięstwem, na przykład oddziały czołgów rozbiły niemiecką placówkę pod Wawrzyszewem, niszcząc i zdobywając wiele czołgów. Natomiast przejściowy sukces na Okęciu i Służewcu trzeba było opłacić dotkliwymi stratami w zetknięciu ze zorganizowaną obroną przeciwnika.
Na zachodnim kierunku operacyjnym załogi czołgów *7TP* 1 Batalionu, pomimo rozczłonkowania i pozbawienia zaopatrzenia w paliwo i amunicję, stawiały opór oddziałom niemieckim. Większość batalionu, która przedostała się za Wisłę, prędko odzyskała swą wartość bojową. W akcjach brała też udział Warszawska Brygada Pancerno-Motorowa, która w pierwszych kontaktach z nieprzyjacielem (między

8. 10 Brygada Kawalerii w marszu bojowym (z zachowaniem przepisowych odstępów)

innymi pod Annopolem) poniosła dotkliwe straty. Niepowodzeniem zakończyły się także przedsięwzięte przy wsparciu różnych oddziałów pancernych próby zlikwidowania niemieckich przyczółków na środkowej Wiśle.
10 Brygada Kawalerii potwierdziła raz jeszcze swą przydatność jako oddział zaporowy, skutecznie zastępując XXII Korpusowi Pancernemu drogę do Lwowa.

*

Do 17 września zamknęły się na Bugu niemieckie kleszcze. Znajdujące się wewnątrz tego gigantycznego „kotła" polskie związki operacyjne przegrupowały się w kierunku południowo-wschodnim, tocząc ciężkie walki odwrotowe. Bitwa nad Bzurą została przegrana, a uratowane z niej oddziały rozpoczęły mozolny marsz przez Puszczę Kampinoską do Warszawy. Wiele jednostek polskich uległo zniszczeniu, a stany pozostałych (liczba żołnierzy i sprzętu) szybko topniały. Tego samego 17 września na wschodnie ziemie Polski weszły oddziały Armii Czerwonej.
Na froncie wciąż działały obie brygady zmotoryzowane, zredukowane do siły kompanii bataliony czołgów lekkich, 8 dywizjonów pancernych i 10 kompanii czołgów, ale wszystkie te oddziały dysponowały tylko niespełna 300 wozami bojowymi. Zdarzały się przypadki niszczenia sprzętu przez załogi będące w sytuacjach bez wyjścia, pogarszał się również stan techniczny pojazdów. Ogólne straty w tym okresie można szacować na około 170 czołgów i samochodów pancernych. Najbardziej dotkliwe straty powstały nad Bzurą, gdzie utracono przeszło połowę posiadanego sprzętu.
Głównym rejonem walk oddziałów pancernych na północy frontu były okolice Brześcia nad Bugiem, gdzie działały 2 pociągi pancerne i tyleż kompanii czołgów. Pociągi pancerne skutecznie, choć za cenę niemałych strat, powstrzymywały niemieckie czołówki pancerne. Kompanie czołgów użyto do obrony bezpośrednich podejść do twierdzy, a także, w niekonwencjonalny sposób, do obrony cytadeli, ustawiając czołgi (*Renault FT-17*) w bramie wejściowej i w okopach czołgowych. Nietypowe były również działania w rejonie Mrozów 52 pociągu pancernego, wokół którego skupiły się oddziały transportowane w kilkunastu pociągach ewakuacyjnych. Zgrupowanie to pozostawało przez wiele dni na tyłach Niemców, odpierając wszelkie próby ataków.

9. Brama główna twierdzy w Brześciu i blokujące ją czołgi *Renault FT-17*

W drugiej fazie bitwy nad Bzurą oddziały pancerne odegrały już znacznie mniejszą rolę. Wpłynęły na to zarówno intensywne działania nieprzyjacielskiego lotnictwa, jak i większe nasycenie frontów wojskiem. Nawet wysiłki połączonych oddziałów, jak 16 września trzech kompanii koło majątku Braki, nie przynosiły już rezultatów. Duże straty poniesiono także w starciach z niemieckimi czołgami, a sprzęt szwadronów pancernych trzeba było pozostawić na przeprawach przez dolną Bzurę.

Dla Warszawskiej Brygady Pancerno-Motorowej był to głównie okres przemarszów, a większe walki stoczyło, rosnące w siłę składające się z czołgów lekkich i rozpoznawczych oraz samochodów pancernych, zgrupowanie mjra Majewskiego, między innymi samodzielnie zabezpieczając przez pewien czas tyły Armii „Lublin" przed silnymi niemieckimi oddziałami pancernymi.

10 Brygada Kawalerii zakończyła swój szlak bojowy dwudniowymi walkami, które otworzyły jej drogę do Lwowa. W bojach o przełamanie pozycji niemieckich czołgi Brygady spełniły stawiane im zadania, absorbując uwagę nieprzyjaciela, ściągając na siebie ogień i ułatwiając posuwanie się piechoty.

*

Większość działających jeszcze w polu polskich sił, również oddziałów pancernych, została rozbita w bitwie pod Tomaszowem Lubelskim. Kapitulowały kolejno izolowane ośrodki oporu: Lwów*), Warszawa, Modlin, w których walczyły także oddziały broni pancernej. W bojach ostatniego zgrupowania armii polskiej – Samodzielnej Grupy Operacyjnej „Polesie" żołnierze pancerni brali udział już tylko w szeregach oddziałów pieszych.

W dniu 18 września na froncie znajdowały się: brygada zmotoryzowana, 2 kompanie czołgów lekkich oraz 5 innych oddziałów (dywizjonów, kompanii czołgów i pociągów pancernych). Dysponowały one łącznie około 150 wozami bojowymi. Walczące w polu oddziały borykały się z rosnącymi trudnościami w zaopatrzeniu w paliwo, z coraz większą trudnością utrzymywano w ruchu intensywnie eksploatowane od początku działań pojazdy. Do 28 września oddziały broni

*) Lwów – walczący od zachodu z Niemcami od 12 września, a od 19 września otoczony od wschodu przez Armię Czerwoną – poddał się wojskom radzieckim 22 września 1939 roku.

pancernej utraciły cały swój sprzęt, w tym około 40 wozów bojowych w składzie oddziałów, które przeszły na terytorium Węgier i Rumunii. Wraki blisko 150 wozów spoczęły na pobojowiskach ostatnich bitew lub dostały się w ręce wroga po kapitulacji poszczególnych ośrodków oporu.

W stoczonej przez zgrupowanie gen. Piskora w dniach 18–20 września bitwie pod Tomaszowem Lubelskim uczestniczyło po stronie polskiej około 60 wozów bojowych (w tym połowę stanowiły czołgi lekkie). Pierwszego dnia pancerni odnieśli znaczny sukces, opanowując część miasta i niszcząc wiele sprzętu. Na wykorzystanie tego powodzenia nie pozwolił brak odwodów, a później nadejście niemieckiej odsieczy.

Rejon Tomaszowa Lubelskiego stał się w kilka dni później widownią walk 2 dywizjonów pancernych, wchodzących w skład zgrupowania gen. Dęba-Biernackiego. Po przedarciu się 22–23 września przez Niemców 91 Dywizjon kontynuował wraz z Nowogródzką Brygadą Kawalerii marsz ku węgierskiej granicy, zakończony 27 września w rejonie Sambora utratą ostatnich wozów bojowych w starciu z oddziałami radzieckimi.

W końcowych walkach o Lwów istotną rolę odegrały dwa pociągi pancerne, wspierające od 18 września obronę i zaczepne akcje załogi miasta. Do 27 września bili się z wrogiem żołnierze oddziałów pancernych Dowództwa Obrony Warszawy, odznaczając się szczególnie w walkach na Woli. Aktywnie, mimo nalotów nieprzyjacielskiego lotnictwa, walczył w obronie Modlina pociąg pancerny Nr 15, interweniując jako ruchoma bateria dział i broni maszynowej w najgorętszych momentach boju. Ostatnie salwy oddał 28 września.

Rozdział 3

Metryki oddziałów pancernych

1 BATALION CZOŁGÓW LEKKICH

Zmobilizowany 25 sierpnia 1939 roku przez 3 Batalion Pancerny w Warszawie. Przydzielony do Armii Odwodowej (początkowo do Korpusu Interwencyjnego na Pomorzu).

Dowódca: mjr Adam Kubin; dowódcy kompanii: kpt. Antoni Sikorski, kpt. Marian Górski, kpt. Stefan Kossobudzki.

Sprzęt bojowy – 49 czołgów *7TP.*

W chwili rozwiązania Korpusu Interwencyjnego batalion znajdował się pod Inowrocławiem. W dniu 2 września przybył w rejon Tomaszowa Mazowieckiego, otrzymując odtąd rozkazy bezpośrednio z dowództwa Armii Odwodowej. 4 września patrolowano okolice Przedborza, 6 września część batalionu starła się z przeciwnikiem pod Sulejowem, a 7 września ostrzelano pancerne kolumny pod Inowłodziem. Intensywne działania prowadził batalion 8 września nad rzeką Drzewiczką. Pod Odrzywołem walczyła część 1 kompanii, wsparta następnie przez 2 kompanię (zniszczono tu wiele czołgów wroga), 3 kompania udaremniła próby wdarcia się nieprzyjaciela do miasta Drzewica. Do strat poniesionych w walkach tego dnia doszły ubytki marszowe, powstałe podczas nocnego, nieskoordynowanego odwrotu jednostek Armii. Batalion uległ wówczas rozproszeniu. Jego mniejsze części brały udział w walkach o Głowaczów oraz w widłach Wisły i Pilicy, tracąc tam cały swój sprzęt. Większa część batalionu – przeszło 20 czołgów, przeważnie z 3 kompanii – zdołało wycofać się za Wisłę. Skierowane pod Chełm osłaniały 13 września tyły Armii „Lublin". W dniu 15 września oddział dołączył do Warszawskiej Brygady Pancerno-Motorowej i 17 września odparł koło Józefowa wypady niemieckich czołgów. Pierwszego dnia boju o Tomaszów Lubelski (18 września) oddział odniósł zwycięstwo, niszcząc wiele sprzętu nieprzyjacielskiego, biorąc jeńców i zajmując część miasta, a następnie uczestniczył w odparciu odciążającego natarcia wielokrotnie przeważających sił pancernych. Nie powiodło się natomiast i przyniosło straty natarcie przeprowadzone wieczorem następnego dnia, podobnie jak i atak w nocy 20 września, kiedy to utracono niemal cały sprzęt bojowy. Tegoż dnia zgrupowanie gen. Piskora złożyło broń.

2 BATALION CZOŁGÓW LEKKICH

Zmobilizowany 29 sierpnia 1939 roku przez 2 Batalion Pancerny w Żurawicy. Przydzielony do Armii Odwodowej.
Dowódca: mjr Edmund Karpow; dowódcy kompanii: kpt. Antoni Próchniewicz, kpt. Konstanty Hajdenko, kpt. Józef Rejman.
Sprzęt bojowy – 49 czołgów *7TP*.
Batalion przybył 1 września do Bednar, został podporządkowany dowódcy Armii „Łódź" i przydzielony do Grupy Operacyjnej „Piotrków". Sukcesem zakończyły się działania dwóch kompanii batalionu (4 września) nad rzeką Prudką. Odepchnięto tam oddziały przeciwnika, zadając mu straty w sprzęcie pancernym. Następnego dnia cały batalion został zaangażowany w walkach na przedpolu Piotrkowa, napotkał na zorganizowaną obronę przeciwnika i w wyniku całodniowych walk uległ rozczłonkowaniu. Niepełna 3 kompania wycofała się pod Radziejowice. W czołgach wyczerpało się paliwo i załogi musiały je opuścić. Część batalionu, licząca ponad 20 wozów, zebrała się wokół 2 kompanii i wykonała przemarsz przez Warszawę do Brześcia nad Bugiem. Po naprawieniu sprzętu z części batalionu zorganizowano kompanię, która 13 września opuściła Brześć i koło Włodawy stoczyła w dniach 15 i 16 września walki, powstrzymując niemieckie czołówki pancerne. Gdy 17 września otrzymano w Kowlu rozkaz odmarszu do rumuńskiej granicy, sprzęt bojowy był w tak złym stanie, że nie nadawał się do jazdy. Większość żołnierzy 2 Batalionu przekroczyła granicę Węgier.

21 BATALION CZOŁGÓW LEKKICH

Zmobilizowany 7 września 1939 roku przez 12 Batalion Pancerny w Łucku jako oddział dyspozycyjny Naczelnego Dowództwa.
Dowódca: mjr Jerzy Łucki; dowódcy kompanii: kpt. Józef Wasilewski, por. Marcin Kochanowski, kpt. Ryszard Orliński.
Sprzęt bojowy – 45 czołgów *Renault R-35*.
W sztabie Naczelnego Wodza zapadła decyzja wzmocnienia Armii „Małopolska" 21 Batalionem Czołgów Lekkich. W związku z tym batalion odbył 14 września przemarsz z Kiwerc do Dubna, gdzie załadowano go na pociąg. Wskutek zniszczeń torów batalion dojechał następnego dnia tylko do stacji Radziwiłłów. Skierowano go stamtąd do obrony planowanego „rumuńskiego przedmościa". W dniu 18 września oddział mający na stanie 34 czołgi przekroczył granicę Rumunii.
Z pozostałości 21 Batalionu sformowano 14 września w Kiwercach półkompanię, której dowódcą został por. Józef Jakubowicz. Odjechała ona 17 września w stronę Lwowa, a 19 września weszła w skład grupy „Dubno". Po mniejszych starciach oddział wziął 22 września udział w boju o Kamionkę Strumiłową, niszcząc kilka niemieckich wozów bojowych, ale ponosząc także i straty. Następnego dnia skierował się samodzielnie na północ, tracąc do 25 września wszystkie swe czołgi.

12 KOMPANIA CZOŁGÓW LEKKICH

Zmobilizowana 27 sierpnia 1939 roku w Centrum Wyszkolenia Broni Pancernych w Modlinie dla Warszawskiej Brygady Pancerno-Motorowej.
Dowódca: kpt. Czesław Blok.
Sprzęt bojowy – 16 czołgów *Vickers E*.
W pierwszym okresie wojny kompanię trzymano w odwodzie Warszawskiej Brygady Pancerno–Motorowej. Chrztem bojowym oddziału było przeprowadzone 13 września natarcie pod Annopolem, które załamało się w skoncentrowanym ogniu przeciwnika. Podczas boju o Tomaszów Lubelski w dniu 18 września dysponująca już tylko połową wozów bojowych kompania ułatwiła piechurom opanowanie ważnego wzgórza i odparła następnie kontratak niemieckich czołgów, ponosząc jednak dotkliwe straty. Przedsięwzięte 19 września nocne natarcie zakończyło się utratą przez kompanię całego praktycznie sprzętu bojowego. Żołnierze kompanii złożyli broń 20 września wraz z całym zgrupowaniem gen. Piskora.

111 KOMPANIA CZOŁGÓW LEKKICH

Zmobilizowana 6 września 1939 roku przez 2 Batalion Pancerny w Żurawicy jako oddział dyspozycyjny Naczelnego Dowództwa.
Dowódca: kpt. Bohdan Gadomski.
Sprzęt bojowy – 15 czołgów *Renault FT-17*.
Kompania odjechała 7 września z Przemyśla, została skierowana pod Siedlce, gdzie było przygotowane zapasowe miejsce postoju Naczelnego Dowództwa. W dniu 9 września pociąg został pod Łukowem Podlaskim zbombardowany przez samoloty. Zniszczono również tory magistrali Warszawa–Brześć. 12 września kompania straciła kilka czołgów po ataku pancernych oddziałów nieprzyjaciela. Następnie kompania odjechała w kierunku południowym, ale przed Radzyniem zabrakło paliwa i załogi musiały opuścić czołgi.

112 KOMPANIA CZOŁGÓW LEKKICH

Zmobilizowana 6 września 1939 roku przez 2 Batalion Pancerny w Żurawicy jako oddział dyspozycyjny Naczelnego Dowództwa.
Dowódca: por. Wacław Stoklas.
Sprzęt bojowy – 15 czołgów *Renault FT-17*.
Kompania odjechała 7 września z Przemyśla w kierunku Siedlec, ale zawróciła spod Łukowa do Brześcia nad Bugiem. Jej wozy postanowiono użyć do obrony tamtejszej cytadeli. Podczas pierwszego uderzenia (14 września) niemieckim czołgom nie udało się sforsować zatarasowanej wozami kompanii bramy cytadeli. Następnego dnia strzelające z zamaskowanych okopów czołgi *Renault* przyczyniły się do odparcia szturmu na cytadelę. Gdy 16 września załoga cytadeli opuściła Brześć, kompania próbowała wydostać się z miasta. Próba się nie powiodła. Czołgi pozostawiono w twierdzy. Część pancernych zdołała dołączyć do Samodzielnej Grupy Operacyjnej „Polesie".

113 KOMPANIA CZOŁGÓW LEKKICH

Zmobilizowana 6 września 1939 roku przez 2 Batalion Pancerny w Żurawicy jako oddział dyspozycyjny Naczelnego Dowództwa.
Dowódca: por. Jerzy Ostrowski.
Sprzęt bojowy – 15 czołgów *Renault FT-17.*
Kompania odjechała 7 września z Przemyśla do Siedlec i spod Łukowa transport zawrócił do Brześcia nad Bugiem. Powierzono jej tam dozorowanie przedpola twierdzy. W dniu 14 września prawie wszystkie jej wozy zostały zniszczone w starciach z niemieckimi czołgami. Część żołnierzy kompanii dołączyła później do Samodzielnej Grupy Operacyjnej „Polesie".

121 KOMPANIA CZOŁGÓW LEKKICH

Zmobilizowana 15 sierpnia 1939 roku przez 2 Batalion Pancerny w Żurawicy dla 10 Brygady Kawalerii, która weszła w skład Armii „Kraków".
Dowódca: por. Stanisław Rączkowski.
Sprzęt bojowy – 16 czołgów *Vickers E.*
Kompania przejechała 1 września wraz z innymi oddziałami 10 Brygady Kawalerii spod Krakowa w rejon Chabówki. Kompania weszła do akcji 3 września, dwukrotnie odpierając pod Krzeczowem ataki nieprzyjaciela, który włamał się w polskie pozycje. Następnego dnia czołgi wydatnie wsparły piechurów, którzy odnieśli lokalny sukces pod Kasiną Wielką. W dniu 5 września kompania kontratakowała na różnych odcinkach obrony w rejonie Dobrzyc, a 6 września kilkakrotnie skutecznie interweniowała podczas boju o Wiśnicz. Następnego dnia czołgi pomagały odeprzeć niemieckie szpice pancerne. Podczas dalszego odwrotu zabrakło paliwa, a po jego dostarczeniu czołgiści wzięli samorzutnie udział w boju o Kolbuszową, ponosząc tu znaczne straty. Po przybyciu nad San kompania została podporządkowana dowództwu Grupy Operacyjnej „Boruta". Ostatnie jej wozy wzięły 15 września udział w boju 21 Dywizji Piechoty pod Oleszycami. Część z nich została zniszczona w walce, część wpadła w ręce nieprzyjaciela po kapitulacji dywizji w dniu 16 września.

1 KOMPANIA CZOŁGÓW LEKKICH DOWÓDZTWA OBRONY WARSZAWY

Sformowana 4 września 1939 roku przez Centrum Wyszkolenia Broni Pancernych w Modlinie i 3 Batalion Pancerny z Warszawy.
Dowódca: kpt. Feliks Michałkowski.
Sprzęt bojowy – 11 czołgów *7TP* (dwuwieżowych).
Pierwszą akcją kompanii było przeprowadzone 8 września siłami plutonu rozpoznanie rejonu Wyszkowa. Podczas uderzenia Niemców na Warszawę kompania działała na terenie Kolonii Staszica, likwidując tam poszczególne wozy bojowe przeciwnika. W wypadzie na Okęcie (12 września) czołgi kompanii zmusiły Niemców do wycofania się z terenu lotniska, a potem osłaniały odwrót własnej piechoty. Po poniesionych w tym dniu ciężkich stratach czołgi 1 Kompanii włączono do 2 Kompanii Czołgów Lekkich Dowództwa Obrony Warszawy.

10. Uszkodzony (w Warszawie na Ochocie) dwuwieżowy czołg *7TP*

2 KOMPANIA CZOŁGÓW LEKKICH DOWÓDZTWA OBRONY WARSZAWY

Sformowana 5 września 1939 roku w Warszawie.
Dowódca: kpt. Stanisław Grąbczewski.
Sprzęt bojowy – 11 czołgów *7TP* (z bieżącej produkcji Państwowych Zakładów Inżynierii – PZInż.).
Kompania wyjechała 7 września na rozpoznanie dalekiego przedpola stolicy, do Grójca, Mogielnicy i Nowego Miasta. Gdy Niemcy uderzyli 9 września na Warszawę, czołgi oczyściły od nieprzyjaciela rejon między ul. Grójecką a torami kolejowymi, potem pomogły odzyskać kluczową barykadę na ul. Opaczewskiej. Następnego dnia kompania wspierała piechurów kontratakujących na Woli, a wieczorem wzięła udział w wypadzie na Wawrzyszew, niszcząc tam i zdobywając kilka niemieckich czołgów. Podczas wypadu na Okęcie (12 września) czołgi dotarły aż do kolonii Załuski – choć za cenę znacznych strat. Po tej akcji do kompanii zostały wcielone pozostałe jeszcze czołgi 1 Kompanii i utworzono oddział zbiorczy. W dniu 15 września oddział patrolował przedpole pozycji na Woli, a 18 września wsparł w tym rejonie wypad w celu nawiązania łączności z podchodzącymi oddziałami Armii „Poznań". W starciu z niemieckimi czołgami powstały znów dotkliwe straty. Ostatnią akcją bojową czołgów lekkich był przeprowadzony 26 września kontratak, który pomógł przywrócić położenie na Czystem. Po kapitulacji Warszawy (27 września) uszkodzono resztę posiadanego sprzętu, przekazując Niemcom bezużyteczne wraki.

11 DYWIZJON PANCERNY

Zmobilizowany 25 sierpnia 1939 roku przez Centrum Wyszkolenia Broni Pancernych w Modlinie dla Mazowieckiej Brygady Kawalerii, przydzielonej do Armii „Modlin".
Dowódca: mjr Stefan Majewski; dowódcy szwadronów: kpt. Stanisław Spodenkiewicz, kpt. Mirosław Jarociński.
Sprzęt bojowy – 13 czołgów *TK-3* i 8 samochodów pancernych *wz. 29.*
Wysunięty na przedpole Mazowieckiej Brygady Kawalerii dywizjon odniósł sukces już w pierwszych godzinach walk, niszcząc cały patrol niemieckich samochodów pancernych. Czołgi dywizjonu wspierały (2 września) kontrataki mające na celu wyparcie Niemców z pozycji brygady. Dywizjon poniósł poważne straty, toteż w następnych dniach walki toczył głównie szwadron samochodów pancernych, między innymi niszcząc (4 września) pod Makowem Mazowieckim kilka wozów bojowych przeciwnika oraz samochód sztabowy, w którym znaleziono ważne dokumenty i mapy. W dniu 7 września samochody pancerne dokonały na południowym brzegu Narwi wypadu, podczas którego znów zniszczono sprzęt przeciwnika. Podczas odwrotu z rejonu Mińska Mazowieckiego, skierowany bocznymi drogami dywizjon, stoczył 13 września pod Seroczynem zacięty bój z silnym oddziałem z Dywizji Pancernej „Kempf", udaremniając jego marsz ku Wiśle. W boju tym wzięła udział 62 Samodzielna Kompania Czołgów Rozpoznawczych, dołączając następnie do dywizjonu. Następnego dnia dywizjon otrzymał zadanie ubezpieczenia tyłów Armii „Lublin", współdziałając z czołgistami z 1 Batalionu, który również dołączył do dywizjonu. To zgrupowanie weszło (15 września) w skład Warszawskiej Brygady Pancerno-Motorowej, tocząc walki z niemieckimi patrolami. Następnego dnia w rejonie Zwierzyńca trzeba było zniszczyć ostatnie samochody pancerne, ponieważ zapadły się po osie w sypkim piasku. W boju o Tomaszów Lubelski tankietki zgrupowania wykonały (18 września) czołowy atak na niemieckie pozycje, tracąc wiele sprzętu. Ostatnie wozy zostały zniszczone w walkach następnego dnia. Pancerni dywizjonu podzielili los innych oddziałów zgrupowania gen. Piskora, które kapitulowało w dniu 20 września.

21 DYWIZJON PANCERNY

Zmobilizowany 15 sierpnia 1939 roku przez 12 Batalion Pancerny w Łucku dla Wołyńskiej Brygady Kawalerii przydzielonej do Armii „Łódź".
Dowódca: mjr Stanisław Gliński; dowódcy szwadronów: por. Leszek Kozieradzki, kpt. Józef Żymierski.
Sprzęt bojowy – 13 czołgów *TKS*, 8 samochodów pancernych *wz. 34–II.*
Chrzest bojowy przeszedł dywizjon już 1 września w ciężkim boju Wołyńskiej Brygady Kawalerii pod Mokrą, opóźniając posuwanie się nieprzyjaciela i kontratakując w przełomowym momencie walk. Dywizjon poniósł znaczne straty. Podobnie było następnego dnia pod Ostrowami, gdzie dywizjon zatrzymał atakujące niemieckie czołgi. Kolejne walki toczył dywizjon 4 września nad Widawką, a 6 września na południe od Łodzi. W boju pod Cyrusową Wolą rzucony do przeciwnatarcia wykonał swe zadanie, ale utracił cały niemal sprzęt pancerny. Odesłany na tyły, dotarł 14 września do Łucka, gdzie na jego bazie zorganizowano Zmotoryzowany Oddział Rozpoznawczy, który wszedł w skład grupy gen. Skuratowicza. W dniu 18 września większość żołnierzy dywizjonu przekroczyła granicę węgierską.

11. 10 Brygada Kawalerii na granicy węgierskiej. Po prawej stronie motocykl typu *M 111*, dalej *Łaziki Polski FIAT 518*, radiostacja na podwoziu *Polski FIAT 508* i samochody *Polski FIAT 508/518*

31 DYWIZJON PANCERNY

Zmobilizowany 25 sierpnia 1939 roku przez 7 Batalion Pancerny w Grodnie dla Suwalskiej Brygady Kawalerii, przydzielonej do Samodzielnej Grupy Operacyjnej „Narew".

Dowódca: kpt. Brunon Błędzki; dowódcy szwadronów: por. Antoni Palukajtys, por. Edward Popielarski.

Sprzęt bojowy – 13 czołgów *TKS*, 8 samochodów pancernych *wz. 34–II.*

Dywizjon ubezpieczał początkowo w rejonie Suwałk północne wyloty Puszczy Augustowskiej, a w dniach 4–8 września wykonał wraz z Suwalską Brygadą Kawalerii przemarsz pod Zambrów. W dniu 10 września wykonał w składzie brygady uderzenie z rejonu Czerwonego Boru, odrzucając Niemców na odległość kilku kilometrów. Następnego dnia poniósł ciężkie straty w starciach pod Zambrowem. W czasie odwrotu Samodzielnej Grupy Operacyjnej „Narew" w wozach dywizjonu zabrakło paliwa i trzeba je było (15 września) zniszczyć w rejonie Łap. Żołnierze dywizjonu pieszo dotarli do Wołkowyska, gdzie zostali wzięci do niewoli przez wojska radzieckie.

32 DYWIZJON PANCERNY

Zmobilizowany 15 sierpnia 1939 roku przez 7 Batalion Pancerny w Grodnie dla Podlaskiej Brygady Kawalerii, przydzielonej do Samodzielnej Grupy Operacyjnej „Narew".

Dowódca: mjr Stanisław Szostak; dowódcy szwadronów: por. Janusz Żongołłowicz, por. Aleksander Strokowski.

Sprzęt bojowy – 13 czołgów *TKS*, 8 samochodów pancernych *wz. 34-II.*

Dywizjon wszedł do akcji 4 września wspierając ułanów Podlaskiej Brygady Kawalerii w wypadach na terytorium Prus Wschodnich koło Białej Piskiej i w rejonie Kolna. W dniach 8 i 9 września elementy dywizjonu próbowały zepchnąć niemieckie ubezpieczenia spod Ostrowi Mazowieckiej, a także wspomagały piechurów, próbujących opanować to miasto. W dniu 11 września utracono pluton czołgów, zaatakowany przez przeważające siły na południe od Zambrowa. Następnego dnia odrzucono pod Czyżewem, choć za cenę znacznych strat, niemiecki oddział pancerno-motorowy. W dniu 13 września dywizjon próbował wywalczyć sobie drogę do mostu na rzece Mień, a gdy się to nie powiodło, przeprawił się brodem, tracąc tam jednak większość sprzętu pancernego. Podczas dalszego odwrotu w wozach wyczerpało się paliwo i żołnierze dywizjonu pieszo doszli do Wołkowyska. W dniu 20 września wzięli oni jeszcze udział w obronie Grodna, a 24 września przeszli na terytorium Litwy.

33 DYWIZJON PANCERNY

Zmobilizowany 25 sierpnia 1939 roku przez 7 Batalion Pancerny (oddział detaszowany w Wilnie) dla Wileńskiej Brygady Kawalerii, przydzielonej do Armii Odwodowej.
Dowódca: kpt. Władysław Łubieński; dowódcy szwadronów: por. Karol Smolak, por. Wiktor Szyksznel.
Sprzęt bojowy – 13 czołgów *TKS*, 8 samochodów pancernych *wz. 34-II.*
Dywizjon został przerzucony 2 września do Koluszek i w następnych dniach patrolował na lewym brzegu Pilicy oraz osłaniał odejście Wileńskiej Brygady Kawalerii znad rzeki. W dniach 7 i 8 września dozorował podejścia do Radomia, a potem wycofał się za Wisłę, tocząc po drodze utarczki z nieprzyjacielem. Skierowano go do patrolowania linii rzeki Wieprz, a 13 września – pod Lublin, gdzie w dwa dni później wszedł w skład zgrupowania pancernego mjra Majewskiego. W dniu 17 września ubezpieczał przemarsz Warszawskiej Brygady Pancerno-Motorowej, tocząc walki z nieprzyjacielskimi patrolami. W czasie boju o Tomaszów Lubelski (18 września) czołgi dywizjonu przedłużały skrzydło atakujących, a samochody pancerne ubezpieczały tyły. W drugim dniu bitwy tankietki otrzymały zadanie bezpośredniego wsparcia atakujących piechurów i dotarły na sam skraj miasta. W ostatnim natarciu pełniły już tylko rolę stałych punktów ogniowych. Dywizjon podzielił los zgrupowania gen. Piskora, które kapitulowało w dniu 20 września.

51 DYWIZJON PANCERNY

Zmobilizowany 25 sierpnia 1939 roku przez 5 Batalion Pancerny w Krakowie dla Krakowskiej Brygady Kawalerii, przydzielonej do Armii „Kraków"
Dowódca: mjr Henryk Świetlicki; dowódcy szwadronów: kpt. Edward Herbert, por. Jan Rusinowski.
Sprzęt bojowy – 13 czołgów *TK-3*, 8 samochodów pancernych *wz. 34.*
Dywizjon wchodził początkowo w skład oddziału wydzielonego wysuniętego na przedpole Krakowskiej Brygady Kawalerii i od pierwszych godzin prowadził działania opóźniające. Kontynuowano je także następnego dnia, w którym dywizjon poniósł jednak ciężkie straty w wyniku nalotów. W dniu 3 września uszkodzono i zdobyto w rejonie Zawiercia nieprzyjacielski samochód pancerny, a w nim dokumenty i mapy. Wieczorem tegoż dnia zniszczono na wschodnim brzegu Pilicy oddział niemieckich samochodów pancernych. Dywizjon podążył potem za 8 Pułkiem Ułanów, tracąc kontakt z brygadą i 5 września powstrzymywał nieprzyjaciela na przedpolach Kielc. Następnego dnia odbił pod Zagnańskiem działa, zagarnięte przez nieprzyjaciela. 7 września dywizjon opóźniał marsz Niemców między Suchedniowem a Skarżyskiem. Dywizjon wszedł potem w skład Grupy Operacyjnej gen. Skwarczyńskiego i 8 września zadał pod Iłżą ciężkie straty zmotoryzowanemu oddziałowi wroga; dotkliwe były także i straty własne. Ostatnie wozy bojowe uległy zniszczeniu podczas przedsięwziętej następnego dnia próby przebicia. Część żołnierzy dywizjonu zdołała wydostać się z okrążenia i dotrzeć do Lublina, gdzie wcielono ich do Ośrodka Zapasowego Broni Pancernych nr 2.

61 DYWIZJON PANCERNY

Zmobilizowany 28 sierpnia 1939 roku przez 6 Batalion Pancerny we Lwowie dla Kresowej Brygady Kawalerii, przydzielonej do Armii „Łódź".
Dowódca: kpt. Alfred Wójciński; dowódcy szwadronów: por. Tadeusz Dziurzyński, kpt. Tadeusz Poliszewski.
Sprzęt bojowy – 13 czołgów *TKS*, 8 samochodów pancernych *wz. 34-II*.
Dywizjon od 2 września przebywał w Poddębicach i 4 września jego szwadron samochodów pancernych osłaniał podejścia do mostów w mieście Warta, zmuszając do wycofania się nieprzyjacielskie patrole. W dniu 7 września samochody pancerne zaskoczyły we wsi Panaszew w rejonie Poddębic sztab niemieckiej dywizji, zadając Niemcom straty. W rejonie Aleksandrowa Łódzkiego trzeba było pozostawić większość sprzętu szwadronu, ponieważ zabrakło paliwa. Po rozpadzie Kresowej Brygady Kawalerii dywizjon odjechał do Warszawy, po czym 10 września wszedł w skład grupy płka Komorowskiego, dozorującej linię Wisły pod Garwolinem. Od 11 września dywizjon osłaniał pod Radzyniem formowanie Brygady Kawalerii płka Zakrzewskiego. Brygada ta weszła w skład zgrupowania gen. Dęba-Biernackiego. W dniu 21 września czołgi dywizjonu stoczyły pod Komorowem zwycięską potyczkę z niemieckim patrolem pancernym. Następnego dnia dywizjon wspierał natarcie 1 Dywizji Piechoty na Tarnawatkę i poniósł w otwartym terenie duże straty. Gdy oddziały dywizji złożyły broń, dywizjon odłączył się od nich i 24 września wszedł w skład grupy płka Koca. Następnego dnia oddział musiał zostawić na przeprawie przez Wieprz swoje ostatnie wozy.

62 DYWIZJON PANCERNY

Zmobilizowany 28 sierpnia 1939 roku przez 6 Batalion Pancerny we Lwowie dla Podolskiej Brygady Kawalerii, przydzielonej do Armii „Poznań".
Dowódca: kpt. Zygmunt Brodowski: dowódcy szwadronów: por. Stanisław Niemczycki, por. Jan Tabaczyński.
Sprzęt bojowy – 13 czołgów *TKS*, 8 samochodów pancernych *wz. 34-II*.
Dywizjon 2 września przybył do Wrześni i następnego dnia patrolował na przedpolu Podolskiej Brygady Kawalerii, docierając aż do samej granicy. W pierwszej fazie bitwy nad Bzurą dywizjon wspierał 9 września ułanów na przedpolach Uniejowa, następnego zaś dnia toczył walki o Wartkowice, tracąc kilka wozów bojowych. W dniu 11 września brał udział w działaniach zaczepnych w rejonie Parzęczewa, w dzień później opóźniał posuwanie się nieprzyjaciela na Łęczycę. W rejonie Kiernozi zostały zniszczone (16 września) w potyczce z pancernym przeciwnikiem wszystkie czołgi 2 plutonu. Tego samego dnia na przeprawie przez dolną Bzurę trzeba było zostawić ostatnie samochody pancerne, a czołgom zabrakło paliwa na bezdrożach Puszczy Kampinoskiej. Część żołnierzy dywizjonu dotarła do Warszawy i brała następnie udział w jej obronie.

71 DYWIZJON PANCERNY

Zmobilizowany 25 sierpnia 1939 roku przez 1 Batalion Pancerny w Poznaniu dla Wielkopolskiej Brygady Kawalerii, przydzielonej do Armii „Poznań".
Dowódca: mjr Kazimierz Zółkiewicz: dowódcy szwadronów: por. Wacław Chłopik, por. Adam Staszków.
Sprzęt bojowy – 13 czołgów *TK-3* (w tym 4 wozy z działkiem 20 mm), 8 samochodów pancernych *wz. 34.*
Dywizjon stoczył już 1 września intensywne walki na przedpolu, wspierając kawalerzystów z Wielkopolskiej Brygady Kawalerii i piechurów w walkach o Rawicz i Kaczkowo, a także przyczyniając się do likwidacji hitlerowskiej dywersji w Lesznie. Wozy dywizjonu uczestniczyły 2 września w wypadach na terytorium Rzeszy pod Rawiczem i w kierunku Wschowy. W dniu 7 września dywizjon samodzielnie opóźniał posuwanie się nieprzyjaciela na Łęczycę, a jego samochody pancerne walczyły 9 września pod Łowiczem. Następnego dnia rozbito nieprzyjacielską kolumnę pod Bielawami, a potem powstrzymywano posuwanie się Niemców w kierunku tej miejscowości. W dniu 11 września śmiały atak czołgów umożliwiał wyprowadzenie spod ognia baterii dział 7 Dywizjonu Artylerii Konnej. Niepowodzeniem zakończyły się natomiast 13 września próby uderzenia w kierunku Głowna. Czołgi przyczyniły się (14 września) do sukcesu obronnego pod Brochowem. Samochody pancerne dywizjonu trzeba było pozostawić na przeprawie przez dolną Bzurę, czołgi przejechały do Puszczy Kampinoskiej, gdzie 18 września zniszczyły koło miasta Pociecha kilka znacznie cięższych wozów bojowych przeciwnika. Następnego dnia uczestniczyły w boju o Sieraków. W dniu 20 września dywizjon przebił się do Warszawy, doprowadzając tam ostatni swój czołg.

81 DYWIZJON PANCERNY

Zmobilizowany 25 sierpnia 1939 roku przez 8 Batalion Pancerny w Bydgoszczy dla Pomorskiej Brygady Kawalerii, przydzielonej do Armii „Pomorze".
Dowódca: mjr Franciszek Szystowski; dowódcy szwadronów: por. Witold Czerniewski, kpt. Mieczysław Brzozowski.
Sprzęt bojowy – 13 czołgów *TK-3* (w tym 3 wozy z działkiem 20 mm), 8 samochodów pancernych *wz. 34.*
Gdy na pozycje Pomorskiej Brygady Kawalerii wyszło 1 września silne uderzenie wroga, czołgi dywizjonu wykonały kontratak, zadając straty zmotoryzowanej kolumnie nieprzyjaciela. Dywizjon stanowił następnie główną siłę przebojową brygady podczas jej przebijania się (3 września) z „pomorskiego korytarza", tracąc jednak wiele sprzętu. Od 5 września dywizjon patrolował na przedpolach Torunia. Jego stare wozy uległy przy tym tak znacznemu zużyciu, że dowódca Pomorskiej Brygady Kawalerii zarządził 7 września odesłanie dywizjonu na tyły. W dniu 13 września przybył on do Łucka, gdzie ze sprawnych czołgów i samochodów pancernych utworzono mieszany oddział, który między innymi rozproszył 15 września pod Hrubieszowem niemiecki patrol, biorąc jeńców. Oddział ten przekroczył 18 września granicę węgierską. Część żołnierzy dywizjonu przedostała się na terytorium Rumunii, a część została wzięta do niewoli przez wojska radzieckie.

91 DYWIZJON PANCERNY

Zmobilizowany 25 marca 1939 roku przez 4 Batalion Pancerny w Brześciu nad Bugiem dla Nowogródzkiej Brygady Kawalerii, przydzielonej do Armii „Modlin".
Dowódca: mjr Antoni Śliwiński; dowódcy szwadronów: kpt. Grzegorz Rodziewicz, kpt. Adolf Reyman.
Sprzęt bojowy – 13 czołgów *TK-3*, 8 samochodów pancernych *wz. 34.*
Po dwóch dniach patrolowania na przedpolu pozycji Nowogródzkiej Brygady Kawalerii dywizjon wykonał 3 września z innymi jej oddziałami wypady w rejonie Działdowa, zadając straty przeciwnikowi. Po powrocie brygady dywizjon wziął 12 września udział w próbie likwidacji niemieckiego przyczółka na Wiśle naprzeciw Góry Kalwarii. Następnego dnia jego wozy wyparły z Siennicy niemiecki oddział pancerno-motorowy. Dalszy odwrót na Lubelszczyznę pociągnął za sobą znaczne straty marszowe. W dniu 22 września dywizjon wspierał uderzenie oddziałów Nowogródzkiej Brygady Kawalerii między Zamościem a Tomaszowem Lubelskim, tracąc następnie w podmokłym terenie część czołgów. Następnego dnia do dywizjonu włączono zdobyty sprzęt i przeorganizowano go w Grupę Pancerno--Motorową, która 27 września stoczyła ostatnie walki w rejonie Sambora. Większość żołnierzy grupy dostała się tam do niewoli radzieckiej. 91 Dywizjon był najdłużej walczącą w otwartym polu jednostką polskiej broni pancernej.

11 KOMPANIA CZOŁGÓW ROZPOZNAWCZYCH

Zmobilizowana 26 sierpnia 1939 roku w Centrum Wyszkolenia Broni Pancernych w Modlinie dla Warszawskiej Brygady Pancerno-Motorowej.
Dowódca: kpt. Stanisław Łętowski.
Sprzęt bojowy – 13 czołgów *TKS* (4 z działkiem 20 mm).
Kompania przyjechała na miejsce koncentracji brygady 31 sierpnia. Jej dwa plutony zostały po jednym przekazane do obu pułków strzeleckich brygady. Pierwszą akcją bojową czołgów kompanii – poza dozorowaniem nad środkową Wisłą – było starcie (1 września) pod Annopolem, gdzie kompania poniosła straty od ognia działek przeciwpancernych. Użyta do bezpośredniego wsparcia atakujących piechurów w pierwszym dniu boju o Tomaszów Lubelski poniosła 18 września ciężkie straty. Pozostałe czołgi uczestniczyły w dalszych bojach o miasto. Po kapitulacji brygady 20 września jej żołnierze dostali się do niewoli.

31 SAMODZIELNA KOMPANIA CZOŁGÓW ROZPOZNAWCZYCH

Zmobilizowana 25 sierpnia 1939 roku przez 7 Batalion Pancerny w Grodnie, przydzielona do Armii „Poznań".
Dowódca: kpt. Tadeusz Szałek.
Sprzęt bojowy – 13 czołgów *TKS.*
Po przybyciu 3 września do Konina kompania została podporządkowana 25 Dywizji Piechoty i przeszła do Kalisza, gdzie ubezpieczała odmarsz oddziałów dywizji. Pierwsze starcie z wrogiem nastąpiło 6 września koło Turka, gdzie rozproszono oddział niemieckich kolarzy, biorąc jeńców. W bitwie nad Bzurą kompania między innymi zaskoczyła 10 września w Solcy Małej oddział niemieckich pionierów, zagarniając jego sprzęt i biorąc jeńców. W Puszczy Kampinoskiej kompania stoczyła 18 września walkę we wsi Górki, tracąc większość posiadanego jeszcze sprzętu. Reszta oddziału dotarła 20 września do Warszawy i brała potem udział w jej obronie.

32 SAMODZIELNA KOMPANIA CZOŁGÓW ROZPOZNAWCZYCH

Zmobilizowana 25 września 1939 roku przez 7 Batalion Pancerny w Grodnie, przydzielona do Armii „Łódź".
Dowódca: kpt. Florian Kaźmierczak.
Sprzęt bojowy – 13 czołgów *TKS*.
3 września kompania została przydzielona w Pabianicach do 1 Pułku Kawalerii Korpusu Ochrony Pogranicza (KOP). W dniu 5 września uczestniczyła w próbie likwidacji niemieckiego przyczółka na Warcie, na południe od Sieradza, tracąc blisko połowę swego sprzętu. Podczas odwrotu natknęła się 8 września pod Łowiczem na przeważające siły przeciwnika i straciła większość posiadanych jeszcze wozów bojowych. Po przybyciu 11 września do Otwocka resztki jej zostały wcielone do 91

41 SAMODZIELNA KOMPANIA CZOŁGÓW ROZPOZNAWCZYCH

Zmobilizowana 25 sierpnia 1939 roku przez 10 Batalion Pancerny w Zgierzu, przydzielona do Armii „Łódź".
Dowódca: kpt. Tadeusz Witanowski.
Sprzęt bojowy – 13 czołów *TK-3*.
Skierowana na odcinek 30 Dywizji Piechoty kompania toczyła już w pierwszych godzinach pomyślne walki na lewym brzegu Warty. Podczas obrony pozycji na Widawce wykonała 5 września udany kontratak, zadając Niemcom krwawe straty i powstrzymując ich marsz. W toku zaczepnych, a potem obronnych, działań pod Żyrardowem kompania straciła 12 września większość swego sprzętu. Podczas prób przebicia się do Puszczy Kampinoskiej jej żołnierze dostali się do niewoli.

42 SAMODZIELNA KOMPANIA CZOŁGÓW ROZPOZNAWCZYCH

Zmobilizowana 25 sierpnia 1939 roku przez 10 Batalion Pancerny w Zgierzu, przydzielona do Armii „Łódź".
Dowódca: kpt. Maciej Grabowski.
Sprzęt bojowy – 13 czołgów *TK-3*.
Kompania otrzymała przydział do Kresowej Brygady Kawalerii i 4 września wspierała jej oddziały broniąc podejść do przepraw przez Wartę, tracąc kilka czołgów. Kolejne walki stoczono 7 września pod Aleksandrowem Łódzkim. Podczas odwrotu trzeba było pozostawić niesprawne, wysłużone wozy. Ostatni wóz zniszczono 11 września koło Garwolina. Żołnierze kompanii zostali następnie włączeni w Lublinie do Ośrodka Zapasowego Broni Pancernych nr 2.

51 SAMODZIELNA KOMPANIA CZOŁGÓW ROZPOZNAWCZYCH

Zmobilizowana 25 września 1939 roku przez 5 Batalion Pancerny w Krakowie, przydzielona do Armii „Kraków".
Dowódca: kpt. Kazimierz Poletyłło.
Sprzęt bojowy – 13 czołgów *TK-3*.
Podporządkowana Grupie Operacyjnej „Bielsko" kompania patrolowała 1 września przedpole pozycji 21 Dywizji Piechoty i skutecznie zaatakowała niemiecki zmotoryzowany oddział na postoju. W dniu 5 września odparła niemiecki patrol, który próbował wtargnąć do Bochni. Podczas dalszego odwrotu powstały znaczne straty marszowe i do rejonu Rzeszowa kompania doprowadziła już tylko kilka czołgów. Wcielono ją (8 września) do 101 Kompanii z 10 Brygady Kawalerii.

52 SAMODZIELNA KOMPANIA CZOŁGÓW ROZPOZNAWCZYCH

Zmobilizowana 25 sierpnia 1939 roku przez 5 Batalion Pancerny w Krakowie, przydzielona do Armii „Kraków".
Dowódca: kpt. Paweł Dubicki,
Sprzęt bojowy – 13 czołgów *TK-3*.
Trzymaną w odwodzie Grupy Operacyjnej „Śląsk" kompanię skierowano 1 września na odcinek Mikołowa, gdzie odrzuciła nieprzyjacielski oddział rozpoznawczy, a następnie wspierała kontrataki piechoty. Następnego dnia uczestniczyła w natarciu, które doprowadziło do odzyskania miasta Wyry, a 3 września zaskoczyła koło Mikołowa oddział niemieckich kolarzy, zadając im poważne straty. W Mysłowicach czołgi interweniowały tegoż dnia podczas walk z dywersantami. Gdy 8 września Niemcy wtargnęli do Pacanowa, kompania odegrała dużą rolę w przeciwuderzeniu, które oczyściło miasteczko. W dniu 13 września poniosła ciężkie straty w starciu z niemieckim podjazdem pancernym koło Koprzywnicy. Na przeprawie przez Wisłę musiała następnie zostawić resztę swego sprzętu bojowego i 14 września żołnierze jej dołączyli do Warszawskiej Brygady Pancerno-Motorowej.

61 SAMODZIELNA KOMPANIA CZOŁGÓW ROZPOZNAWCZYCH

Zmobilizowana 30 sierpnia 1939 roku przez 6 Batalion Pancerny we Lwowie, przydzielona do Armii „Kraków".
Dowódca: kpt. Władysław Czapliński.
Sprzęt bojowy – 13 czołgów *TKS*.
Po przybyciu 1 września do Krakowa kompania została skierowana na odcinek 1 Brygady Górskiej i 3 września weszła do akcji udanym kontratakiem w rejonie Mszany Dolnej. W dzień później odrzucono koło Kasiny Wielkiej niemieckie oddziały, a 6 września kompania walczyła między Rabą a Stradomką. Następnego dnia wspierała kontratak piechoty na Radłów, ale podczas przeprawy brodem przez Dunajec uległa rozproszeniu, tracąc wiele sprzętu. Podporządkowana Grupie Operacyjnej „Boruta", poniosła 14 września straty podczas nieudanej próby opanowania wsi Ułazów w rejonie Cieszanowa. W dniu 17 września dołączyła do Warszawskiej Brygady Pancerno-Motorowej.

62 SAMODZIELNA KOMPANIA CZOŁGÓW ROZPOZNAWCZYCH

Zmobilizowana 29 września 1939 roku przez 6 Batalion Pancerny we Lwowie, przydzielona do Armii „Modlin".
Dowódca: kpt. Stanisław Szapkowski.
Sprzęt bojowy – 13 czołgów *TKS*.
Wchodząca w skład 20 Dywizji Piechoty kompania wspierała 2 września kontrataki piechoty na pozycji mławskiej, 3 września pod Gruduskiem, a 4 września pod samą Mławą. Po przejściu do Modlina weszła przejściowo w skład Grupy Operacyjnej gen. Zulaufa, a podczas dalszego odwrotu dołączyła (13 września) do 11 Dywizjonu Pancernego i wzięła udział w boju pod Seroczynem. Swój szlak bojowy zakończyła 20 września w składzie warszawskiej Brygady Pancerno-Motorowej pod Tomaszowem Lubelskim.

63 SAMODZIELNA KOMPANIA CZOŁGÓW ROZPOZNAWCZYCH

Zmobilizowana 29 sierpnia 1939 roku przez 6 Batalion Pancerny we Lwowie, przydzielona do Armii „Modlin".
Dowódca: por. Mieczysław Kosiewicz.
Sprzęt bojowy – 13 czołgów *TKS*.
Wchodząca w skład 8 Dywizji Piechoty kompania wspierała piechurów, którzy 3 września zdobyli wieś Szczepanki koło Gruduska. Od następnego dnia towarzyszyła 21 Pułkowi Piechoty na szlaku jego odwrotu do Modlina. W dniu 12 września wykonała z rejonu Kazunia wypad, który doprowadził do nawiązania łączności z Grupą Operacyjną gen. Thommée, a następnego dnia prowadziła działania rozpoznawcze i opóźniające w widłach Wisły i Bugo-Narwi. Kompania pozostała następnie w obrębie twierdzy Modlin, kapitulując 29 września wraz z jej załogą.

71 SAMODZIELNA KOMPANIA CZOŁGÓW ROZPOZNAWCZYCH

Zmobilizowana 25 sierpnia 1939 roku przez 1 Batalion Pancerny w Poznaniu, przydzielona do Armii „Poznań".
Dowódca: por. Stanisław Skibniewski.
Sprzęt bojowy – 13 czołgów *TK-3*.
Skierowana przez 14 Dywizję Piechoty na odcinek między Zbąszyniem a Wolsztynem kompania – najbardziej na zachód wysunięty oddział polskiej broni pancernej – przepędziła 1 września przekraczające granicę patrole Wermachtu. Przydzielona w pierwszej fazie bitwy nad Bzurą do 17 Dywizji Piechoty dokonała 8 września nieudanej próby opanowania Łęczycy, tracąc kilka czołgów. Następnego dnia stoczyła wiele walk, rozpraszając między innymi niemiecką kolumnę, niszcząc jej sprzęt i biorąc jeńców. Swój największy sukces odniosła 10 września niszcząc w rejonie Piątku oddział niemieckiej artylerii. W dniu 15 września odparła atak niemieckich czołgów, ale w walkach następnego dnia poniosła duże straty w ludziach i sprzęcie. Do Puszczy Kampinoskiej przedostały się już tylko luźne grupy żołnierzy, którzy brali następnie udział w obronie Warszawy.

72 SAMODZIELNA KOMPANIA CZOŁGÓW ROZPOZNAWCZYCH

Zmobilizowana 25 sierpnia 1939 roku przez 1 Batalion Pancerny w Poznaniu, przydzielona do Armii „Poznań".
Dowódca: kpt. Lucjan Szczepankowski.
Sprzęt bojowy – 13 czołgów *TK-3*.
Wchodzącą początkowo w skład 17 Dywizji Piechoty kompanię już 1 września przesunięto na odcinek 26 Dywizji Piechoty. W dniu 4 września czołgi kompanii broniły przepraw przez Noteć w rejonie Nakła, udaremniając niemieckie próby sforsowania rzeki. Czołgi użyto 7 września do zwalczania groźby hitlerowskiej dywersji w Inowrocławiu. W dniu 16 września kompania wzięła udział w boju doraźnie sformowanego zgrupowania pancernego o wieś i majątek Braki. W czasie odwrotu nad dolną Bzurę czołgiści musieli pozostawić resztę sprzętu. Większość zdołała przedostać się do Warszawy i wziąć udział w jej obronie.

81 SAMODZIELNA KOMPANIA CZOŁGÓW ROZPOZNAWCZYCH

Zmobilizowana 25 sierpnia 1939 roku przez 8 Batalion Pancerny w Bydgoszczy, przydzielona do Armii „Pomorze".
Dowódca: kpt. Feliks Polkowski.
Sprzęt bojowy – 13 czołgów *TK-3*.
Kompanię, która pierwotnie podlegała dowództwu 15 Dywizji Piechoty, podporządkowano 1 września Grupie Operacyjnej „Wschód". Jej czołgi w znacznym stopniu przyczyniły się (2 września) do lokalnego sukcesu koło jeziora Mełno w pobliżu Grudziądza, gdzie kompania poniosła jednak duże straty. W czasie odwrotu była podporządkowana 4 Dywizji Piechoty, a potem bezpośrednio dowództwu Armii. 16 września wzięła udział w boju zgrupowania pancernego o majątek Braki. W dwa dni później straciła na podejściach do dolnej Bzury resztę sprzętu. Jej żołnierze dostali się tam do niewoli.

82 SAMODZIELNA KOMPANIA CZOŁGÓW ROZPOZNAWCZYCH

Zmobilizowana 25 sierpnia 1939 roku przez 8 Batalion Pancerny w Bydgoszczy, przydzielona do Armii „Poznań".
Dowódca: por. Eugeniusz Włodkowski.
Sprzęt bojowy – 13 czołgów *TK-3*.
Kompania prowadziła początkowo działania rozpoznawcze i ubezpieczające na korzyść 26 Dywizji Piechoty, toteż bój o majątek Braki (16 września) był pierwszą jej większą akcją. Następnego dnia kompania została zaatakowana przez przeważające siły pancerne przeciwnika, poniosła ponownie duże straty w ludziach i sprzęcie; przestała istnieć jako oddział bojowy. W dniu 18 września w ostatnich jej pojazdach wyczerpało się paliwo i czołgiści zniszczyli swój sprzęt. Większości żołnierzy udało się potem przedostać przez Puszczę Kampinoską do stolicy.

91 SAMODZIELNA KOMPANIA CZOŁGÓW ROZPOZNAWCZYCH

Zmobilizowana 26 sierpnia 1939 roku przez 4 Batalion Pancerny w Brześciu nad Bugiem, przydzielona do Armii „Łódź".
Dowódca: kpt. Stanisław Kraiński.
Sprzęt bojowy – 13 czołgów *TK-3*.
Wchodząca w skład oddziału wydzielonego 10 Dywizji Piechoty kompania odniosła sukces już w pierwszych godzinach wojny, rozpraszając pod Ostrzeszowem niemiecki patrol, biorąc jeńców, a co ważniejsze – zdobywając ważne dokumenty i mapy. W walkach następnego dnia wykruszyła się część zużytego sprzętu. W dniu 5 września kompania brała udział w walkach o niemieckie przyczółki na Warcie pod Sieradzem, a 7 września – o przeprawy przez Ner. Inny niemiecki przyczółek – na środkowej Wiśle – był celem ataku kompanii 10 września. Po wcieleniu resztek 32 Kompanii Czołgów oddział przeszedł do stolicy, gdzie 13 września wszedł w skład Kompanii Czołgów Rozpoznawczych Dowództwa Obrony Warszawy.

92 SAMODZIELNA KOMPANIA CZOŁGÓW ROZPOZNAWCZYCH

Zmobilizowana 26 sierpnia 1939 roku przez 4 Batalion Pancerny w Brześciu nad Bugiem, przydzielona do Armii „Łódź".
Dowódca: kpt. Władysław Iwanowski.
Sprzęt bojowy – 13 czołgów *TK-3*.
Kompania weszła w skład oddziału wydzielonego nr 2 i stoczyła 1 września kilka pomyślnych potyczek w okolicach Wieruszowa, zadając nieprzyjacielowi krwawe straty. Następnego dnia walczyła pod Lututowem. Podczas prób wyparcia Niemców za Wartę w rejonie Sieradza poniosła 5 września dotkliwe straty. Czołgiści skutecznie wspierali następnego dnia oddziały broniące Łasku. W dniu 7 września kompania toczyła walki w okolicach Zgierza, a w dwa dni później brała udział w zwalczaniu dywersji pod Błoniem. Podczas dalszego odwrotu dojechała 13 września na Polesie Lubelskie, gdzie musiano zniszczyć nie nadające się do dalszej jazdy (ostatnie już) czołgi. Żołnierze kompanii dołączyli do Ośrodka Zapasowego Broni Pancernych nr 2.

101 KOMPANIA CZOŁGÓW ROZPOZNAWCZYCH

Zmobilizowana 13 września 1939 roku przez 2 Batalion Pancerny w Żurawicy dla 10 Brygady Kawalerii, która weszła w skład Armii „Kraków".
Dowódca: por. Zdzisław Ziemski.
Sprzęt bojowy – 13 czołgów *TK-3* (4 z działkiem 20 mm).
Swój chrzest bojowy przeszła kompania 2 września w boju o Wysoką pod Jordanowem. W starciu pod Kasiną Wielką kompania odepchnęła 4 września oddział niemieckiej piechoty. Podczas boju o Wiśnicz (6 września) ubezpieczała tyły brygady, a następnie osłaniała jej odmarsz. W dniu 6 września wcielono do niej resztki 51 Kompanii Czołgów. Dniem chwały oddziału był 9 września, gdy jego wozy skutecznie opóźniały posuwanie się nieprzyjaciela między Rzeszowem a Łańcutem, a potem wykonały śmiały kontratak, który odrzucił pancerny oddział wroga. Kolejne walki toczono 11 i 12 września między Radymnem a Jaworowem. Po wzmocnieniu (13 września) czołgami szwadronu z dywizjonu rozpoznawczego brygady kompania wspierała (15 i 16 września) oddziały 10 Brygady Kawalerii podczas prób przebicia się do Lwowa. Były to ostatnie boje. Gdy skierowana na „przyczółek rumuński" 10 Brygada Kawalerii przekraczała 19 września granicę Węgier, kompania miała jeszcze na stanie 4 sprawne czołgi.

SZWADRON CZOŁGÓW ROZPOZNAWCZYCH 10 BRYGADY KAWALERII

Zmobilizowany 15 sierpnia 1939 roku przez 2 Batalion Pancerny w Żurawicy dla 10 Brygady Kawalerii, która weszła w skład Armii „Kraków".
Dowódca: por. Lucjan Pruszyński.
Sprzęt bojowy – 13 czołgów *TKF* (4 z działkami 20 mm).
Pierwszą większą akcją szwadronu był przeprowadzony 5 września wypad spod Dobczyc na Tymbark, podczas którego stoczono potyczkę z wozami bojowymi przeciwnika. Podczas odmarszu brygady z Radomyśla szwadron nie otrzymał na czas rozkazów i pod naciskiem niemieckich straży przednich stracił łączność z brygadą, do której dołączył dopiero 13 września pod Żółkwią. Jego wozy włączono wówczas do 101 Kompanii.

SZWADRON CZOŁGÓW ROZPOZNAWCZYCH WARSZAWSKIEJ BRYGADY PANCERNO-MOTOROWEJ

Zmobilizowany 26 sierpnia 1939 roku w Centrum Wyszkolenia Broni Pancernych w Modlinie.
Dowódca: kpt. Lucjan Czechowicz.
Sprzęt bojowy – 13 czołgów *TKS* (w tym 4 z działkiem 20 mm).
Po kilku akcjach patrolowych szwadron wysłano 8 września z Solca na lewy brzeg Wisły w celu nawiązania kontrataku z oddziałami Armii Odwodowej. Pod Lipskiem doszło do walki z przeważającymi siłami nieprzyjaciela. W toku walki utracono większość czołgów. Sukcesem natomiast zakończyło się (17 września) starcie z nieprzyjacielskim podjazdem pancernym pod Suchowolą w Lubelskiem. Następnego dnia szwadron włączono do 11 Kompanii Czołgów.

KOMPANIA CZOŁGÓW ROZPOZNAWCZYCH DOWÓDZTWA OBRONY WARSZAWY

Sformowana 3 września 1939 roku w Centrum Wyszkolenia Broni Pancernych w Modlinie.
Dowódca: kpt. Antoni Brażuk.
Sprzęt bojowy – 11 czołgów *TK-3*.
Wysłana na dalekie przedpole stolicy kompania stoczyła 7 września pod Mszczonowem potyczkę z niemieckimi oddziałami pancernymi. Następnego dnia plutony kompanii walczyły z Niemcami pod Raszynem i Włochami, ponosząc znów dotkliwe straty. W dniu 13 września uzupełniono jej stan wcielając resztki 32 i 91 Kompanii. Zreorganizowany oddział skierowano do obrony Woli. Swoje ostatnie walki kompania stoczyła tam 26 września (na dzień przed kapitulacją załogi Warszawy), odrzucając Niemców w rejonie dworca towarowego.

Część II

Pojazdy

Rozdział 1

Czołgi i samochody pancerne

Czołgi lekkie Vickers E

Prototyp lekkiego czołgu *Vickers E* został skonstruowany w firmie Vickers--Armstrong Ltd. w Wielkiej Brytanii. Był to czołg o masie 7 ton, z uzbrojeniem złożonym z dwu karabinów maszynowych w dwu oddzielnych wieżach. Czołg nazywano później – *Vickers Mk.E model A.* W 1930 roku zbudowano wersję jednowieżową z armatą 47 mm i karabinem maszynowym – *Vickers Mk.E model B.*

W armii angielskiej nowe konstrukcje nie spotkały się z większym zainteresowaniem, natomiast już wkrótce stać się miały dla firmy Vickers znakomitym produktem eksportowym. Sprzedawano zarówno gotowe wozy, wyprodukowane w Wielkiej Brytanii, jak i licencje na ich produkcję.

W 1931 roku zakupiono dla Wojska Polskiego 38 czołgów typu *Vickers E* w obydwu odmianach – 22 pojazdy dwuwieżowe i 16 jednowieżowych oraz licencję na produkcję w kraju.

12. Jednowieżowe czołgi *Vickers E* widziane z przodu (przebudowane wloty powietrza, nowy typ kamuflażu)

Dość szybko zaczęły wychodzić na jaw liczne wady tych czołgów – kupowano je zresztą nie bez świadomości, że wady wystąpią. Problemów nastręczała między innymi niedoskonała jednostka napędowa, jaką był silnik typu *Siddeley* – zbyt wrażliwy i delikatny. Zastosowanie tych silników nie było możliwe w projektowanej produkcji seryjnej czołgów – ich wymiana była zresztą także rozważana jako propozycja zmierzająca do polepszenia osiągów wozów oryginalnych. W rezultacie ostatecznie zrezygnowano z tego zamierzenia, choć aż do roku 1936 wprowadzano w wozach mniejsze i większe usprawnienia. Przebudowano między innymi tył kadłuba, zmieniając układ chłodzenia wiecznie przegrzewającego się silnika; eksperymentowano z uzbrojeniem. W czołgach dwuwieżowych stosowano zestawy uzbrojenia złożone z ciężkiego karabinu maszynowego *Hotchkiss wz. 14* i najcięższego karabinu maszynowego *Hotchkiss wz. 30* (pozostały po tym zabiegu ślady w postaci pudełkowatych osłon pancernych dla magazynka nkm-u, nkm był zasilany od góry i magazynek po prostu nie mieścił się pod sklepieniem wieży), później dwóch km-ów *Hotchkiss wz. 25* (*Hotchkiss wz. 14* przystosowany do standardowej w Polsce amunicji 7,92 mm *Mauser*); w lewej wieży stosowano ckm *Browning wz. 30*, a w prawej działko 37 mm *Puteaux S.A. model 1918*. Na wojnę pojechały czołgi dwuwieżowe z ckm-ami *Browning wz. 30* w obydwu wieżach.
Czołgi *Vickers* nie wyróżniały się niczym szczególnym spośród czołgów lekkich konstruowanych w początku lat trzydziestych. Miały zupełnie przyzwoite osiągi terenowe (nacisk jednostkowy 48 kPa; mogły pokonywać wzniesienia 37°, rowy 180–185 cm, brody do 90 cm, ściany 76 cm). Uzbrojenie i opancerzenie było przeciętne – to dopiero w kilka lat później pojawić się miały w tej klasie wozy silniej opancerzone, z długolufowymi, szybkostrzelnymi działkami przeciwpancernymi.
We wrześniu 1939 roku z posiadanych czołgów, w znacznym stopniu zużytych, sformowano 2 kompanie czołgów: 12 Kompanię Czołgów Lekkich dla Warszawskiej Brygady Pancerno-Motorowej i 121 Kompanię Czołgów Lekkich dla 10 Brygady Kawalerii. W każdej kompanii było po 16 wozów (czołg dowódcy i trzy plutony po 5 czołgów). Dochodził do tego jeszcze jeden wóz, siedemnasty, jako zapasowy.

Dane techniczne czołgu *Vickers E*

Czołg lekki z pancerzem nitowanym z płyt 5–13 mm (przód i boki przedziału załogi 13 mm, boki i tył przedziału silnika 8 mm, dno i góra 5 mm, wieża 13 mm, wierzch wieży 5 mm), z uzbrojeniem w dwu wieżach lub w wieży pojedynczej.
– *Uzbrojenie* wersji dwuwieżowej: 2 ckm 7, 92 mm *Browning wz. 30* z zapasem 6600 sztuk naboi. Wersji jednowieżowej: 1 armata 47 mm *Vickers-Armstrong Mk.E* z zapasem 49 naboi i ckm 7,92 mm *wz. 30* z zapasem 5940 naboi.
– *Silnik Armstrong Siddeley Puma*, gaźnikowy, 4-cylindrowy, 4-suwowy, chłodzony powietrzem, o pojemności skokowej 6667 cm^3. Moc 91,5 KM (67 kW) przy 2400 obr/min.
– *Gąsienice* stalowe o szerokości 258 mm.
– *Długość* (bez błotników i tłumika wydechu) 4560 mm, *szerokość* (bez wystających poza obrys gąsienicy elementów zawieszenia i błotników – szerokość śladu) 2284 mm, *wysokość* do klapy wieży czołgu dwuwieżowego 2057 mm, *prześwit* 381 mm.
– *Masa właściwa* bez uzbrojenia i obsługi 7000 kg.
– *Prędkość maksymalna* 37 km/h po drodze.
– *Zużycie paliwa* około 100 l/100 km.

13. *Vickers* od tyłu. Z prawej wóz dwuwieżowy (1937 rok)

14. *Vickers* dwuwieżowy z przodu. W wieżach karabiny maszynowe *wz. 30*

15. Dwuwieżowe *Vickersy* z tyłu

1:35

1

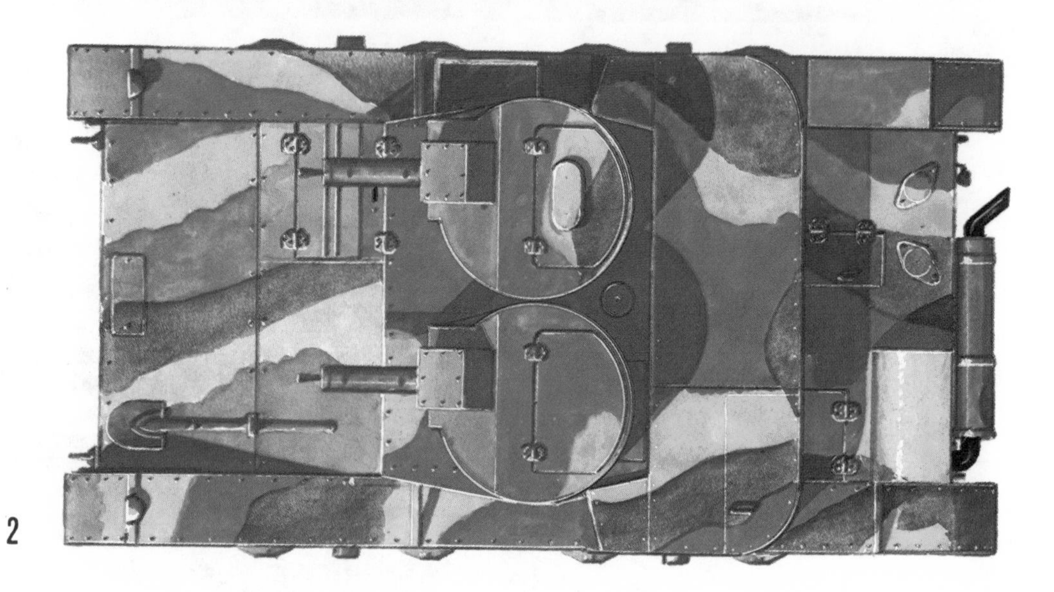

2

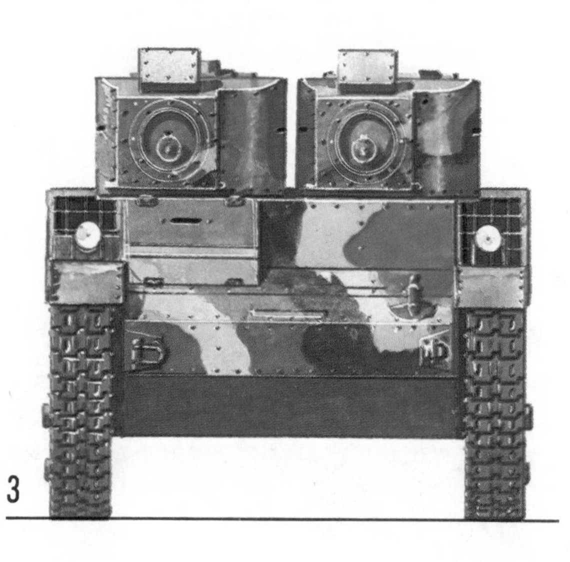

3

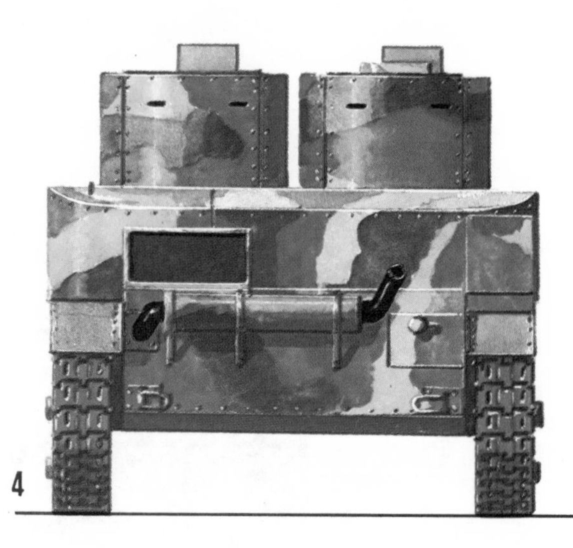

4

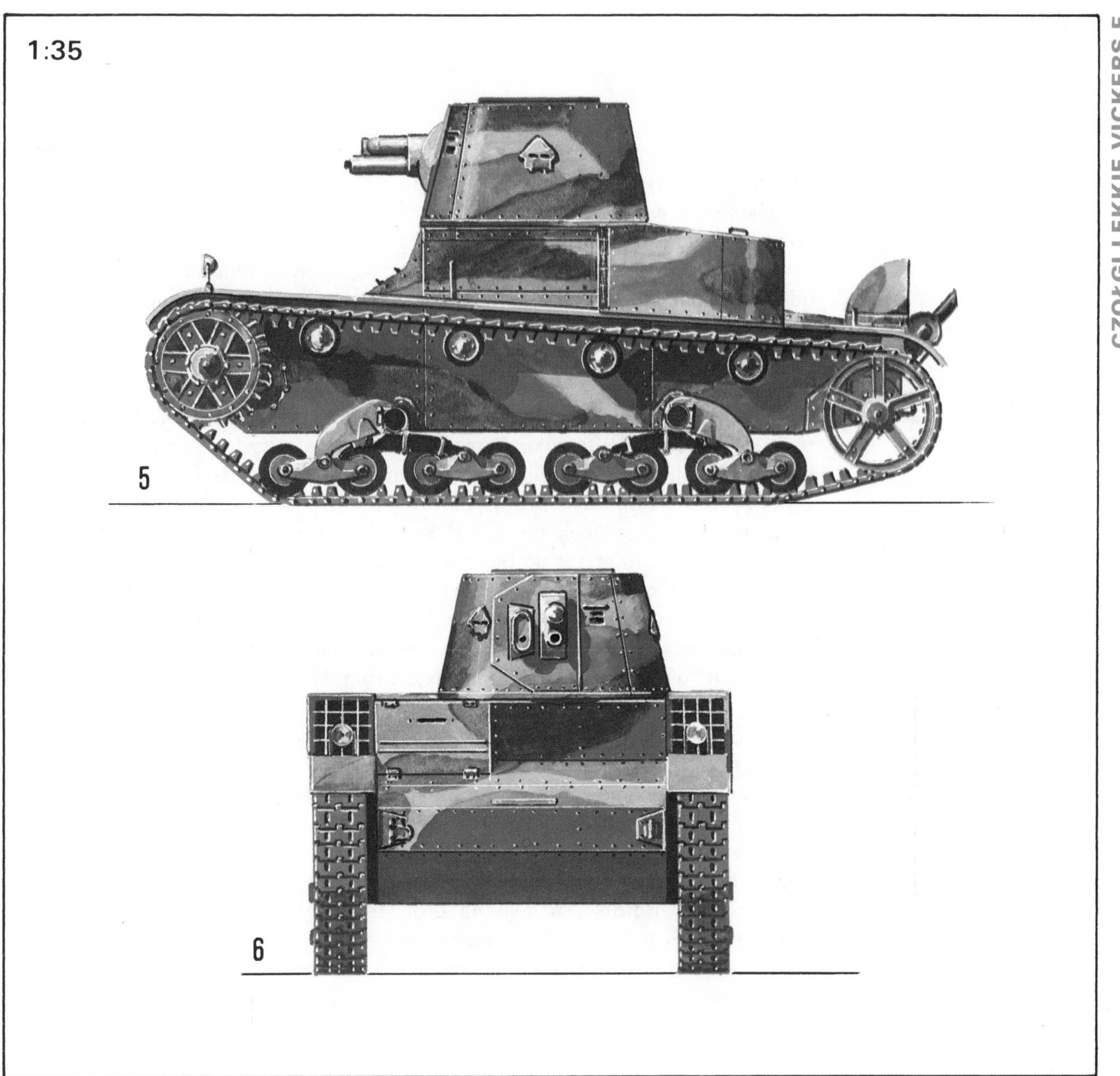

Czołgi lekkie *Vickers E*
1, 2, 3, 4 – czołg dwuwieżowy z karabinami maszynowymi *wz. 30;*
5, 6 – czołg jednowieżowy, widok z boku i z przodu

Czołgi lekkie 7TP

Wojskowy Instytut Badań Inżynierii (przemianowany później na Biuro Badań Technicznych Broni Pancernych) niemal natychmiast po zakupie licencji na produkcję *Vickersów* rozpoczął prace projektowe (główny projektant – inż. Fabrykowski) nad konstrukcją czołgu wzorowanego na modelu *Vickers E*, ale ze zmienioną jednostką napędową – z wysokoprężnym silnikiem *Saurer BLDb* (w odmianie specjalnie przekonstruowanej w Państwowych Zakładach Inżynierii w celu zmniejszenia masy). Był to jedyny wystarczającej mocy silnik produkowany w kraju, a podejmowanie produkcji silników *Siddeley* nie było celowe.
Niemal równolegle były prowadzone prace nad 6-tonowym ciągnikiem gąsienicowym dla artylerii najcięższej i ciężkiej. Prototyp ciągnika przeszedł próby drogowe i terenowe wiosną 1934 roku. Wnioski z prób dostarczyły dodatkowych danych, które pozwoliły udoskonalić ciągnik (znany później jako *C7P*) i zostały też wykorzystane w budowie prototypu czołgu.
Dokumentacja przeróbek wraz z dokumentacją oryginalnego *Vickersa* została przekazana przez Instytut do Biura Studiów PZInż. do opracowania fabrycznego. Jesienią 1934 roku prototyp czołgu *7TP*, przebudowany w Zakładzie Doświadczalnym PZInż. czołg *Vickers*, przeszedł nadzwyczaj intensywny cykl badań; między innymi badania porównawcze z oryginalnymi angielskimi *Vickersami* mającymi już poprawione u wytwórcy silniki *Siddeley*. Czołg *7TP* okazał się wozem lepszym w terenie, choć nieznacznie wolniejszym w marszu po drodze. Po wprowadzeniu nasuwających się poprawek, wiosną 1935 roku, został zatwierdzony do produkcji.
Pierwsze zamówienie opiewało na 22 wozy dwuwieżowe z karabinami maszynowymi w dwu wieżach typu *Vickers*. Było to rozwiązanie tymczasowe – produkcji czołgów dwuwieżowych nie zamierzano prowadzić. W tym samym 1935 roku poważne zainteresowanie Wojska Polskiego wzbudziła armata przeciwpancerna 37 mm firmy Bofors. Ta świetna broń została ostatecznie wprowadzona do uzbrojenia armii w 1936 roku; uruchomiono jej produkcję w kraju. W czasie rozmów firma Bofors zaproponowała opracowanie wieży z czołgową wersją tego działka i karabinem maszynowym *wz. 30* – propozycja została przyjęta, umowy podpisane.
Już następna, druga, seria czołgów miała być wyposażona w nowe wieże – czego jednak nie udało się dokonać ze względu na opóźnienia w firmie Bofors. Tę serię, to znaczy 16 lub 18 wozów, zbudowano więc jeszcze jako dwuwieżowe, z wieżami identycznymi jak w czołgach *Vickers*. W tej serii udało się usunąć dokuczliwą wadę jaką miały koła jezdne *Vickersów*, w których po dłuższej jeździe odparzała się guma.
Czołgi jednowieżowe budowano od drugiej połowy 1937 roku. Pod koniec roku 1938 dodano do wieży niszę, co poprawiało jej nie najlepsze wyważenie, a jednocześnie pozwalało wyposażyć czołg w radiostację *2N/C*.
Sukcesywnie wozy dwuwieżowe przerabiano na jednowieżowe. W przeddzień wybuchu wojny czołgów dwuwieżowych pozostało tylko 16. Wszystkie znajdowały się w Centrum Wyszkolenia Broni Pancernych w Modlinie i we wrześniu wzięły udział w obronie Warszawy.
Stan czołgów *7TP* w dniu 1 lipca 1939 roku wynosił 139 egzemplarzy. Przez lipiec i sierpień przybyć mogło nie więcej jak kilkanaście wozów (jeżeli rozpoczęto realizację zamówień, które miały być zakończone w listopadzie 1939 roku), a we wrześniu opuściło fabrykę jeszcze kilkanaście (11?), z bieżącej produkcji.
Czołgi były traktowane jako konstrukcja rozwojowa – projektowano między innymi zastosowanie silnika *Saurer* nowego typu, oznaczonego *CT1D* (PZInż. 155) o mocy 100 kM (73,6 kW) przy 1800 obr/min. Był to silnik zbliżony do *BLD*, ale z odmiennym ułożyskowaniem wału korbowego i kadłubem odlewanym ze stopu

16. Czołg *7TP* dwuwieżowy. Zdjęcie z 1938 roku – znaki na wieży i na burcie w 1939 roku już nie były stosowane

aluminiowego, a nie z żeliwa i przez to o około 260 kg lżejszym. Krajowa produkcja musiała jednak jeszcze poczekać, bo seryjne (licencyjne) wytwarzanie tych silników dopiero przygotowywano.

Podczas pomiaru rozkładu obciążeń czołgu okazało się dobitnie, że tylny wózek toczny jest znacznie bardziej obciążony od przedniego. Modyfikację czołgu polegającą na właściwym rozłożeniu jego masy – wyrównoważenie przez pogrubienie przedniego pancerza – wykonał inż. Edward Habich z Biura Studiów PZInż. Prototyp, z opancerzeniem z blach żelaznych o grubości z przodu 40 mm i z boków przedniej części 17 mm, wykonano w 1938 roku, a z początkiem 1939 roku zakończono próby. W ich konsekwencji podpisano umowy na dostawę nowych płyt

17. Dwuwieżowy czołg *7TP* (z tyłu) w czasie przejazdu przez saperski most pontonowy (1938 rok)

18. Hala produkcyjna Z.M. „Ursus" PZInż. i montaż jednowieżowych czołgów *7TP*

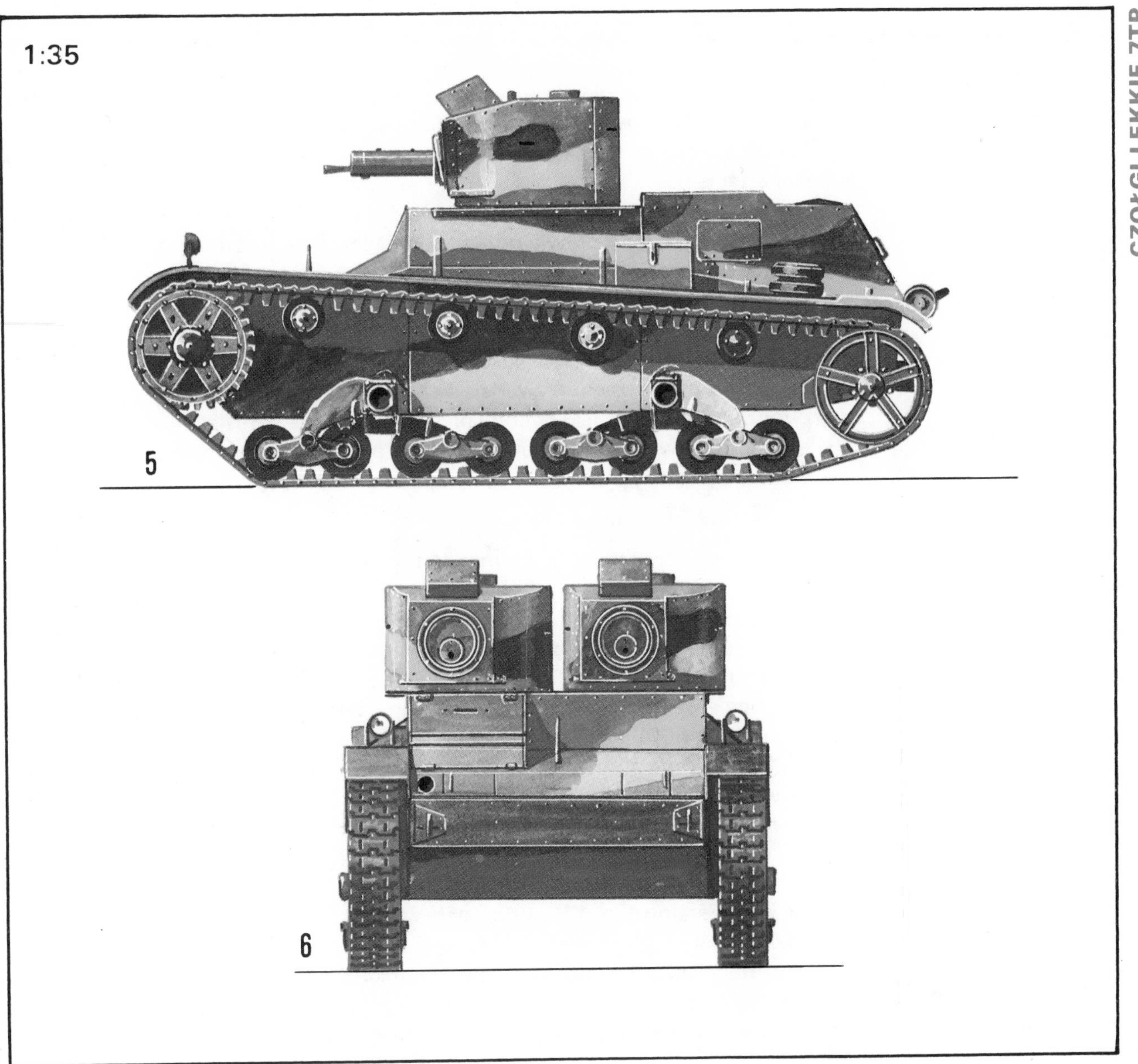

Czołgi lekkie *7TP*
1, 2, 3, 4 – czołg jednowieżowy z radiostacją nadawczą; wzdłuż błotników ułożone elementy masztu antenowego;
5, 6 – czołg dwuwieżowy, widok z boku i z przodu

pancernych i złożono zamówienie na produkcję pierwszych stu czołgów z terminem wykonania w 1940 roku. Dość uzasadnione wydaje się przy tym przypuszczenie, że wozy dostarczone wojsku we wrześniu 1939 roku to już czołgi z nowym opancerzeniem.

Czołg *7TP*, mimo swego powinowactwa z *Vickersami*, był czołgiem jakościowo innym. Wprowadzono prawie bezawaryjny silnik wysokoprężny o większej mocy wydatnie podnosząc bezpieczeństwo eksploatacyjne, gdyż olej napędowy ma dużo mniejsze właściwości palne niż benzyna*), pogrubiono pancerz, inaczej rozwiązano niektóre szczegóły. Jego własności terenowe były dobre (nacisk jednostkowy 60 kPa, pokonywał wzniesienia 36°, rowy 180 cm, brody do 100 cm i ściany pionowe 75 cm), a zachowywał się w terenie nawet lepiej niż by to wynikało z przytoczonych liczb (dzięki dobrym przyspieszeniom – bardziej dynamicznie). Jego własności bojowe były dobre – a już na pewno był to czołg lepszy niż jego odpowiedniki w armii niemieckiej, *Pz.Kpfw.I* i *Pz.Kpfw.II*.

Dane techniczne czołgu *7TP*

Czołg lekki z pancerzem 5–17 mm (płyty pancerne przodu 17 mm, boki i tył przedziału silnika 13 mm, wierzch i płyta dolna przednia 10 mm, dno 9,5 mm, płyta górna nad silnikiem 5 mm, wieża wersji dwuwieżowej 13 mm z wierzchem 5 mm, wieża wersji jednowieżowej 15 mm z wierzchem 10 mm), z uzbrojeniem w jednej lub w dwu wieżach.

– *Uzbrojenie* wersji dwuwieżowej: 2 karabiny maszynowe 7,92 mm *Browning wz. 30* z zapasem 6000 sztuk amunicji. Wersji jednowieżowej: 1 armata przeciwpancerna 37 mm *Bofors wz. 37* z zapasem 80 naboi i 1 karabin maszynowy *wz. 30* z zapasem 3960 naboi.

– *Silnik PZInż. 235* (*Saurer BLDb*) wysokoprężny, 6-cylindrowy, 4-suwowy, chłodzony cieczą, o pojemności skokowej 8550 cm^3. Stopień sprężania 15,5:1. Moc 110 KM (81 kW) przy 1800 obr/min.

– *Gąsienice* stalowe o 110 ogniwach każda i szerokości 267 mm. Rozstaw środków gąsienic 2016 mm.

– *Długość całkowita* około 4560 mm, *szerokość całkowita* 2430 mm, *wysokość czołgu dwuwieżowego* 2190 mm, *jednowieżowego* 2300 mm (2123 mm do powierzchni górnej płyty pancernej), *prześwit* 381 mm.

– *Masa bojowa* czołgu dwuwieżowego 9400 kg, jednowieżowego z radiostacją 9900 kg.

– *Prędkość maksymalna* 37 km/h po drodze.

– *Zużycie paliwa* 80 l/100 km po drodze, 100 l/100 km w terenie.

*) Czołg *7TP* był drugim (po niemieckim *Pz.Kpfw.IA* o mocy 60 KM, czyli 44 kW) pojazdem bojowym tego typu z silnikiem wysokoprężnym, produkowanym seryjnie na świecie.

Czołgi lekkie wolnobieżne Renault FT-17

Czołg Luisa Renaulta, skonstruowany w roku 1916 i wprowadzony do służby jako *Char Léger Renault FT Modéle 1917*, był konstrukcją w swoim czasie rewelacyjną. Zasadnicze rozwiązania tego czołgu (między innymi uzbrojenie w wieży) są powtarzane do dziś. Czołgi *FT-17* były budowane w wielu zakładach – prócz fabryki macierzystej Renault w Bilancourt pod Paryżem – także w zakładach Berliet, Schneider, Delaunay–Belleville i w fabrykach amerykańskich. Po pierwszej wojnie światowej produkcję tych czołgów i wozów na nich wzorowanych uruchomiono w wielu krajach.

Renault w swej zasadniczej wersji, nazywanej *char canon*, był uzbrojony w armatę 37 mm *Puteaux S.A. model 1917. Char mitrailleuse* był uzbrojony w karabin maszynowy *Hotchkiss wz. 14* kalibru 8 mm. Wozów *char signal, Renault TSF*, które zamiast wieży z uzbrojeniem otrzymały obudowę mieszczącą radiostację zbudowano niewiele, bo zaledwie 200 egzemplarzy. Blisko 1000 czołgów, oznaczonych

22. Czołg *Renault FT-17* z wieżą ośmioboczną (1926 rok, przewrót majowy)

23. Czołg *Renault* z produkcji CWS, z wieżą stożkową i działkiem *Puteaux*

24. Jedna z prób zmodernizowania czołgu *FT-17*. Czołg *CWS* z gąsienicami drobnoogniowymi

Renault FT75RS, wyposażono w krótkolufową armatę *75 de Blockhaus Schneider*.

Czołg był powolny, przeznaczony do walki w szykach piechoty, ale o zadawalających właściwościach terenowych. Miał nacisk jednostkowy 49 kPa, a zdolny był pokonywać wzniesienia 45°, rowy o szerokości 180 cm, brody 70 cm i ściany 50 cm.

Czołgi *Renault char canon*, *char mitrailleuse* i kilka *char signal* rozpoczęły swą służbę w Wojsku Polskim jeszcze w roku 1919 – 22 marca tego roku w Martigny les Bains w Wogezach francuski 505 Pułk Czołgów rozpoczął przeformowywanie się w polski 1 Pułk Czołgów, a 1 czerwca pierwsze transporty kolejowe pułku dotarły do Łodzi i rozpoczęły wyładunek.

Pułk miał 120 czołgów, co razem z późniejszymi zakupami i 27 czołgami zbudowanymi według francuskiej dokumentacji i z francuskimi silnikami w Centralnych Warsztatach Samochodowych w Warszawie sprawiło, że było w Polsce niemal 150 wozów tego typu (według sprawozdania z 1 czerwca 1936 roku – jeszcze 174 egzemplarze razem ze sprowadzonymi do prób nowszymi *NC-1* i *M* 26/27).

Czołgi niestety się starzeją i z czasem w coraz mniejszym stopniu można je traktować jako środek bojowy. Próbowano czołgi modernizować, z mizernym zresztą skutkiem – w kilkudziesięciu pojazdach zmieniono gąsienice na drobnoogniwowe, a w roku 1926 powstał wóz *M* z inaczej ukształtowanym pancerzem; próbowano poprawić zawieszenie między innymi elementami z czołgu *Vickers*, zbudować większą wieżę z silniejszym uzbrojeniem. W końcu zaniechano wszelkich prac uznając, że radykalna modernizacja ani nie jest możliwa, ani celowa, ani warta zachodu.

W drugiej połowie lat trzydziestych były to czołgi już całkowicie przestarzałe i w znacznym stopniu zużyte. Udało się jeszcze sprzedać partię wozów do Hiszpanii, ale na resztę nie udawało się znaleźć kupca, ponieważ w większości krajów były jakieś czołgi *Renault* na zbyciu. W przeddzień wybuchu wojny, 15 lipca 1939 roku, Wojsko Polskie miało jeszcze 102 czołgi (jak się wydaje wliczono tu również sprowadzone do badań nowsze pojazdy *NC-1*, *M26/27* i *FIAT 3000*; ale nie jest to pewne, bo może pozbyto się ich już wcześniej).

We wrześniu w czołgi *Renault* uzbrojono trzy kompanie czołgów – 111, 112, 113 – stanowiące oddziały dyspozycyjne Naczelnego Dowództwa i przeznaczono do celów asystencyjnych, 32 czołgi były w obydwu dywizjonach pociągów pancernych (jako drezyny pancerne na specjalnych podwoziach kolejowych, zwanych prowadnicami), a jeszcze kilkanaście w zaimprowizowanym oddziale pancernym walczącym w obronie Przemyśla (dwa plutony po 8 wozów sformowane ze sprzętu szkolnego).

Dane techniczne czołgu *Renault FT-17*

Wolnobieżny czołg lekki wsparcia piechoty z opancerzeniem z płyt 6–22 mm, nitowanym (przód, boki, tył 16 mm, od góry i drzwi kierowcy 8 mm, dno 6 mm, wieża 22 mm), z uzbrojeniem w wieży obrotowej.

– *Uzbrojenie*: 1 armata 37 mm *Puteaux S.A. 1918* z zapasem 237 naboi lub karabin maszynowy 7,92 mm *Hotchkiss wz.* 25 z zapasem 4800 naboi.

– *Silnik Renault*, gaźnikowy, 4-cylindrowy, 4-suwowy, chłodzony cieczą, o pojemności skokowej 4480 cm^3. Moc 39 KM (28,7 kW) przy 1500 obr/min.

– *Gąsienice* stalowe o szerokości 340 mm, złożone z 32 szerokich ogniw każda. Część czołgów z gąsienicami zmodernizowanymi, z ogniwami wąskimi.

– *Długość całkowita* (z ogonem) 5000 mm, *długość kadłuba* 4100 mm, *szerokość* 1740 mm, *wysokość* 2140 mm.

– *Masa* 6700 kg z działkiem, 6500 kg z karabinem maszynowym.

– *Prędkość maksymalna* 7,78 km/h (z gąsienicami drobnoogniwowymi nieco większa).

1:35

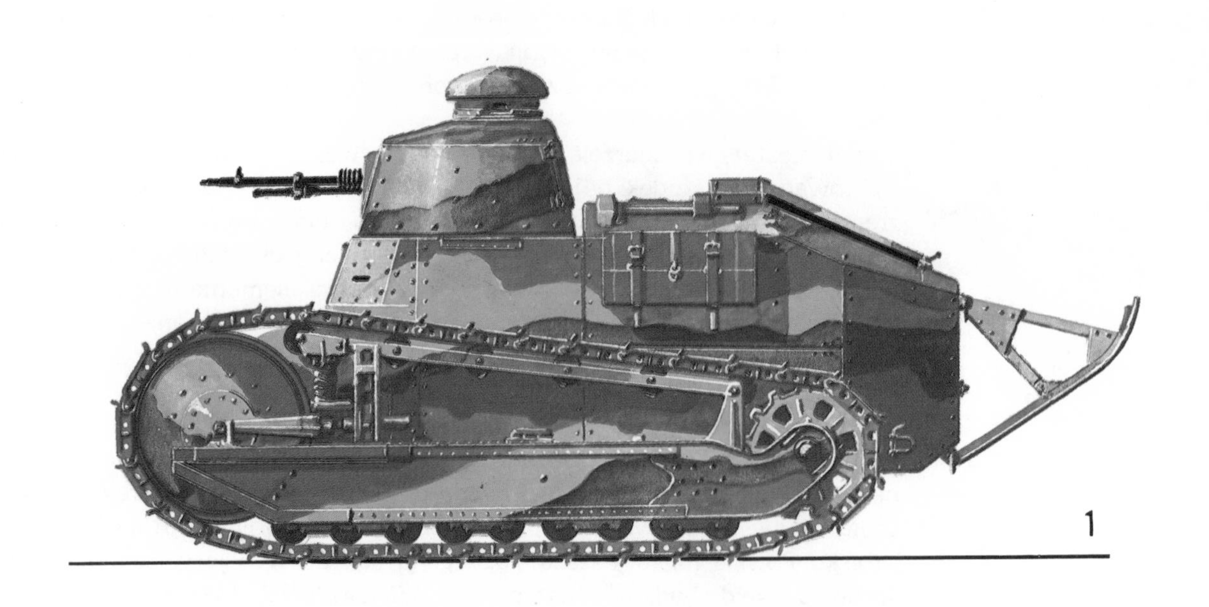
1

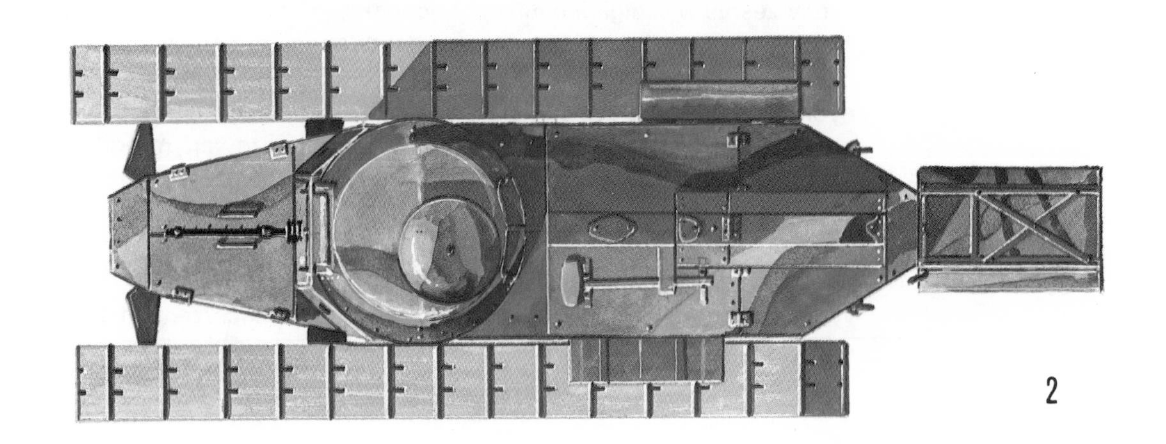
2

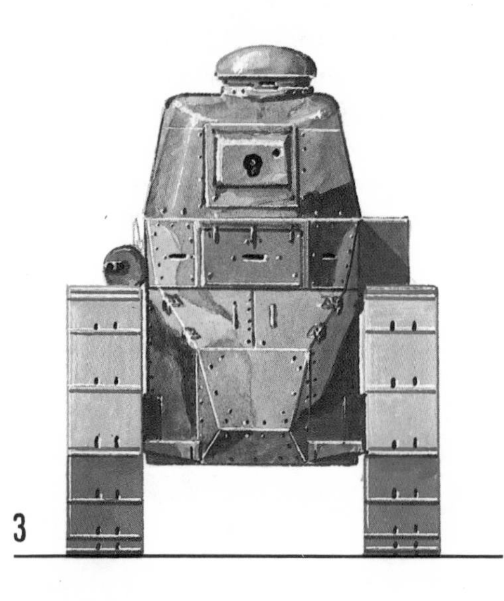
3

4

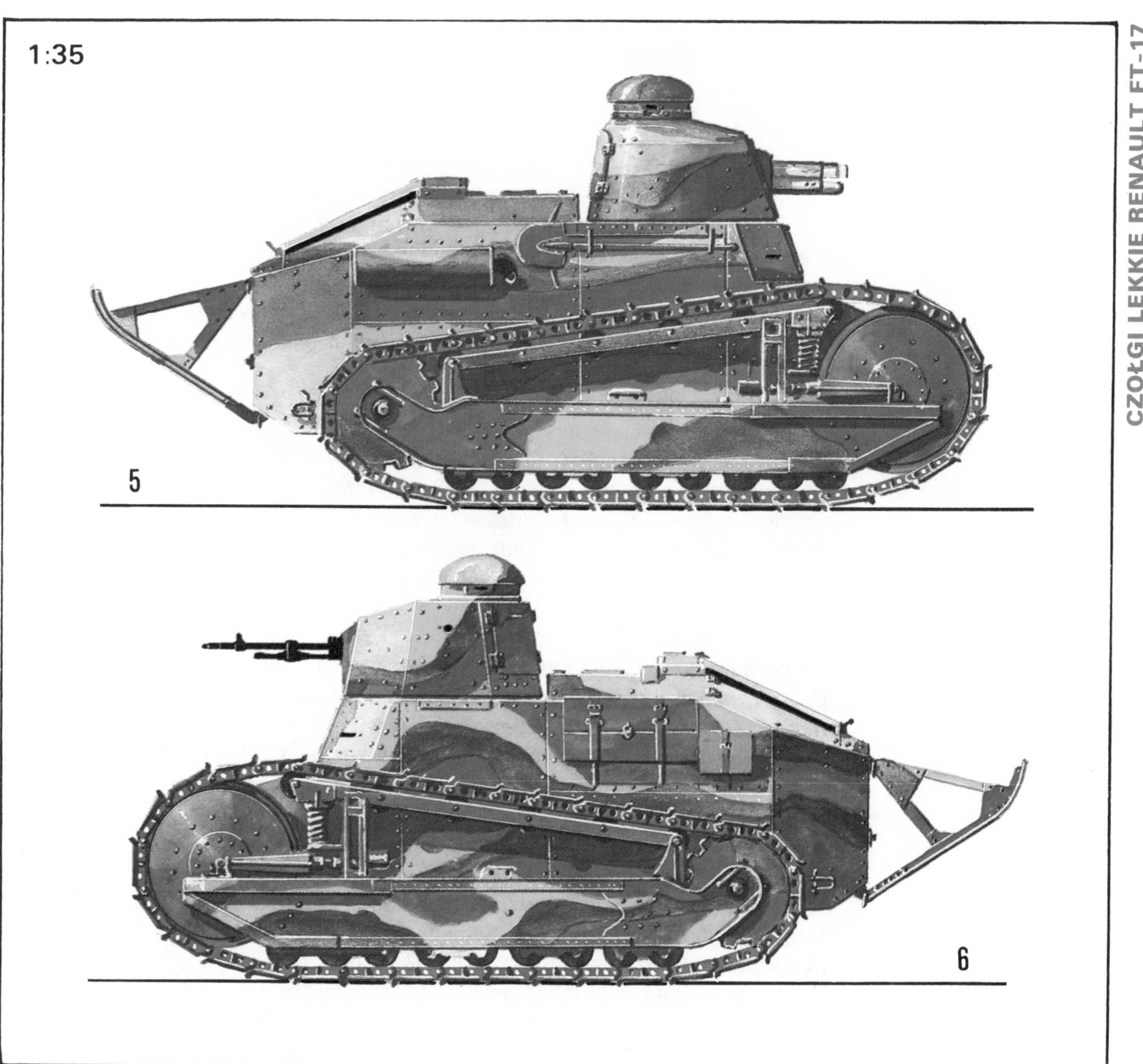

Czołgi lekkie *Renault FT-17*
1, 2, 3, 4 – czołg z wieżą stożkową i karabinem maszynowym *Hotchkiss*;
5 – czołg z wieżą stożkową i działkiem *Puteaux* 37 mm;
6 – czołg z wieżą ośmioboczną i karabinem maszynowym

Czołgi lekkie Renault R-35

Czołg *Renault R-35* został skonstruowany w zakładach Renault w latach 1933–1935. Był to wóz, który znakomicie ilustrował francuską doktrynę wojenną tego czasu. Do prowadzenia długotrwałych walk obronnych w oparciu o linię Maginota, a głównie taki kształt wojny był brany pod uwagę, był potrzebny czołg dobrze opancerzony, ale niezbyt szybki, bo służyć miał do wsparcia piechoty. Walki z czołgami przeciwnika nie przewidywano – stąd zastosowanie dobrego i nieskomplikowanego działa *Puteaux*, nadającego się jednak tylko do zwalczania gniazd broni maszynowej.

Załogę czołgu stanowiło dwu ludzi – kierowca i dowódca, obsługujący jednocześnie uzbrojenie. Czołg miał spory nacisk jednostkowy, bo wynoszący 86 kPa, ale mógł pokonywać wzniesienia 40°, rowy 160 cm, ściany 91 cm i brody 60 cm. Był bardzo „paliwożerny" – zbiornik o pojemności 168 litrów benzyny wystarczał na przejechanie zaledwie 138 km po drodze i około 80 km w terenie.

Niemożność zwiększenia produkcji czołgów *7TP* i uruchomienia wystarczająco szybko produkcji ulepszonej ich wersji, *9TP*, sprawiła, że podjęto próby zakupu sprzętu zagranicą.

Wojsko Polskie było najbardziej zainteresowane wozami *Somua 35*, niewątpliwie najlepszymi spośród czołgów francuskich, ale tych Francuzi odmówili. Czołgi *Hotchkiss 35* też nie miały najlepszej u nas opinii, a z oferowanych czołgów *Renault D* władze wojskowe zrezygnowały zdecydowanie. W 1938 roku kupiono czołg *R-35* (według niektórych relacji 2, a nawet 3) i poddano w Polsce badaniom. Nie zachwycił. W czołgu przegrzewał się silnik, zbyt twarde było zawieszenie, proponowano, bez skutku zresztą, zmianę uzbrojenia.

W kwietniu 1939 roku, po długich zabiegach, został wreszcie sfinalizowany zakup we Francji 100 czołgów *Renault R-35.* W lipcu 1939 roku pierwszy transport liczący 49 czołgów (na etatowy stan batalionu) przybył drogą morską do Polski i w sierpniu wyposażono w nie 12 Batalion Pancerny w Łucku. Batalion wystawił w pierwszych dniach września 21 Batalion Czołgów Lekkich liczący 46 (45?) czołgów. W połowie września batalion odszedł do obrony „rumuńskiego przedmościa", a następnie przekroczył granicę rumuńską. Ogółem granicę przekroczyły 34 wozy batalionu. 6 czołgów z kompanii techniczno-gospodarczej batalionu wydzielono

25. Polski czołg *Renault R-35* na granicy rumuńskiej

wcześniej do wsparcia ON (Obrony Narodowej) w Stanisławowie. Pod Stanisławowem czołgi dołączyły do oddziałów 10 Brygady Kawalerii. Przez Kołomyję przebijały się już siłą, a następnie trzy wozy przekroczyły granicę węgierską.
Z pozostałych po wyjściu z Łucka czołgów 21 Batalionu – czterech czołgów *R-35* (z tego jeden nie na chodzie) i trzech czołgów *Hotchkiss H-35* przybyłych do Polski w transporcie w lipcu – sformowano, pod dowództwem por. inż. Józefa Jakubowicza z 1 Ośrodka Zapasowego Broni Pancernych, półkompanię nazwaną Samodzielną Kompanią Czołgów *R-35.* Oddział działał w składzie grupy „Dubno", tracąc w walkach z oddziałami radzieckimi (na przykład 19 września pod Krasnem) i niemieckimi (pod Kamionką Strumiłową), wszystkie wozy.
Druga partia czołgów, podobno wysłana z Francji transportem kolejowym, ugrzęzła w Rumunii i została później przyjęta przez jej armię – ale nie jest to informacja pewna.

Dane techniczne czołgu *Renault R-35*

Wolnobieżny czołg lekki wsparcia piechoty z pancerzem 14–45 mm, z elementów odlewanych łączonych nitami (przód 32 mm, boki i tył 44 mm, dno i góra 14–15 mm, wieża: przód 45 mm, boki i tył 40 mm, góra 30 mm), z uzbrojeniem w obrotowej wieży.
– *Uzbrojenie*: 1 armata 37 mm *Puteaux S.A. 1918* z zapasem 100 naboi i 1 karabin maszynowy 8 mm *MAC 31* z zapasem 2980 naboi.
– *Silnik Renault*, gaźnikowy, 4-cylindrowy, 4-suwowy, rzędowy, chłodzony cieczą, o pojemności skokowej 5880 cm^3. Moc 82 KM (60,3 kW), przy 2200 obr/min.
– *Gąsienice* stalowe.
– *Długość* 4020 mm, 4580 mm z ogonem (jak się wydaje polskie *R-35* nie były w nie wyposażone), *szerokość* 1850 mm, *wysokość* 2070 mm, *prześwit* 320 mm.
– *Masa* około 9800 kg, do boju 10 600 kg.
– *Prędkość maksymalna* 19 km/h na szosie, 13 km/h w terenie.
– *Zużycie paliwa* 120 l/100 km.

Czołg lekki *Renault R-35*
Ze znanych, niezbyt wyraźnych, fotografii wynika, że polskie *R-35* miały trójbarwny kamuflaż, a układ plam był podobny do stosowanego we Francji

1:35

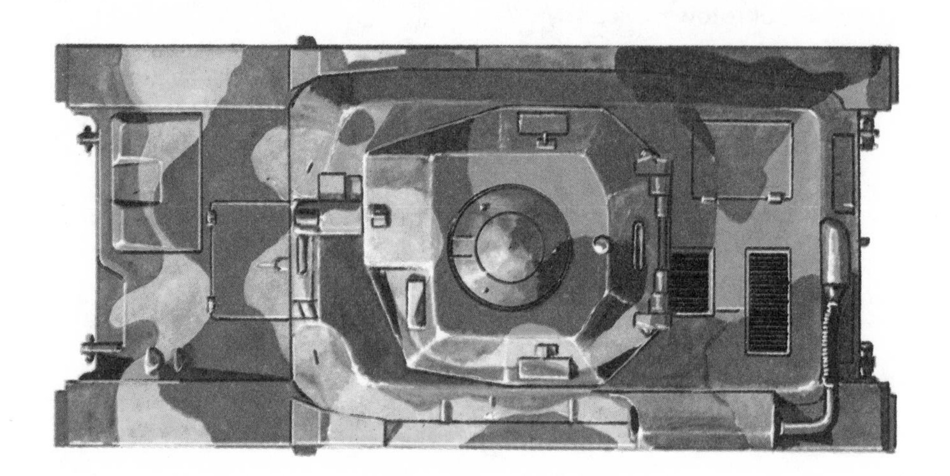

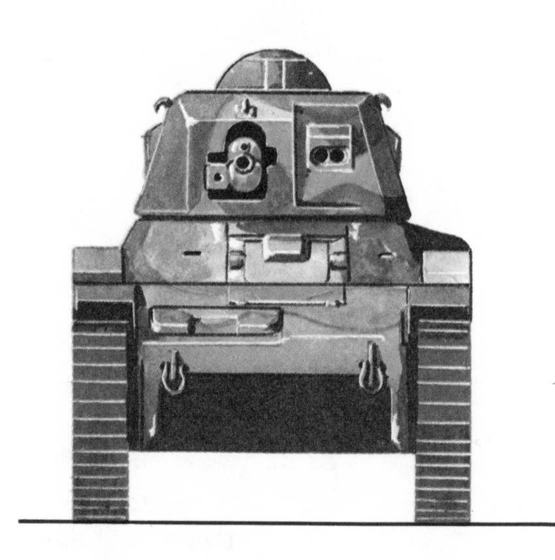

Czołgi lekkie Hotchkiss H-35

Razem z transportem czołgów *Renault R-35* przypłynęły do Polski 3 czołgi *Hotchkiss H-35.*
Skonstruowane w tym samym czasie co czołgi *Renault*, były do nich łudząco podobne (to samo uzbrojenie w identycznej wieży, też dwu ludzi załogi, podobnie rozwiązane zawieszenie, podobieństwa wynikające z tej samej technologii). Różniły się głównie parametrami ruchu – inne przełożenia sprawiały między innymi, że gaźnikowy silnik o mocy 75 KM (55,2 kW) zapewniał im rozwijanie prędkości 28 km/h.
Czołg był przez konstruktorów przewidziany do współpracy z kawalerią (do jej wsparcia, do rozpoznania itd.) Kawaleria we francuskiej doktrynie nie miała być „wojskiem szybkim" w dzisiejszym rozumieniu, a służyć miała do prowadzenia ruchowych walk obronnych i opóźniających w razie przedarcia się nieprzyjaciela przez linię Maginota. Uważano również, że rozwijanie przez czołg prędkości większej niż 20 km/h jest najzupełniej zbędne, bo prowadzenie celnego ognia i obserwacja przy prędkości większej i tak nie są możliwe. Tym samym prędkość niespełna 30 km/h i zasięg 130 km wydawały się najzupełniej wystarczające. To niedocenianie roli manewru zwolna zresztą ustępowało i już następna wersja rozwojowa, *H-39*, rozwijała większą prędkość.
Trzy czołgi *H-35*, ewakuowane z Biura Badań Technicznych Broni Pancernych wraz z trzema *R-35* z nadwyżki sprzętowej 21 Batalionu Czołgów Lekkich, znalazły się w półkompanii czołgów por. J. Jakubowicza sformowanej 14 września w Kiwercach (półkompania miała prócz czołgów 4 samochody osobowe, 5 ciężarowych, 1 samochód-cysternę i 3 motocykle). Półkompania, jak już wspomniano, brała udział w walkach w grupie „Dubno", tracąc w walkach z Ukraińcami, Armią Czerwoną, Niemcami i w przemarszach wszystkie swoje wozy.

Dane techniczne czołgu *Hotchkiss H-35*

Czołg lekki wsparcia kawalerii z pancerzem z elementów odlewanych 12–45 mm, połączonych nitami (przód 22–34 mm, boki i tył 34 mm, dno 12 mm, góra 22 mm, wieża z przodu 45 mm, boki i tył 40 mm, góra 30 mm), z uzbrojeniem w obrotowej wieży.
– *Uzbrojenie*: 1 armata 37 mm *Puteaux S.A. 1918* z zapasem 100 naboi, 1 karabin maszynowy, 8 mm *MAC 31* z zapasem 2980 naboi.

26. Czołg francuski *Hotchkiss H-35* (zdjęć polskich wozów nie udało się znaleźć)

5*

– *Silnik Hotchkiss*, gaźnikowy, 6-cylindrowy, 4-suwowy, chłodzony cieczą, o pojemności skokowej 3480 cm^3. Moc 75 KM (55,2 kW) przy 2700 obr/min.
– *Gąsienice* stalowe.
– *Długość* 4220 mm, *szerokość* 1850 mm, *wysokość* 2140 mm, *prześwit* 370 mm.
– *Masa* około 11 400 kg.
– *Prędkość maksymalna* 28 km/h.

Czołgi rozpoznawcze TK-3 i TKS

Podstawowym sprzętem polskiej broni pancernej we wrześniu 1939 roku były lekkie, bezwieżowe czołgi rozpoznawcze *TK-3* i *TKS*.
Idea konstrukcyjna tych wozów pochodziła od tankietek firmy Carden-Loyd, których powstanie było wyrazem modnej pod koniec lat dwudziestych teorii o całkowitym opancerzeniu i zmechanizowaniu wojsk lądowych. Do realizacji tej teorii był potrzebny mały, nieskomplikowany i tani pojazd.
Zarówno polskie władze wojskowe, jak i wielu innych państw zainteresowały się tymi pojazdami. Kupiono kilka egzemplarzy do badań, w Centralnych Warsztatach Samochodowych zbudowano kopię tankietki.
Liczne wady tankietek z firmy Carden-Loyd nie dawały się ukryć i szybko wyciągnięto wniosek, że jeśli nawet tego rodzaju sprzętem „upancernić" wojsko, to muszą być to konstrukcje na nowo opracowane.
Dwa polskie pojazdy prototypowe, określane jako *TK-1* i *TK-2*, zbudowane w 1930 roku i charakteryzujące się odkrytym od góry przedziałem bojowym, jeszcze nie zadawalały. Dopiero po wprowadzeniu opancerzenia od góry zatwierdzono nowy pojazd do produkcji. Wytwarzanie *TK-3*, bo tak zostały nazwane te tankietki, zaczęło się w 1931 roku i było prowadzone do roku 1933.
Warto w tym miejscu zaznaczyć, że choć wojsko traktowało te pojazdy jako czołgi rozpoznawcze, z braku innych wozów, to nigdy ani w świadomości konstruktorów, ani dowódcy broni pancernej płka inż. Tadeusza Kossakowskiego, który był inicjatorem budowy, czołgami nie były. Były projektowane jako opancerzone transportery broni maszynowej, z których można było prowadzić ogień.
Konstruktorzy z Wojskowego Instytutu Badań Inżynierii (zespół pod kierunkiem inż. Trzeciaka; badania i próby – rtm. Karkoz) stworzyli pojazd podobny do stosowanego w wielu armiach europejskich – mały, lekki transporter z karabinem maszynowym, z opancerzeniem wystarczającym, aby zabezpieczyć załogę przed odłamkami i pociskami standardowej broni strzeleckiej. Nacisk jednostkowy wozu wynosił około 56 kPa, pokonywał pochyłości 37°, rowy o szerokości 120 cm i brody do 50 cm, zupełnie dobrze zachowując się w przeciętnym terenie.
Polskie tankietki różniły się od pojazdów Carden-Loyd (i innych podobnych) sposobem rozwiązania podwozia (konstruktor – inż. Edward Habich). Zawieszenie typu Carden-Loyd powodowało, że jazda angielską tankietką w terenie już po kilkunastu minutach wywoływała ból głowy, a nieco dłuższa wszystkie objawy choroby morskiej, łącznie ze skrajnym wyczerpaniem fizycznym. Polski projekt rozwiązania technicznego podwozia był o wiele doskonalszy, choć początkowo wydawało się, że jego realizacja nie przyniesie oczekiwanych, pozytywnych rezultatów. Konstrukcja wywołała wiele protestów i decyzja o zatrzymaniu prac zawisła w powietrzu. Warsztaty zdążyły już jednak wykonać prototyp – a ten w porównaniu z rozwiązaniem Corden-Loyd zachowywał się w terenie zdecydowanie lepiej. Kpt. Loyd, będący w tym czasie z wizytą w Warszawie, nazwał polskie zawieszenie najlepszym, jakie dotychczas widział w czołgach swojego pomysłu.

27. Czołg *TK-3*. Na burcie tablica oznaczająca w czasie ćwiczeń wóz dowódcy 1 plutonu w szwadronie czołgów

28. Czołg *TK-3* w marszu, z uchylonymi klapami otworów obserwacyjnych. Na burcie tablica oznaczająca wóz 2 plutonu

29. Czołg *TK-3* w czasie malowania natryskowego

30. Czołg *TKS* z pierwszej serii produkcyjnej. Bez peryskopu i z karabinem maszynowym *wz. 30*

31. Czołg *TKS* poźniejszej serii produkcyjnej. Karabin maszynowy *Hotchkiss wz. 25* i peryskop odwracalny. Kamuflaż starego typu

32. Czołgi *TKS*. Uroczyste przekazanie wojsku wozów ufundowanych ze składek załogi PZInż.

33. Załadunek czołgów *TKS* na autotransportery

Równolegle z produkcją pojawiały się różne pomysły zmierzające do udoskonalenia tankietek. Powstały prototypy z karabinem maszynowym w obrotowej wieży (*TKW*), swego rodzaju działa samobieżne uzbrojone w armatę 47 mm z zakładów „Pocisk" (*TKD*) i z armatą 37 mm *Peteaux*. W krótkiej, liczącej kilkanaście sztuk, partii wozów zastosowano silnik *Polski FIAT 122*, zamiast nie importowanych już *Fordów*.

W 1933 roku rozpoczęto projektowanie nowej tankietki, nazywanej najpierw *STK* lub lekki szybkobieżny czołg *wz. 33*, a następnie i ostatecznie *TKS*.

Nowy wóz opracowany w Biurze Studiów PZInż. przez inż. Edwarda Habicha z zespołem (inż. Habich po śmierci inż. Trzeciaka został przeniesiony do PZInż.) różnił się od *TK-3* przede wszystkim zastosowaniem krajowego silnika *Polski FIAT 122B*, zmienionym opancerzeniem, ulepszeniami w układzie jezdnym, instalacją elektryczną i elementami wyposażenia. Zmiana silnika pociągnęła za sobą również zmianę skrzyni biegów – zastosowano skrzynię o trzech przełożeniach do przodu i jednym do tyłu, zblokowaną z 2-stopniowym reduktorem.

Produkcja seryjna *TKS* była prowadzona od 1934 roku, po zatrzymaniu produkcji *TK-3*.

Tymczasem rozwój czołgów i samochodów pancernych w świecie zdawał się wskazywać, że pojazd uzbrojony jedynie w karabin maszynowy to już za mało. Pojawiła się potrzeba uzbrojenia czołgów w lekkie działko automatyczne.

Modele takich działek, kupione w firmach Solothurn i Madsen, niezupełnie zadawalały. W Biurze Studiów Fabryki Karabinów w Warszawie został opracowany model działka automatycznego 20 mm (klasyfikowanego wówczas jako najcięższy karabin maszynowy – nkm), którego pierwsze próby poligonowe odbyły się wiosną 1937 roku. Próby wykazały bardzo dobre parametry tego nkm-u, między innymi zdolność przebijania pancerza z odległości o 200 m większej niż mogły tego dokonać nkm-y *Solothurn* i *Madsen*.

Jesienią 1938 roku w jednym czołgu *TK-3* i w jednym *TKS* zastosowano polski model nkm-u (określonego jako *FK-A wz. 38*), a na początku roku 1939 zapadła decyzja o przezbrojeniu 250 czołgów, z czego do grudnia 1939 roku miało zostać wyposażone w nkm-y 50 czołgów *TK-3* i 60 *TKS*.

Ile wozów udało się przezbroić do września 1939 roku nie sposób dziś ustalić. Do owego września przekazano Państwowym Zakładom Inżynierii przypuszczalnie 26 sztuk nkm-ów. Z dokumentów wynika, że w lipcu 1939 roku 8 czołgów *TKS* z działkiem dostał 2 Batalion Pancerny, który w mobilizacji wystawił 101 Kompanię i Szwadron Czołgów Rozpoznawczych dla 10 Brygady Kawalerii. W publikacjach wspomnieniowych odszukać możemy informacje o obecności zmodernizowanych czołgów w Warszawskiej Brygadzie Pancerno-Motorowej (11 Kompania – 4 sztuki, Szwadron Czołgów Rozpoznawczych – 4 sztuki) oraz w Wielkopolskiej Brygadzie Kawalerii (71 Dywizjon – 4 sztuki) i Pomorskiej Brygadzie Kawalerii (81 Dywizjon – 3 sztuki).

Interesującym rozwiązaniem, o którym trzeba wspomnieć, mającym na celu ochronę szybko zużywających się elementów jezdnych czołgu, było zastosowanie kołowych podwozi do przewozu czołgów w czasie przemarszów. Był to pojazd wykonany z elementów samochodu ciężarowego *Ursus*. Czołg po wjechaniu na podwozie i po sprzęgnięciu z jego przekładnią mógł poruszać się po drogach wykorzystując własny silnik. Oszczędności były dość iluzoryczne, a praktyka wykazała, że podwozia są kłopotliwe w użyciu.

Rozwiązaniem o pokrewnej idei było użycie czołgów *TK* jako drezyn pancernych w składach pociągów pancernych – wyprodukowano około 30 podwozi kolejowych, na których czołg mógł poruszać się po torach, przy czym w razie konieczności przeprowadzenia zwiadu poza torem, mógł w ciągu minuty „zejść z podwozia" w teren.

Dane techniczne czołgów *TK-3* i *TKF*

Lekki czołg rozpoznawczy opancerzony płytami walcowanymi 4–8 mm, łączonymi nitami (płyty przednie 6–8 mm, boczne 8 mm, tylne 6–8 mm, górne 4 mm, dolne 7 mm).
– *Uzbrojenie:* 1 ckm 7,92 mm *Hotchkiss wz. 25* z zapasem 1800 sztuk amunicji.
– *Silnik Ford A*, gaźnikowy, 4-cylindrowy, 4-suwowy, chłodzony cieczą, o pojemności skokowej 3285 cm^3. Moc maksymalna 40 KM (29,4 kW), przy 2200 obr/min. Czołg *TKF* – silnik *Polski FIAT 122B*, gaźnikowy, 6-cylindrowy, 4-suwowy, dolnozaworowy, chłodzony cieczą, o pojemności skokowej 2952 cm^3. Stopień sprężania 5,1 : 1. Moc 46 KM (33,8 kW) przy 2600 obr/min.
– *Gąsienice* stalowe o szerokości 140 mm, rozstaw środków 1475 mm.
– *Długość* 2580 mm, *szerokość* 1780 mm, *wysokość* 1320 mm, *prześwit* 300 mm.
– *Masa* 2430 kg,
– *Prędkość maksymalna* 46 km/h.
– *Zużycie paliwa* 28 l/100 km po drodze, 60 l/100 km w terenie.

Dane techniczne czołgu *TKS*

Lekki czołg rozpoznawczy opancerzony płytami 10–3 mm (wczesne serie: przód 6–10 mm, boki 8 mm, górna 3–5 mm, dno 4 mm; późniejsze serie: przód 8–10 mm, boki 8–10 mm, tył 8–10 mm, góra 4 mm, dno 5 mm).
– *Uzbrojenie*: jak *TK-3*, z zapasem 2400–2000 naboi lub 1 nkm 20 mm *FK-A wz. 38* z zapasem 250 naboi.
– *Silnik Polski FIAT 122B* (patrz: *TK-3/TKF*).
– *Gąsienice* o szerokości 170 mm, rozstaw środków 1450 mm.
– *Długość* 2560 mm (z działkiem około 2980 mm), *szerokość* 1760 mm, *wysokość* 1330 mm, *prześwit* 330 mm.
– *Masa* wczesnych serii 2570 kg, późniejszych serii 2650 kg,
– *Prędkość maksymalna* 40 km/h.
– *Zużycie paliwa* 38 l/100 km po drodze, 70 l/100 km w terenie.

1:35

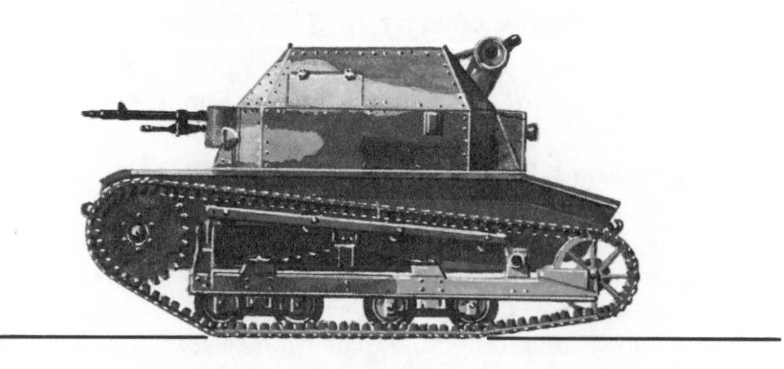

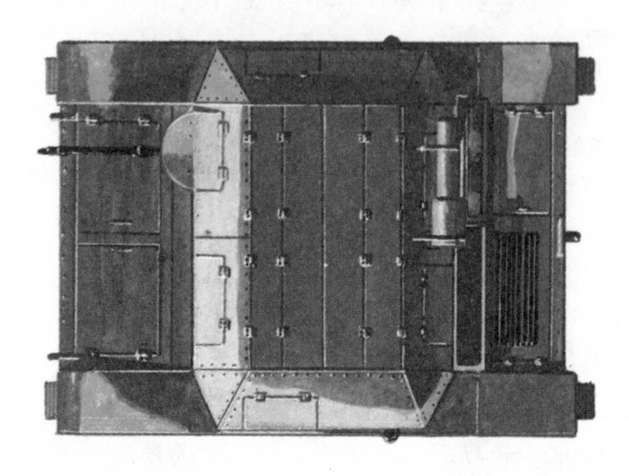

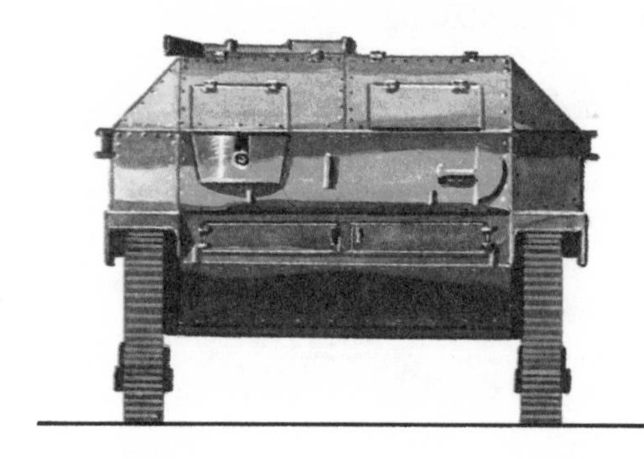

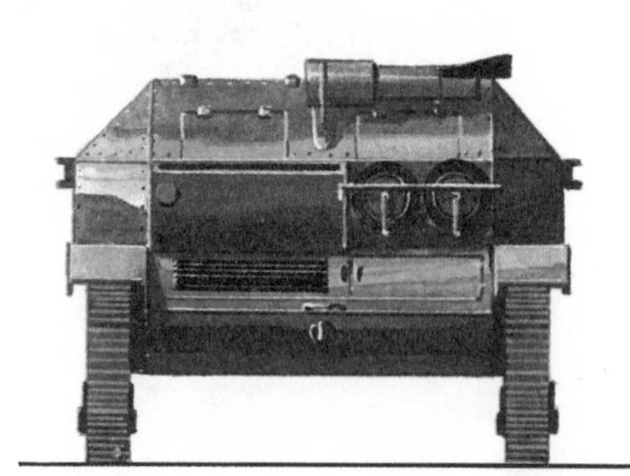

Czołg rozpoznawczy *TK-3*
Prezentowany czołg w wykonaniu pierwotnym; później część czołgów wyposażono w peryskopy odwracalne, spowodowało to zmiany w opancerzeniu od góry

Czołgi rozpoznawcze *TKS*
1, 2, 3, 4 – czołg w wersji podstawowej, z karabinem maszynowym *wz. 25*;
5 – czołg z działkiem 20 mm

1:35

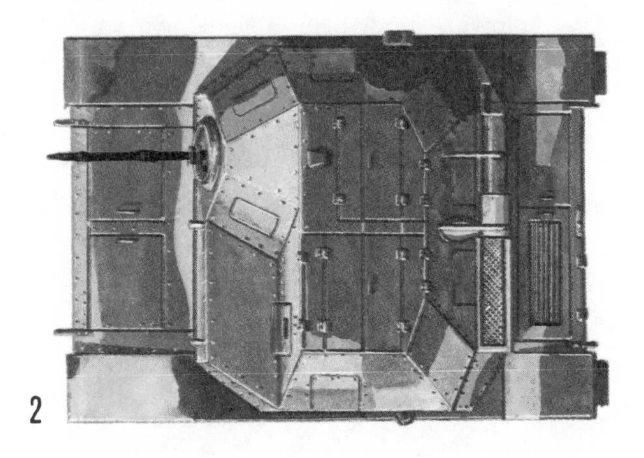

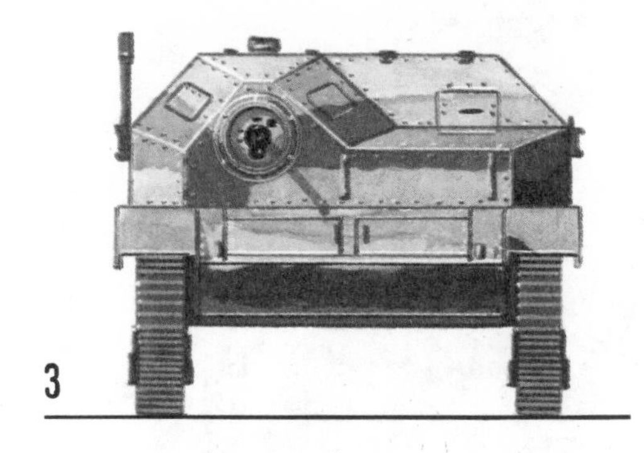

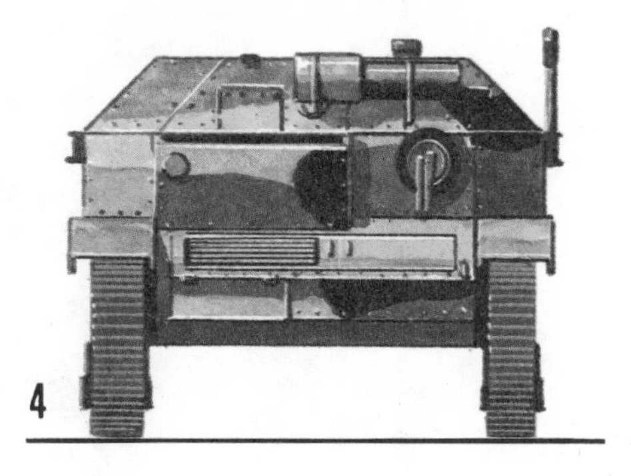

Samochody pancerne wz. 34, wz. 34–I, wz. 34–II

W 1928 roku wprowadzono do uzbrojenia Wojska Polskiego półgąsienicowe lekkie samochody pancerne *wz. 28.* Były to samochody zbudowane w Centralnych Warsztatach Samochodowych z wykorzystaniem sprowadzonych z Francji półgąsienicowych podwozi *Citroën-Kegresse P.10.* Projektantami opancerzenia byli inżynierowie Robert Gabeau i Józef Chaciński.

Kupiono ponad 100 podwozi (130–150?), które zaopatrywano w nadwozia sukcesywnie, w kilku seriach. Również w kilku, nieznacznie różniących się między sobą, seriach Huta Baildon z Katowic przygotowywała pancerze. Samochodów pancernych zmontowano 90, oprócz tego zbudowano też około 30 samochodów ciężarowych i odkrytych samochodów sztabowych.

Pod koniec 1933 roku podjęto decyzję przebudowy samochodów *wz. 28* na pojazdy kołowe – podwozie gąsienicowe sprawiło sporo kłopotów, wozy były powolne, a ich własności terenowe wcale nie najlepsze.

34. Samochód pancerny *wz. 34* z wąskim kadłubem, pojedynczym okienkiem kierowcy i karabinem maszynowym *Hotchkiss* w jarzmie tzw. uniwersalnym

35. Samochody *wz. 34* z kadłubem poszerzonym nad błotnikami kół tylnych i dwoma okienkami przed kierowcą. Wóz z lewej z działkiem *Puteaux* w jarzmie kulistym, wóz z prawej z karabinem maszynowym w jarzmie prostokątnym (1937 rok)

W pierwszej połowie 1934 roku odbył jazdy próbne pierwszy z przebudowanych samochodów, a do końca roku przebudowano jeszcze 11 pojazdów, które zostały wprowadzone do służby jako samochód pancerny *wz. 34*.

Następne samochody przebudowywano w warsztatach jednostek pancernych – przy czym zakresy przebudowy były różne. W ten sposób powstały zasadnicze trzy odmiany: *wz. 34*, *wz. 34–I*, i *wz. 34–II*. Samochód *wz. 34* miał oryginalny silnik *Citroën* i tylny most z samochodu *FIAT 614*. Samochód *wz. 34–I* miał również most *FIAT 614*, ale wymieniono także jednostkę napędową – wbudowując silnik *Polski FIAT 508*. Trzecia wersja samochodu, zbudowana w największej liczbie, to *wz. 34–II*. Zastosowano również silnik *Polski FIAT typu 108*, lecz ulepszony, z nowego modelu *508/III*, natomiast tylny most pochodził z lekkiego samochodu ciężarowego *Polski FIAT 618*. Zmieniono zbiorniki paliwa oraz – oczywiście – skrzynie biegów (samochody *wz. 34* miały skrzynie 3-biegowe plus bieg wsteczny, z 2-stopniowym reduktorem, co dawało 6 przełożeń do przodu i 2 do tyłu; samochody *wz. 34–I* i *wz. 34–II* miały skrzynie z 4 przełożeniami do jazdy w przód i 1 do tyłu). Zmieniono instalacje elektryczne i hamulce (*wz. 34* – mechaniczny nożny na wał napędowy, ręczny na tylne koła; *wz. 34–II* – mechaniczny ręczny na wał i nożny hydrauliczny na bęben kół tylnych). Samochody różniły się też wymiarami – przede wszystkim inny był rozstaw kół i osi, ale też zmieniła się nieznacznie, ze względu na nowy most i zmiany w zawieszeniu, długość, szerokość i wysokość pojazdu.

Były też różnice między poszczególnymi pojazdami. Niektóre samochody, z prostopadłą tylną płytą pancerną, miały położony na wystającym fragmencie ramy stopień z arkusza blachy. Część wozów miała tylną płytę ustawioną skośnie i wtedy rama była niemal całkowicie zakryta. Większość samochodów miała pancerz boczny z dwu płaskich płyt, a niektóre – pancerz dzielący się na część górną, wystającą, i dolną. Niektóre samochody miały dwa okienka przed kierowcą, inne zaś tylko jedno, większe.

Wszystkie typy samochodów pancernych miały uzbrojenie takie, jakie było w pojazdach *wz. 28* – armatę 37 mm (około 1/3 stanu) lub karabin maszynowy w prostokątnym lub okrągłym jarzmie obrotowej wieży.

Dane techniczne samochodów pancernych *wz. 34.*

Lekki samochód pancerny opancerzony płytami walcowanymi 6–8 mm, nitowanymi na żebrach i kątownikach (blachy skośne 6 mm, prostopadłe 8 mm, dno nie opancerzone), z uzbrojeniem w obrotowej wieży.

– *Uzbrojenie*: 1 armata 37 mm *Puteaux S.A. 1918* z zapasem 96–100 naboi lub karabin maszynowy 7,92 mm *Hotchkiss wz. 25* z zapasem 2000 naboi.

– *Silnik. Wz. 34 – Citroën B-14*, gaźnikowy, 4-cylindrowy, 4-suwowy, chłodzony cieczą, o pojemności skokowej 1477 cm^3. Stopień sprężania 5,4:1. Moc 20 KM (14,7 kW) przy 2100 obr/min.

Wz. 34–I – FIAT 108, 4-cylindrowy, 4-suwowy, dolnozaworowy, chłodzony cieczą, o pojemności skokowej 995 cm^3. Stopień sprężania 5,5:1. Moc 20 KM (14,7 kW) przy 3000 obr/min.

Wz. 34–II – FIAT 108 (*PZInż. 117*). Stopień sprężania 6,6:1. Moc 24 KM (17,7 kW) przy 3600 obr/min, pozostałe dane j.w.

– *Ogumienie*: *Polska Opona Stomil* o wymiarach 30×5".

– *Wymiary* (w nawiasie *wz. 34–II*): *długość* 3620 mm (3750 mm), *szerokość* 1910 mm (1950 mm); *wysokość* 2220 mm (2230 mm), *rozstaw kół przednich* 1180 mm, *rozstaw kół tylnych* 1470 mm (1540 mm), *rozstaw osi* 2570 mm (2405 mm), *prześwit* 250 mm (230 mm).

– *Masa* 2100–2200 kg.

– *Prędkość maksymalna* 55 km/h (*wz. 34–II* 50 km/h).

– *Zużycie paliwa* 22–23 l/100 km po drodze, około 40 l/100 km w terenie.

Samochód pancerny *wz. 34*

Z wąskim kadłubem pancernym i tylną płytą pancerną skośną; jarzmo karabinu maszynowego typu uniwersalnego

1:35

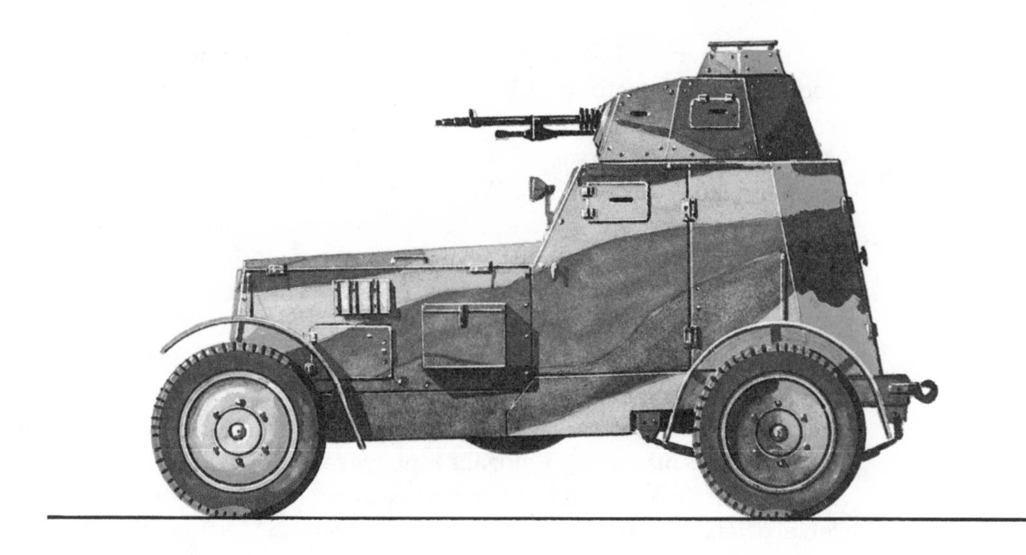

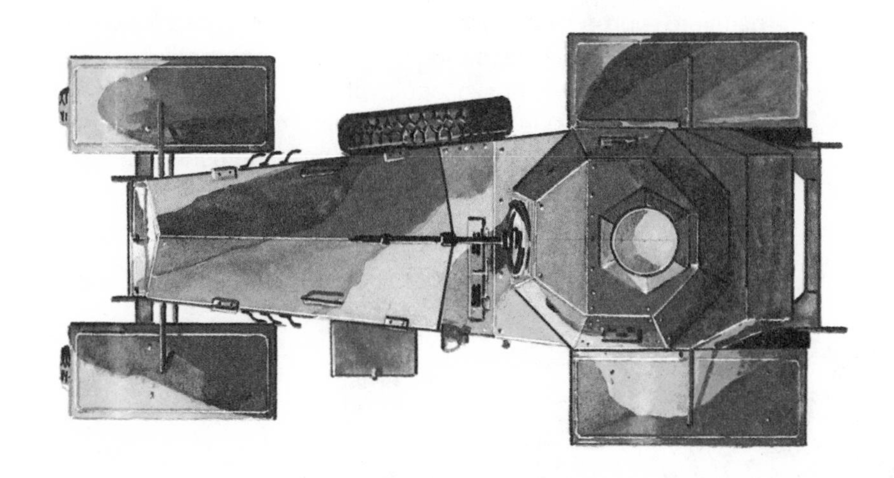

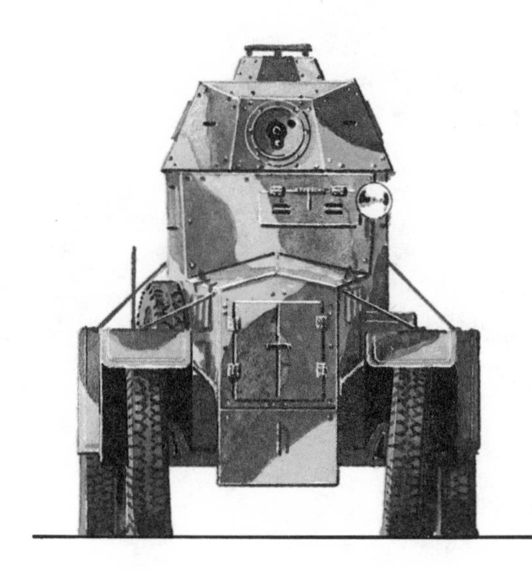

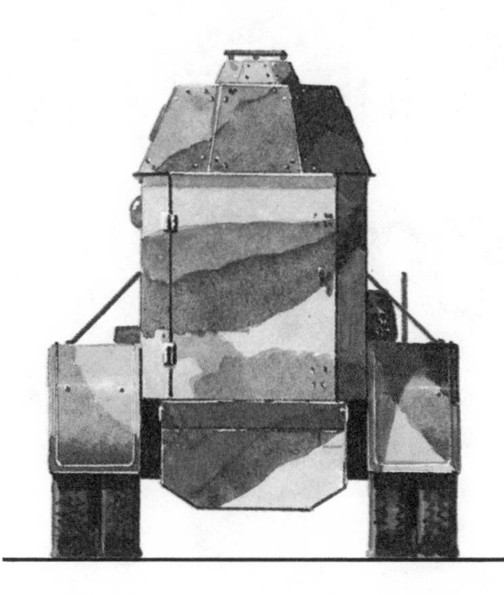

Samochody pancerne Ursus wz. 29

W myśl planów Sztabu Głównego podwozie samochodu *Ursus A*, którego produkcję rozpoczęto w 1928 roku, posłużyć miało do zbudowania nowego samochodu pancernego – cięższego i lepiej uzbrojonego od wprowadzanego właśnie kołowo-gąsienicowego samochodu *wz. 28*.
Zespołem konstrukcyjnym z Wojskowego Instytutu Badań Inżynierii, któremu zlecono projektowanie nowego samochodu pancernego, kierował porucznik inż. Rudolf Gundlach – późniejszy wynalazca peryskopu odwracalnego, opatentowanego w Polsce i sprzedanego tuż przed wybuchem wojny firmie Vickers, a używanego w wozach bojowych na całym świecie do dziś.
Konstruktorzy nawiązali w ogólnym układzie samochodu do rozwiązań zastosowanych w samochodzie *Austin 1917* (w latach dwudziestych było w Wojsku Polskim około 6 tych pojazdów) – projektując między innymi drugie, tylne stanowisko kierowcy. Również swego rodzaju zapożyczeniem była konstrukcja wieży, wzorowana na zastosowanej w samochodzie *White*. W wieży umieszczono naprzeciw siebie działko i karabin maszynowy. Niedogodnością takiego rozwiązania była niemożność równoczesnego prowadzenia ognia z obu tych broni, konieczny był półobrót wieży. W drugiej, poprawionej wersji polskiej wieży niedogodność tę usunięto – broń usytuowano względem siebie pod kątem 120°.
Pozytywnie ocenić trzeba kształt pancernego nadwozia. Udało się uzyskać dość znaczne pochylenia poszczególnych płyt pancernych. Nadwozie było odporne na odłamki artyleryjskie i zwykłe pociski karabinowe ze wszystkich odległości, na karabinowe pociski przeciwpancerne z odległości 300 m.

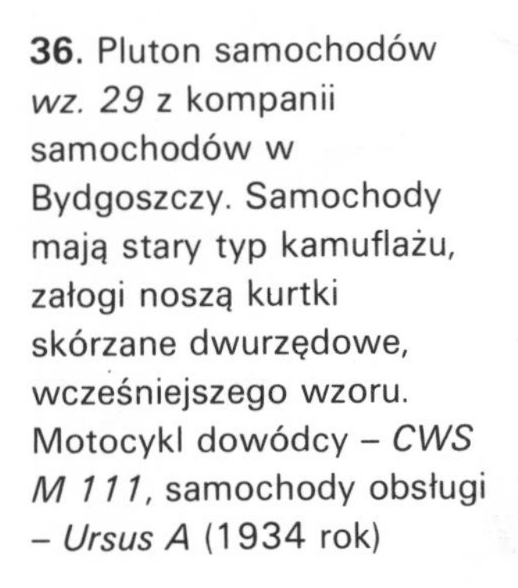

36. Pluton samochodów *wz. 29* z kompanii samochodów w Bydgoszczy. Samochody mają stary typ kamuflażu, załogi noszą kurtki skórzane dwurzędowe, wcześniejszego wzoru. Motocykl dowódcy – *CWS M 111*, samochody obsługi – *Ursus A* (1934 rok)

37. Samochód *wz. 29* z nowym kamuflażem

38. Samochody *wz. 29* od tyłu. Schemat układu plam kamuflażu jest inny na każdym z wozów (1937 rok)

Po zakończeniu w pierwszej połowie 1929 roku prac projektowych zbudowano prototyp z blach żelaznych. Wczesną jesienią prototyp przeszedł próby poligonowe. Wykazały one, że niewątpliwe zalety samochodu – silne uzbrojenie, dostateczne opancerzenie i tylne stanowisko kierowcy, kapitalnie poprawiające manewrowość – nie równoważą zasadniczych mankamentów: małej prędkości, niedostatecznej zwrotności, zbyt wysokiej sylwetki i małej sprawności w jeździe terenowej.
To zaważyło na decyzji o dalszym losie konstrukcji. Zamówiono, wliczając prototypy, tylko 13 pojazdów – czyli liczbę wystarczającą do wystawienia kompanii samochodów. Seria została zakończona do lipca 1931 roku.
Podczas mobilizacji latem 1939 roku samochody *Ursus wz. 29*, które znajdowały się od 1936 roku w Batalionie Doświadczalnym CWBPanc. (Centrum Wyszkolenia Broni Pancernych) zostały włączone jako szwadron samochodów pancernych w skład 11 Dywizjonu Pancernego, wystawionego przez ten batalion dla Mazowieckiej Brygady Kawalerii.

Dane techniczne samochodu pancernego *Ursus wz. 29*

Ciężki samochód pancerny z opancerzeniem z płyt stalowych nawęglanych 4–10 mm (przód 7 i 9 mm, tył 6 i 9 mm, boki 9 mm, pancerz silnika 9 mm, wierzch i spód 4 mm, wieża 10 mm), z uzbrojeniem w obrotowej wieży i w kadłubie.
– *Uzbrojenie*: 1 armata 37 mm *Puteaux S.A. 1918* z zapasem 96 naboi, 2 karabiny maszynowe 7,92 mm *Hotchkiss wz. 25* z zapasem 2016 naboi na jedną lufę.
– *Silnik Ursus-2A*, gaźnikowy, 4-cylindrowy, 4-suwowy, dolnozaworowy, chłodzony cieczą, o pojemności skokowej 2873 cm^3. Moc maksymalna 35 KM (25,7 kW) przy 2600 obr/min.
– *Ogumienie*: *Polska Opona Stomil* o wymiarach 32×6"
– *Długość całkowita* 5150 mm (bez tylnego karabinu maszynowego), *szerokość* 1850 mm, *wysokość* 2475 mm, *rozstaw kół* 1510 mm, *rozstaw osi* 3500 mm.
– *Masa całkowita* bojowa 4800 kg.
– *Prędkość maksymalna* 45 km/h.
– *Zużycie paliwa* 36 l/100 km.

Samochód pancerny *wz. 29*
W jarzmie przeciwlotniczym nie ma karabinu maszynowego, zrezygnowano z niego jeszcze na początku lat trzydziestych

1:35

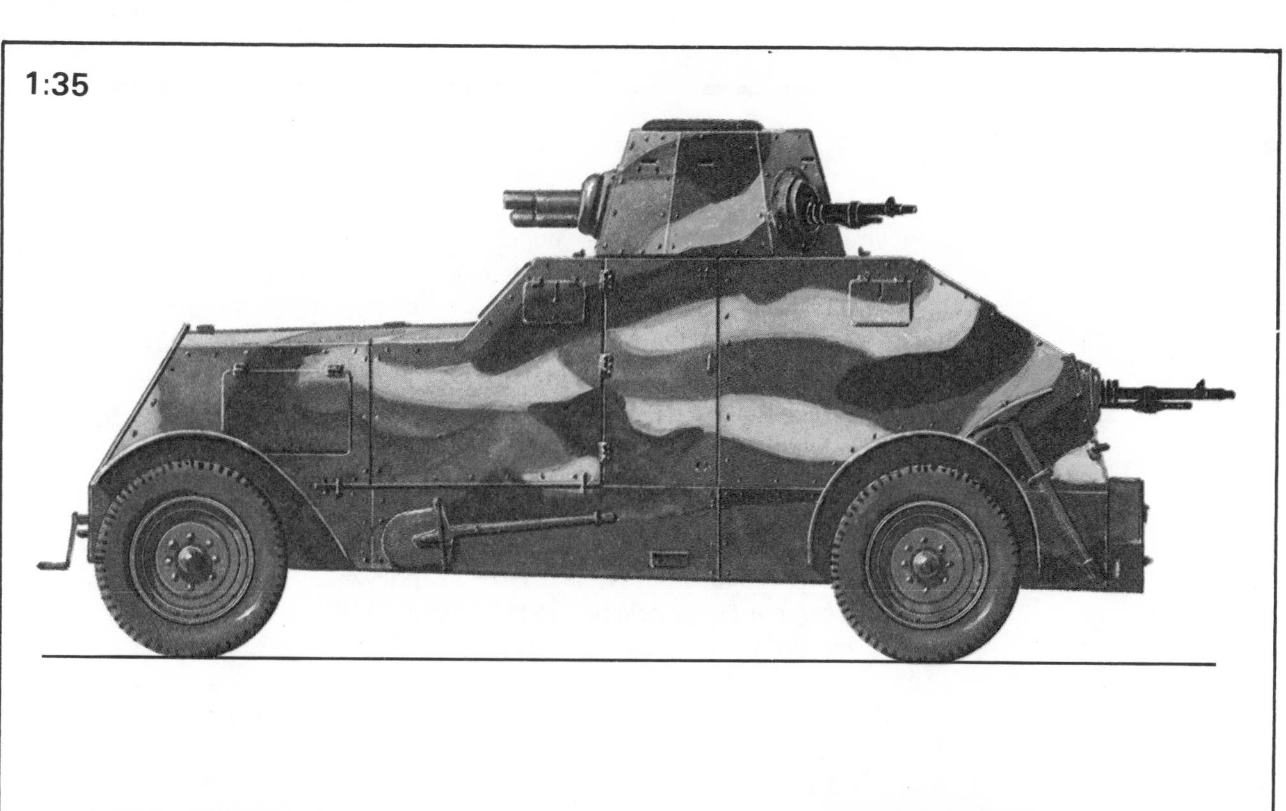

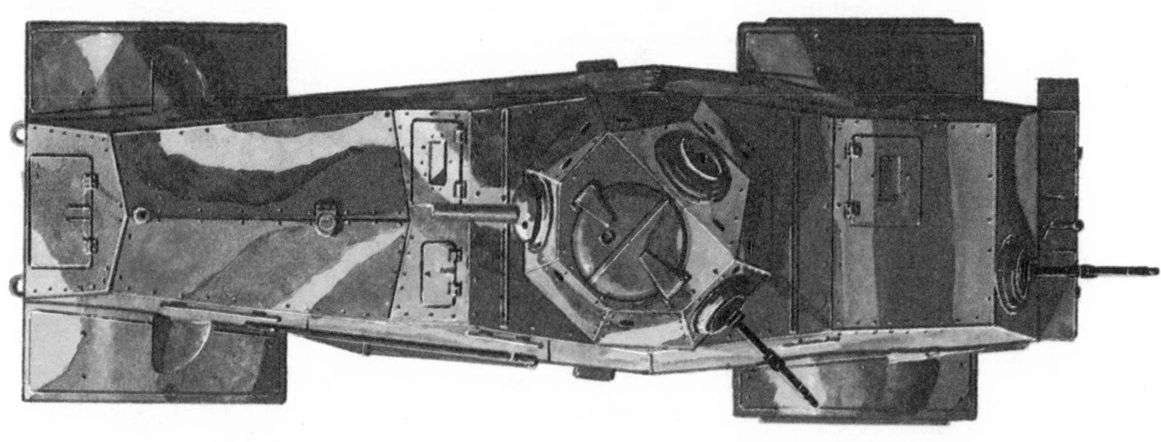

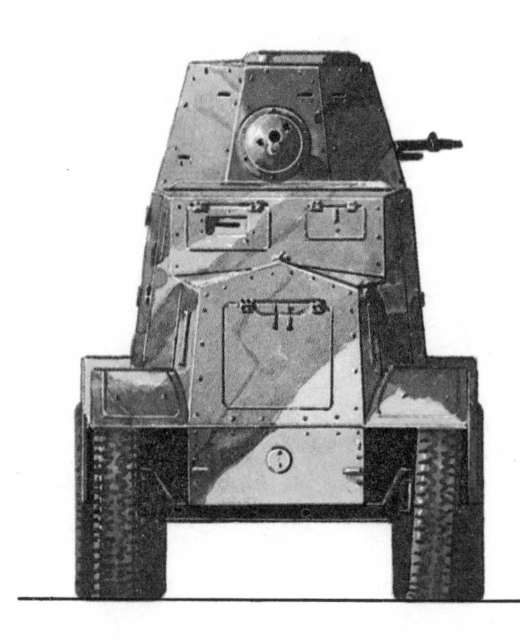

Samochody pancerne Peugeot 1918

Wytwarzanie samochodów pancernych marki *Peugeot* rozpoczęto w Société Anonyme des Autos et Cycles Peugeot w Issy-les-Moulineaux we Francji już na początku pierwszej wojny światowej, lecz dopiero w 1916 roku powstał pojazd bardziej zasługujący na to miano. Do jego budowy wykorzystano produkowane seryjnie (od 1913 roku typowe) podwozie turystycznego, osobowego modelu 153 – *12 HP*, lecz już ulepszone (model *18 HP*?), na które – po niewielkich zmianach konstrukcyjnych (między innymi w późniejszych modelach zastosowano koła bliźniacze napędzanej tylnej osi) – nałożono lekkie opancerzenie z płyt stalowych o grubości 5,5 mm, nitowanych do szkieletowej konstrukcji nośnej. Opancerzenie osłaniało całkowicie tylko kierowcę. Część tylna, w której osadzono obrotową wieżę lub tarczę pancerną, była otwarta od góry. W wieży typu lekkiego, nie osłoniętej z tyłu, montowano półsamoczynne działko 37 mm *wz. 18 Puteaux S.A.* (*auto-canon, AC*), a tarczą pancerną osłaniano stanowisko ciężkiego karabinu maszynowego 8 mm *Hotchkiss wz. 14* (*auto-mitrailleuse, AM*). Załoga samochodu liczyła 4–5 osób.

W 1920 roku kupiono we Francji 20 (19?) 5-tonowych samochodów pancernych *Peugeot* w udoskonalonej odmianie pochodzącej z 1918 roku. Samochody te pomimo przeciążonej konstrukcji, nie dostosowanej do walk na wschodnich bezdrożach, wykorzystywano z powodzeniem w wojnie polsko-radzieckiej. Po wojnie wzmocniono przekładnię główną, stosując koła zębate typu stożkowego o zębach spiralnych jodełkowych i zainstalowano silne reflektory elektryczne do oświetlania celów ruchomych. W latach 1929–1931 pancerne pojazdy *Peugeot* wycofano z czynnej służby i przekazano Komendzie Głównej Policji Państwowej. Dwa samochody zakończyły jednak definitywnie swoją służbę – zostały eksponatami w zbiorach muzeów: Wojska Polskiego w Warszawie i jego odpowiednika w Paryżu. We wczesnych latach trzydziestych ckm-y *Hotchkiss wz. 14* zastąpiono innym modelem, *wz. 25*, przystosowanym do strzelania amunicją systemu *Mauser* o kalibrze 7,92 mm, typową dla armii polskiej. W nowy model przezbrojono też i policyjne pojazdy.

W 1939 roku kilkanaście *Peugeotów* stacjonujących w Katowicach było używanych do działań antydywersyjnych. W chwili rozpoczęcia agresji, gdy dywersja hitlerowska znacznie się nasiliła, 1 września rano samochody pancerne skutecznie wsparły żołnierzy Obrony Narodowej walczących z grupą Freikorpsu, atakującą elektrownię na przedmieściu Chorzowa. Wiadomo też, że tego dnia jeden z pojazdów uległ zniszczeniu, wspomagając 7 kompanię 75 Pułku Piechoty, która wraz z oddziałem samoobrony odbijała opanowaną przez hitlerowców kopalnię „Maks" w Michałowicach.

Dane techniczne samochodu pancernego *Peugeot 1918*

Samochód pancerny lekki z nadwoziem pancernym z blach 5,5 mm, otwartym od góry.

– *Uzbrojenie*: armata 37 mm *Puteaux S.A. 1918* lub karabin maszynowy 7,92 mm *Hotchkiss wz. 25.*

– *Silnik Peugeot*, gaźnikowy 4-cylindrowy, 4-suwowy, dolnozaworowy, chłodzony cieczą, o pojemności skokowej 2800 cm^3. Moc 40 (?) KM (29,4 kW).

– *Długość* około 4800 mm, *szerokość* około 1800 mm, *wysokość* 2800 mm, *rozstaw kół* 1800 mm, *rozstaw osi* 3500 mm, *prześwit* 250 mm.

– *Masa* około 5000 kg.

– *Prędkość maksymalna* 45 km/h po drodze (do tyłu – 6 km/h).

– *Zużycie paliwa* 18–30 l/100 km.

– *Zasięg* 140 km.

39. Samochód pancerny *Peugeot 1918*. Zdjęcie wykonane na placu Trzech Krzyży w Warszawie w 1926 roku w czasie przewrotu majowego

Samochód pancerny *Peugeot 1918*
Wersja z karabinem maszynowym *Hotchkiss*. Nie jest wykluczone, że samochody *Peugeot* po przekazaniu Policji Państwowej miały malowanie kamuflażowe typu wojskowego

1:35

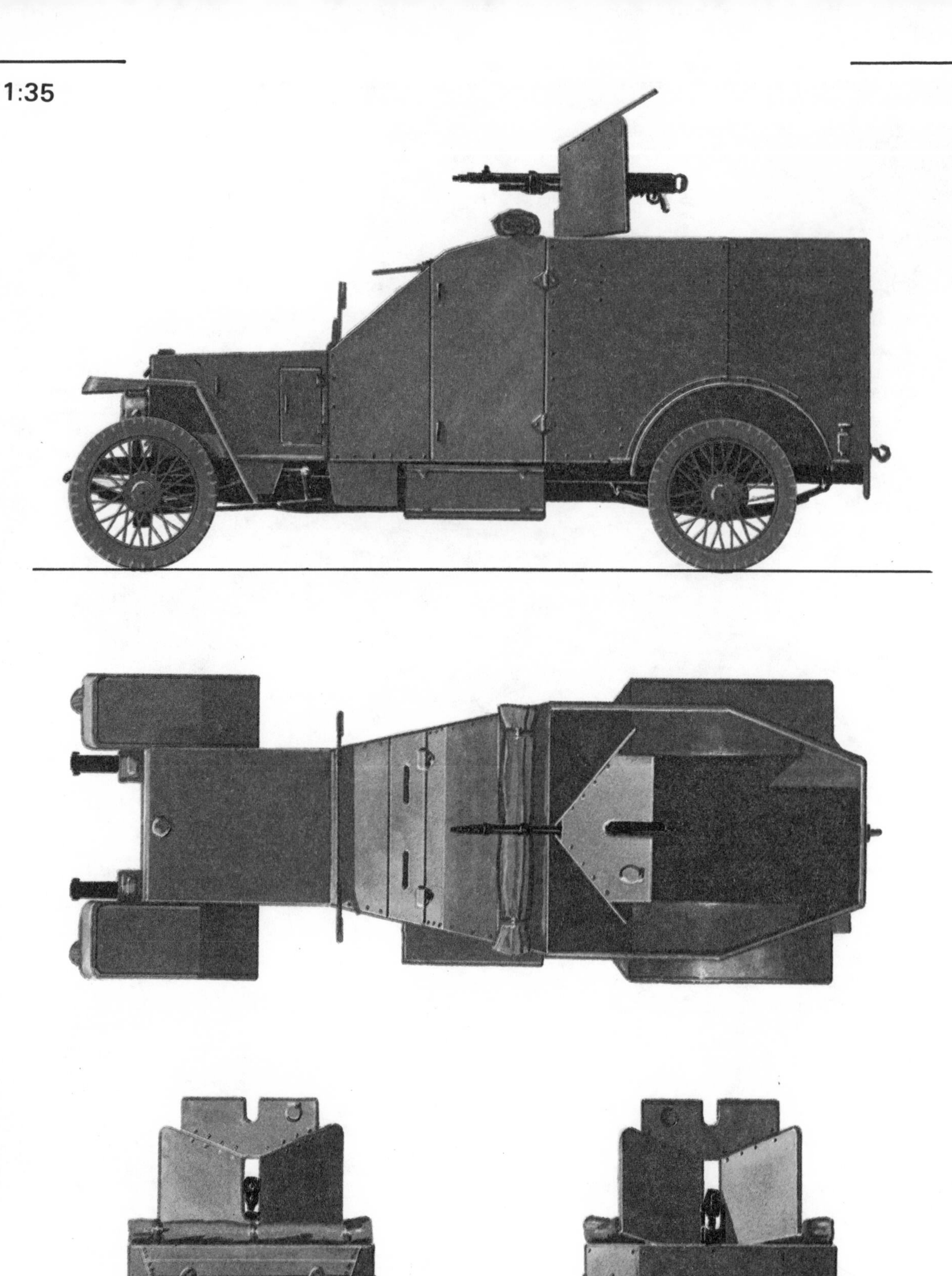

Inne wozy bojowe

Nie ma udokumentowanych informacji, że we wrześniu 1939 roku zostały użyte pojedyncze wozy bojowe różnych typów kupione do badań porównawczych i prób oraz prototypy pojazdów skonstruowanych w kraju. Nic zresztą dziwnego, bo nietypowe wozy z nietypowymi częściami i uzbrojeniem (a w przypadku prototypów często bez uzbrojenia) marnym by były nabytkiem dla jakiejkolwiek jednostki.

Można więc tylko odnotować, że znajdowały się w kraju pojedyncze czołgi *Renault* różnych odmian (swego czasu kupiono 24 czołgi *NC-1,* 5 czołgów *M26/27* i włoski *FIAT 3000*), prototyp nowoczesnego czołgu pływającego *PZInż. 130* bez uzbrojenia, prototyp nieudanego czołgu kołowo-gąsienicowego *10TP*, prototypy samobieżnego działa przeciwpancernego *TKS-D* oraz prototyp czołgu lekkiego *4TP* (ten ostatni czołg, z oznaczeniem fabrycznym *PZInż. 140*, był zatwierdzony do produkcji seryjnej w pierwszej połowie lat czterdziestych, jako pojazd rozpoznawczy mający zastąpić dotychczas używane tankietki i samochody pancerne). Samobieżne działo *TKS-D* (a może *TKD*) zostało podobno użyte w obronie Warszawy. Znalezione na Woli w Forcie Bema, ze względu na kłopoty z silnikiem było holowane na stanowisko ogniowe za samochodem ciężarowym. Możliwe, że dotrwały do września: zbudowany w 1920 roku w 1 Pułku Czołgów samochód pancerny na podwoziu *Berliet CBA*, tankietki *Carden-Loyd* i *St. Chamond* lub któryś z samochodów pancernych z lat dwudziestych.

We wrześniu 1939 roku kilkadziesiąt niemieckich wozów bojowych znalazło się w rękach polskich żołnierzy – kilka, a może kilkanaście z nich użyto w walkach. Istnieje między innymi zapis o zdobyciu 21 września pod Łaszczowem dwóch czołgów. Obsadzone przez żołnierzy 6 Dywizjonu Artylerii Ciężkiej (zmot.) zostały użyte przeciw Niemcom następnego dnia.

Improwizowane samochody pancerne, stanowiące kuriozum w manewrowej wojnie 1939 roku, powstały na wybrzeżu, a więc w warunkach długotrwałych zmagań obronnych o dość statycznym charakterze, dzięki istnieniu zaplecza dobrze wyposażonego w środki techniczne.

Już w pierwszych dniach walk, w gdyńskiej Stoczni Marynarki Wojennej (Oksywie) przebudowano dwa niemieckie półgąsienicowe ciągniki artyleryjskie (zdobyte pod

40. Prototyp czołgu *10TP.* Wóz przygotowany do jazdy na kołach

41. Czołg *4TP* (*PZInż. 140*) w czasie jazd próbnych

42. Czołg pływający *PZInż. 130*

Osową w nocy z 3 na 4 września), opancerzając je arkuszami blachy stalowej o dużej wytrzymałości przeznaczonej do budowy kadłubów niszczycieli „Huragan" i „Orkan". Samochody były przypuszczalnie uzbrojone w ciężkie karabiny maszynowe uzyskane z jednostek piechoty i być może w działka 37 mm. Nieco później, w dniach 5 i 6 września, opancerzono w Stoczni Marynarki Wojennej na Oksywiu dwa samochody ciężarowe (jeden z nich to *Polski FIAT 621* o ładowności 2,5–3 tony produkowany seryjnie w Państwowych Zakładach Inżynierii w Warszawie od 1935 roku), osłaniając arkuszami blachy okrętowej koła, kabinę kierowcy wraz z silnikiem i boczne ściany skrzyni ładunkowej. W otwartym przedziale bojowym zamontowano uzbrojenie – w jednym z pojazdów działko przeciwlotnicze *Vickers wz. 28* zdjęte z zatopionego w porcie wojennym w Gdyni starego torpedowca, szkolnego okrętu artyleryjskiego, ORP „Mazur" i być może karabin maszynowy, w drugim – ciężki karabin maszynowy na podstawie morskiej (prawdopodobnie *Maxim wz. 08*).

Opancerzone ciężarówki były ciężkie (masa uzbrojonego samochodu wraz z wyposażeniem, amunicją i załogą wynosiła około 5 ton), lecz z powodzeniem spełniały swoje funkcje. Nie powiodła się natomiast próba opancerzenia samochodu osobowego dla celów zwiadowczych, gdyż zastosowane arkusze blach okrętowych miały zbyt wielką masę i pojazd był znacznie przeciążony.
Samochody pancerne uczestniczyły aktywnie we wszystkich fazach walk obronnych. Jeden z nich (półgąsienicowy) był używany przez bohaterskiego dowódcę Lądowej Obrony Wybrzeża płka Stanisława Dąbka i dopomógł w dniu 8 września w bezpiecznym przejeździe przez wieś Bieszkowice, gdy Niemcy odcięli drogę. Samochody były też użyte między innymi do niszczenia gniazd broni maszynowej w rejonie Łężyc. Następnego dnia, w czasie opuszczenia stanowisk jeden z pojazdów półgąsienicowych utknął w podmokłym terenie. Po kilku nieudanych próbach wyrwania wozu z błotnistej pułapki wymontowano uzbrojenie, a silnik zniszczono granatami. Jeden z kołowych samochodów pancernych wspierał w ostatnich dniach walk oddziały na Kępie Oksywskiej. Po uszkodzeniach (wybuch granatu) był naprawiany w Warsztatach Portowych Marynarki Wojennej na Oksywiu i uczestniczył w końcowej fazie walk, doznając trwałych uszkodzeń w dniu 18 września, w przeddzień kapitulacji. Zginęła też załoga, z wyjątkiem kierowcy, który chociaż ranny wycofał pojazd do własnych linni obronnych.

Rozdział 2

Motocykle

Motocykle CWS M 55, CWS M 111 – Sokół 1000 M 111

Motocykle *CWS 55* były pierwszymi pojazdami jednośladowymi produkowanymi seryjnie przez przemysł państwowy. Konstruktor, por. inż. B. Fuksiewicz z Państwowych Zakładów Inżynierii (PZInż.) w Warszawie, otrzymał polecenie zaprojektowania ciężkiego motocykla na wzór znanych konstrukcji amerykańskich – *Indian* (silnik) i *Harley-Davidson* (podwozie). W myśl otrzymanych wytycznych prace projektowe polegały na dokładnym zwymiarowaniu wszystkich elementów wymienionych pojazdów, z niewielkimi tylko zmianami wymiarów zewnętrznych. Stwarzać to miało pozory oryginalności konstrukcji. Nie przeprowadzono żadnych badań wytrzymałościowych i technologicznych, a tolerancja pasowań miała być dobierana podczas montażu.
Prototypowe motocykle zbudowano w PZInż. w 1929 roku (jest to data najbardziej prawdopodobna, chociaż inne źródła podają rok 1928) i rozpoczęto produkcję pierwszych 50 pojazdów, tak zwanej serii *S-O*. Tymczasem badania drogowe ujawniły wiele wad silnika i podwozia. Najczęstszym defektem było urywanie się zaworów, wybijanie gniazd zaworowych, ścieranie się powierzchni krzywek rozrządu, pękanie sprężyn przedniego zawieszenia i łącznika mocującego wózek boczny. Do drobnych, lecz istotnych wad należało także niewłaściwe umiejscowienie dźwigni nożnego rozrusznika – między wózkiem a motocyklem – co było przyczyną częstych urazów stopy o łącznik przyczepki i kolana o jej krawędź.

43. Motocykl *CWS M 55* (seria *S-O*)

44. Motocykl *CWS M 55* (seria *S-III*) w czasie rajdu w 1931 roku

Odbiorcy wojskowi (motocykle bowiem były głównie przeznaczone dla Wojska Polskiego) zaczęli składać reklamacje. Nieufnie patrzono na dalszą produkcję motocykli. W PZInż. zaczęto zastanawiać się nad wstrzymaniem produkcji, a nawet nad złomowaniem wykonanych już pojazdów. Zrealizowano jednakże inną koncepcję. Postanowiono usunąć najważniejsze błędy i kontynuować produkcję, aby uzyskać choćby zwrot zainwestowanych sum. Analizę podatnych na uszkodzenia detali, zwłaszcza silnika, powierzono inż. Stanisławowi Malendowiczowi, młodemu pracownikowi z dużą praktyką krajową i zagraniczną. Po jej dokonaniu wprowadzono istotne zmiany, między innymi w zespole rozrządu, co usprawniło pracę silnika i zapewniło minimum jego trwałości. Nowa, zmodernizowana seria (do której zaliczono także poprawione egzemplarze poprzedniej) nosiła oznaczenie *S-III* i była produkowana jeszcze w 1931 roku. Motocykle były wykonywane głównie z materiałów krajowych, z importu pochodziły tylko: instalacja elektryczna, ogumienie, gaźnik oraz łożyska i szybkościomierze. Większość elementów produkowano na miejscu w PZInż., lecz korzystano także z usług kooperantów. Koła dostarczała Fabryka Rowerów i Motocykli B. Wahren, a zbiorniki paliwa Zakłady Przemysłowe „Bielany" S.A. (oba zakłady z Warszawy).
Motocykle *CWS M 55* były przydzielane w pierwszej kolejności batalionom pancernym, po kilka – kilkanaście sztuk na batalion (np. 4 Batalion Pancerny z Brześcia nad Bugiem otrzymał we wrześniu 1931 roku 7 motocykli). W ciągu 8 lat służby motocykle zużywały się i zapewne tylko niewiele z nich dotrwało do września 1939 roku.
Jeszcze w okresie produkcji *CWS M 55* rozpoczęto w Biurze Studiów PZInż. prace projektowe nad nowym typem motocykla tej samej klasy. Głównym konstruktorem został inż. Zygmunt Okołów, w skład zespołu wchodzili inżynierowie Mordasewicz i Bidziński oraz dyplomowani technicy Stefan Poraziński, Jan Gebler i Raczek. Nowy motocykl, nazwany *CWS M 111*, zewnętrznie przypominał swego niezbyt udanego poprzednika, ale konstrukcyjnie i technologicznie był już opracowany prawidłowo.

45. Motocykl *CWS M 111* plutonu czołgów rozpoznawczych *TKS.* Na drugim planie samochody *Polski FIAT 621* (1935 rok)

46. Motocykle typu *M 111* (Krakowskie Przedmieście, Warszawa, rajd w 1936 roku)

Warto tu dodać, że już tylko właściwe opracowanie charakterystyki rozrządu przyniosło istotny wzrost mocy silnika z tej samej pojemności.
Prototypowe pojazdy zbudowano na początku 1932 roku, a pierwsze serie produkcyjne opuściły fabrykę w rok później (w I kwartale).
W 1936 roku, zapewne pod wpływem nowej konstrukcji motocykla turystycznego *Sokół 600 RT typ M 211*, opracowanego również w PZInż., zmieniono nazwę modelu na bardziej handlową (i ujednoliconą dla całej projektowanej „rodziny"

47. Motocykl *Sokół 100 M 111* z ręcznym karabinem maszynowym. Załoga w sukiennych płaszczach *wz. 36* i hełmach *wz. 16*

polskich motocykli) – *Sokół 1000* – z zachowaniem dawnego oznaczenia typu *M 111* (w nomenklaturze zakładów zmiana drugiej lub trzeciej cyfry oznaczała wersję modelu).

CWS M 111 – Sokół 1000 M 111 był wytwarzany bez zasadniczych zmian konstrukcyjnych aż do września 1939 roku. W produkcji korzystano z wyrobów sporej, systematycznie wzrastającej grupy krajowych wyspecjalizowanych kooperantów. W bardzo niewielkim stopniu korzystano z elementów pochodzenia zagranicznego, które w końcowym okresie wytwarzania (zwłaszcza po 1936 roku) ograniczono w zasadzie do łożysk tocznych. W toku produkcji uległy modernizacji niektóre elementy pojazdu, między innymi liczba i rodzaj pomp olejowych (z zachowaniem systemu smarowania pod ciśnieniem), system zapłonowy (w nowszych modelach, powyżej numeru silnika 849, zastosowano podwójną, dwuiskrową cewką zapłonu, eliminując rozdzielacz zapłonu) oraz system zmiany świateł drogowych (motocykle z pierwszych serii miały sterowany linką mechaniczny przełącznik, opuszczający snop światła jednowłóknowej żarówki).

Motocykl *CWS M 111 – Sokół 1000* opuszczał fabrykę wyłącznie z bocznym wózkiem, także konstrukcji PZInż. (podwozie konstrukcji rurowej, koło wózka wymienne z kołami motocykla, hamulec tego koła sprzężony z hamulcem tylnego koła motocykla; resorowane). Projekt nadwozia wykonał inż. Stanisław Panczakiewicz. Tylko niewielka część pojazdów zasilała rynek cywilny (nieliczni prywatni użytkownicy i poczta – motocykle pocztowe z wózkiem o specjalnej konstrukcji). Głównym odbiorcą motocykli było wojsko. *Sokoły* były wykorzystywane jako pojazdy łącznikowe i rozpoznawcze, a także jako ruchome punkty ogniowe, wyposażone – w zależności od potrzeby – w karabiny maszynowe różnych rodzajów.

W celu polepszenia – nie najgorszych zresztą – własności terenowych wprowadzono napęd także bocznego koła wózka. Seria informacyjna terenowych *Sokołów 1000* nosiła oznaczenie *M 121*. Produkcji na większą skalę jednak nie rozpoczęto.

Motocykle *CWS M 111* i *Sokół 1000* nie były pojazdami o awangardowych rozwiązaniach konstrukcyjnych, jednakże ze względu na swoją niebywałą trwałość i terenowe przełożenie skrzynki biegów spisywały się znakomicie w ówczesnych ciężkich warunkach drogowych.

Dane techniczne motocykla *CWS 55*

Ciężki motocykl wojskowy z wózkiem bocznym. Rama rurowa, podwójna, zamknięta.
– *Silnik* 4-suwowy, 4-cylindrowy w układzie widlastym, dolnozaworowy, chłodzony powietrzem, o pojemności skokowej 995,4 cm^3. Stopień sprężania 4:1. Moc 13,2 KM (9,2 kW) przy 2000 obr/min (14 KM, czyli 10,3 kW przy 2500 obr/min).
– *Ogumienie* fartuchowe o wymiarach 27×3,85".
– *Masa własna* 200 kg, z wózkiem bocznym 260 kg.
– *Prędkość maksymalna* 100 km/h, z wózkiem 75 km/h.
– *Zużycie paliwa* około 10 l/100 km.

Dane techniczne motocykla *CWS M 111 – Sokół 1000 M 111*

Ciężki motocykl wojskowy z wózkiem bocznym. Rama rurowa, podwójna, zamknięta.
– Silnik 4-suwowy, 2-cylindrowy w układzie widlastym, dolnozaworowy, o pojemności skokowej 995 cm^3. Stopień sprężania 5:1. Moc 18 KM (13,2 kW) przy 3000 obr/min.
– *Ogumienie*: *Polska Opona Stomil* o wymiarach 4,40×19".
– *Długość* 2270 mm, *szerokość bez wózka* 800 mm, *wysokość bez wózka* 1135 mm, *rozstaw osi* 1464 mm.
– *Masa własna* 230 kg, z wózkiem 375 kg.
– *Prędkość maksymalna* z wózkiem 100 km/h.
– *Zużycie paliwa* 7–7,5 l/100 km, *zużycie oleju* 0,3 l/100 km.

Motocykle Sokół 600 RT M 211

W 1934 roku, po rozpoczęciu produkcji opracowanego wcześniej ciężkiego motocykla *CWS M 111*, w Biurze Studiów Państwowych Zakładów Inżynierii w Warszawie zorganizowano samodzielny Dział Motocyklowy. Kierownikiem działu został inż. Tadeusz Rudawski, a jego współpracownikami byli między innymi inżynierowie: Zbigniew Możdżeński, Jan Kleber, Bidziński oraz technicy: J. Gebler, S. Poraziński, S. Kostrzewski, Raczek i Jakubiak.
Zapotrzebowanie wojska na motocykle nie było wówczas duże i nie wyczerpywało całej mocy konstrukcyjno-produkcyjnej przeznaczonej do ich wytwarzania. Racjonalne wykrzystanie możliwości produkcyjnych fabryki w tym zakresie wymagało więc opracowania konstrukcji motocykla lżejszego, dostosowanego do wymagań zwykłych użytkowników, a jednocześnie dostatecznie wytrzymałego, aby mógł spełniać pomocnicze zadania wojskowe.
Pierwsza seria pojazdów konstrukcji inż. Rudawskiego, zwanych *Sokół 600 RT* (Rudawski – Turystyczny), ukazała się w sprzedaży już w drugiej połowie 1935 roku.
Silnik motocykla *Sokół 600 RT* był oryginalną koncepcją projektantów, którzy zastosowali nowatorskie rozwiązania techniczne. Wymienić tu można na przykład smarowanie obiegowe, między innymi z wtryskiem oleju na gładź cylindra i zbiornikiem oleju w obudowie sprzęgła, zawieszenie silnika na tulejach gumowo-stalowych, eliminujących drgania wytwarzane w czasie jego pracy, i skrzynkę biegów, skonstruowaną jako oddzielny zespół, lecz umieszczony w specjalnym

48. Motocykl *Sokół 600 RT* z pierwszej serii produkcyjnej. Na motocyklu żona płka Tądeusza Kossakowskiego, dowódcy broni pancernych

49. Motocykl *Sokół 600 RT* w czasie jazdy terenowej

otworze w bloku silnika. Ta pomysłowa konstrukcja miała wszelkie zalety monobloku i eliminowała jednocześnie jego wady. W razie uszkodzenia można było odłączyć cały zespół bez kłopotliwego demontażu silnika, gdy zaś łańcuch sprzęgłowy wykazał nadmierny luz, regulację naciągu przeprowadzało się obracając mimośrodowo osadzoną skrzynkę biegów. Rozwiązania te, upraszczające obsługę i ułatwiające eksploatację, stały się patentami PZInż.
Troskę o użytkownika widać także w konstrukcji podwozia. Zastosowano wymienne koła demontowane bez bębnów hamulcowych, regulowane siodła, z możliwością zastosowania 3 rodzajów sprężyn (w zależności do masy kierowcy i pasażerów), oraz nożną (lecz jeszcze dwudźwigniową, bez tak zwanego automatu) i ręczną zmianę położeń. Należy dodać, że w celu przedłużenia okresu eksploatacji łańcuch napędowy był smarowany kroplowo olejem silnikowym i pracował w osłonie.

Motocykle były produkowane prawie w całości z krajowych podzespołów, jako wytwór PZInż. i wyspecjalizowanych kooperantów. Z importu pochodziły jedynie łożyska, gaźniki *Amal 26* lub rzadziej *Graetzin M 22* i prądnice *Bosch* lub prądnico-iskrowniki *Miller* w zależności od rodzaju instalacji elektrycznej.
Motocykl *Sokół 600* odznaczał się celowością konstrukcji, niezawodnością i dobrymi właściwościami terenowymi, nic więc dziwnego, że już wkrótce po wejściu na rynek stał się pojazdem bardzo popularnym. Motocykle tej marki brały z powodzeniem udział w wielu krajowych imprezach sportowych. Najbardziej spektakularnym jednak osiągnięciem było zdobycie przez dwa *Sokoły 600* (i jeden typu *200*) tarzańskiego Kasprowego Wierchu.
Sokół 600 miał oryginalną wersję terenową. Był to trzykołowy pojazd jednośladowy (koła ustawione jedno za drugim) o napędzanych dwóch tylnych kołach. Wykonano dwa prototypy, które wykazywały dobre właściwości trakcyjne w błocie lub piasku, natomiast na szosie, zwłaszcza przy większej szybkości, prowadzenie stawało się trudne, a nawet i niebezpieczne. Zbudowano także motocykl z napędem na koło wózka (typ *M 231*), rozwiązanie w zasadzie niespotykane w tej klasie pojemnościowej, lecz o nienajgorszych właściwościach terenowych. Wojsko nie wykazało jednak zainteresowania tymi motocyklami, więc dalszych prób nie prowadzono.
Sokoły 600 RT były używane we wszystkich rodzajach wojsk, broniach i służbach zarówno z bocznym wózkiem, jak i w wersji solowej, dla gońca. Na nadwoziu przyczepki można było ustawiać ręczny karabin maszynowy *wz. 28.*

Dane techniczne motocykla *Sokół 600 RT M 211*

Motocykl wojskowy i turystyczny. Rama rurowa, podwójna, zamknięta.
– *Silnik* 4-suwowy, 1-cylindrowy, dolnozaworowy, chłodzony powietrzem, o pojemności skokowej 575 cm^3. Stopień sprężania 4,6:1. Moc 15 KM (11 kW) przy 3900 obr/min.
– *Ogumienie*: *Polska Opona Stomil* o wymiarach 4,00×19.
– *Długość* 2160 mm, *szerokość* 780 mm, *wysokość* 1000 mm, *rozstaw osi* 1430 mm.
– *Masa własna* 164 kg.
– *Prędkość maksymalna* 110 km/h.
– *Zużycie paliwa* 4 l/100 km, *zużycie oleju* 0,1 l/100 km.

Motocykle Sokół 200 M 411

Sokół 200 M 411 projektu inż. Tadeusza Rudawskiego z Biura Studiów PZInż. (rozpoczęcie prac projektowych – wiosna 1937, ukończenie prototypów – wiosna 1938, rozpoczęcie produkcji w PZInż. – wiosna 1939 roku) był motocyklem turystycznym o nowoczesnej konstrukcji, opracowanej w taki sposób, by jego przyszły użytkownik miał zapewnione możliwie najlepsze warunki eksploatacji i naprawy. Z elementów wpływających bezpośrednio na bezpieczeństwo i komfort jazdy wymienić trzeba przede wszystkim ramę i zawieszenie. Rama, chociaż zewnętrznie prezentowała się raczej typowo – podwójna, zamknięta, wykonana z elementów stalowych o przekroju ceowym, łączonych za pomocą śrub – stanowiła niespotykane dotąd rozwiązanie, którego zalety można było ocenić w czasie jazdy. Była to mianowicie konstrukcja sprężysta i to do tego stopnia, że ugięcie ramy pod

50. Motocykl *Sokół 200 M 411*

siodłem było równoznaczne z zastosowaniem resorowania tylnego koła! Pomysł ten został objęty ochroną prawną jako patent Państwowych Zakładów Inżynierii. Zawieszenie przednie (rozwiązanie tradycyjne: widelec trapezowy, tłoczony z blachy stalowej) było resorowane centralną sprężyną i wyposażone w cierne amortyzatory – skoku i kierunkowy – o regulowanej sile działania. Siodło kierowcy i bagażnik, przystosowany fabrycznie do mocowania siodła dla pasażera, były resorowane także za pomocą sprężyn, co w połączeniu z opisanymi powyżej elementami sprawiało, że podróżowanie *Sokołem 200* nie było męczące.
Innym interesującym rozwiązaniem, znacznie ułatwiającym naprawę jednostki napędowej, był sposób mocowania skrzynki biegów o trzech przełożeniach – zewnętrznie tworzącej z silnikiem jednolity zespół. Obudowa skrzynki była przykręcona do silnika (jednocylindrowego, dwusuwowego z przepłukiwaniem zwrotnym) czterema śrubami, co wykorzystano także do regulacji luzu łańcucha napędowego za pomocą podkładek dystansowych odpowiedniej grubości. Rozwiązanie to, jak i zawieszenie jednostki napędowej na tulejach gumowo-stalowych (eliminujących drgania przenoszone na ramę) było patentem PZInż.
W celu zapewnienia należytej trwałości przekładni silnik-sprzęgło, z uwagi na stosunkowo dużą moc i dużą prędkość obrotową jednostki napędowej, zastosowano łańcuch dwurzędowy, nie spotykany w zasadzie w zagranicznych pojazdach tej klasy.
Silnik motocykla *Sokół 200*, zbudowany z materiałów wysokiej jakości, należał do najlżejszych w swojej klasie – ważył tylko 25 kg, cały zaś motocykl o 75 kg więcej (dla porównania warto podać odpowiednie dane popularnej *WSK 125* z lat sześćdziesiątych: silnik – 21 kg, kompletny motocykl – 100 kg). Pojazd był ekonomiczny, a więc tani w eksploatacji. Jednorazowe napełnienie zbiornika paliwa o pojemności 12,5 litra wystarczało na przejechanie, z pełnym obciążeniem, ponad 400 km.
Cena motocykla została ustalona w wysokości 1320 zł, praktycznie jednak była o 20% niższa, taką bowiem właśnie bonifikatę otrzymywał każdy nabywca polskiego pojazdu. Wydział Sprzedaży PZInż. otrzymywał wiele zamówień od nabywców indywidualnych i klubów sportowo-turystycznych. Jako ciekawostkę warto odnotować, że pierwszego *Sokoła 200* kupił dla syna ówczesny premier, gen. dr Felicjan Sławoj-Składkowski. Do września 1939 roku z planowanej na ten rok serii 800 sztuk zdołano wyprodukować tylko 78 pojazdów. Ponad połowa z nich trafiła do oddziałów wojskowych broniących Warszawy, gdyż według planów Ministerstwa Spraw Wojskowych motocykl *Sokół 200* był etatowo przeznaczony do służby w różnych oddziałach wojsk i broni jako motocykl łącznikowy dla gońca. Pewną partię „dwusetek" i *Sokołów 600* zmontowano podobno już w czasie działań wojennych (w oblężonej stolicy?).

Dane techniczne motocykla *Sokół 200 M 411*

Lekki motocykl wojskowy i turystyczny. Rama z ceowników stalowych, podwójna, zamknięta.
– *Silnik* 2-suwowy, 1-cylindrowy, chłodzony powietrzem, o pojemności skokowej 199,2 cm^3. Stopień sprężania 6,5:1. Moc 7 KM (5,1 kW) przy 4000 obr/min.
– *Ogumienie*: *Polska Opona Stomil* o wymiarach 3,00×19".
– *Długość* 2025 mm, *szerokość* 680 mm, *wysokość* 965 mm, *rozstaw osi* 1315 mm.
– *Masa własna* 100 kg.
– *Prędkość maksymalna* 85 km/h.
– *Zużycie paliwa* 3 l/100 km.

Motocykle MOJ 130

Motocykle *MOJ* konstrukcji inż. Karola Zubera stosowano w niezbyt dużych liczbach w Wojsku Polskim w szkołach kierowców niektórych batalionów pancernych. Po rozpoczęciu działań wojennych wyruszyły do walki wraz z jednostkami zmobilizowanymi przez te oddziały.
Pierwsze seryjne motocykle *MOJ* ukazały się na rynku w połowie roku 1937. Producentem była katowicka Fabryka Maszyn oraz Odlewnia Żelaza i Metali inż. Gustawa Różyckiego. W konstrukcji motocykla widać wyraźny wpływ niemieckich rozwiązań technicznych – między innymi zastosowano bardzo solidną ramę podwójną, zamkniętą, z ceowników stalowych. Takie rozwiązanie w motocyklu popularnym może budzić zastrzeżenie ze względu na wysoki koszt produkcji. W ramę był wstawiony chromowany zbiornik paliwa o pojemności 8,5 l (mieszanka benzyny z olejem 20:1). Ilość ta wystarczała w zupełności do przebycia bez tankowania ponad 300-kilometrowej trasy. Niektóre wersje miały zbiornik „nakładany" typu siodłowego, o nieco większej pojemności. Motocykl miał jednocylindrowy silnik zblokowany ze skrzynką biegów. Karter silnika wykonany w jednym odlewie z obudową skrzynki biegów, a tłok i głowica cylindra (zaopatrzona w odprężnik) były wykonane ze stopów lekkich. Cylinder z żeliwa molibdenowego miał w modelach późniejszych dwustronny wydech, a wał korbowy był oparty na łożyskach kulkowych. Skrzynka biegów z zatrzaskiem zewnętrznym była sterowana nożnie, a więc w nowoczesny sposób, nie spotykany prawie wówczas w pojazdach tej klasy. Miała tylko dwa przełożenia, co z niezrozumiałych względów w katalogu reklamowym producenta zostało przedstawione jako zaleta.

51. Motocykl *MOJ 130*

Silnik był chroniony od dołu pasem blachy milimetrowej grubości, przytwierdzonej do belek ramy. Instalację zapłonową i oświetleniową zasilał prąd o napięciu 6–8 V, wytwarzany w prądnicy-iskrowniku własnej konstrukcji (lub niemieckiej firmy *Bosch*), umieszczonym pod kołem zamachowym silnika. Światła postojowe (przy wyłączonym silniku) czerpały prąd z suchej baterii, umieszczonej niekiedy w obudowie reflektora. Z wytwórni inż. Różyckiego pochodziły również gaźniki, aczkolwiek stosowano także wyroby niemieckiej firmy *Greatzin*. Pojazd był jednoosobowy, lecz po założeniu na bagażniku dodatkowego siodła (dopuszczalne przez producenta i przez kodeks drogowy) można było przewozić pasażera.
Motocykle *MOJ* budziły zaufanie solidnym i estetycznym wyglądem, miały też dobrą opinię, jako oszczędne i wytrzymałe. Mimo niezbyt wysokiej prędkości maksymalnej – około 65 km/h – uczestniczyły w wielu imprezach sportowych i sportowo-turystycznych (między innymi rajdzie „Szlakiem Marszałka" i wyścigu w Al. Niepodległości w Warszawie – w 1938 roku) odnosząc sukcesy.

Dane techniczne motocykla *MOJ 130*

Lekki motocykl turystyczny. Rama podwójna, zamknięta.
– *Silnik* 2-suwowy, 1-cylindrowy, chłodzony powietrzem, o pojemności skokowej 123,2 cm^3. Stopień sprężania 5,5:1. Moc maksymalna 3,5 KM (2,5 kW) przy 3550 obr/min.
– *Ogumienie*: *Polska Opona Stomil* o wymiarach 3,00×19".
– *Długość* 1895 mm, *szerokość* 750 mm, *wysokość* 900 mm, *rozstaw* osi 1225 mm.
– *Masa własna* około 70 kg.
– *Prędkość maksymalna* około 65 km/h.
– *Zużycie paliwa* 2,5 l/100 km.

Motocykle Podkowa 98

Wiosną 1939 roku dyrekcja Zakładów Przemysłowych „Podkowa" S.A., mieszczących się w Poniatowie koło Legionowa, przekazała Warszawskiej Brygadzie Obrony Narodowej 5 motocykli *Podkowa 98*, w obliczu zaś bezpośredniego zagrożenia dalsze pojazdy innym jednostkom uczestniczącym w obronie stolicy. Pojazdy były wykorzystywane głównie jako łącznikowe (dla gońców).
Motocykl *Podkowa 98* wypuszczony na rynek w początku 1939 roku był lekkim motocyklem wzorowanym na angielskich konstrukcjach tej klasy, do jego napędu zastosowano oryginalne angielskie silniki dwusuwowe (zblokowane ze skrzynką biegów) znanej marki *Villiers*, pochodzące z wytwórni w Wolverhampton. Był to silnik jednocylindrowy wyposażony w sprzęgło mokre, wielotarczowe i zblokowany ze skrzynką biegów o trzech przełożeniach, sterowaną ręcznie długą bezpośrednią dźwignią po prawej stronie motocykla. Źródłem prądu była prądnica-iskrownik 6 V 15 W umieszczona pod kołem zamachowym silnika, do oświetlenia postojowego służyła wymienna sucha bateria, znajdująca się w specjalnym pojemniku lub w obudowie reflektora.
Podwozie motocykla, projektowane niejako „na wyrost", było przystosowane do jednostki napędowej o pojemności 150 cm^3, a więc mocniejszej i o większej masie. Rama była więc bardzo wytrzymała, ale i stosunkowo ciężka. *Podkowa 98* wykazała wysokie walory użytkowe między innymi w wielu imprezach sportowych, a wśród nich w rajdzie Warszawa–Gdynia, rozgrywanym na ponad 600-kilometrowej trasie w lecie 1939 roku.

52. Motocykl *Podkowa 98*

Dane techniczne motocykla *Podkowa 98*

Lekki motocykl turystyczny. Rama rurowa, pojedyncza, zamknięta.
– *Silnik Villiers*, 2-suwowy, 1-cylindrowy, chłodzony powietrzem, o pojemności skokowej 98 cm^3. Moc maksymalna 3 KM (2,2 kW) przy 3000 obr/min.
– *Ogumienie*: *Polska Opona Stomil* o wymiarach 3,00×19".
– *Długość* 1950 mm, *szerokość* 670 mm, *wysokość* 880 mm, *rozstaw osi* 1350 mm.
– *Masa własna* 68 kg.
– *Prędkość maksymalna* 65 km/h.
– *Zużycie paliwa* 1,8 l/100 km.

Inne motocykle

W działaniach wojennych wzięła też udział pewna liczba motocykli nieetatowych i nie zmobilizowanych, pochodzących z doraźnych rekwizycji. Były to różnego typu motocykle, w większości najpopularniejszej klasy 100 cm^3, pozostające do wojny w rękach prywatnych. Były one przejmowane przez wojsko – niejednokrotnie, co trzeba podkreślić – z inicjatywy ich dotychczasowych właścicieli.

Dobra koniunktura w latach 1936–1939 sprawiała, że do produkcji „setek" przystąpiło wiele warsztatów. Na rynku, oprócz wymienionych motocykli *MOJ* i *Podkowa*, pojawiły się między innymi motocykle *SHL, Perkun, Niemen* (kilka typów), *Tornedo, Zuch, WNP.* Latem 1939 roku firma „Podkowa" przystąpiła też do montażu angielskich motocykli *Royal Enfield* i *BSA* o pojemności 350 cm^3. W rękach prywatnych znajdowała się też pewna liczba motocykli importowanych, zwłaszcza niemieckich, francuskich i amerykańskich.

Motocykle tych wszystkich typów trafiły do rąk dowódców formacji różnego szczebla, używano ich jako sprzętu dla gońców i łączników. Czasami były wyposażeniem organizowanych doraźnie, ale na sposób wojskowy, oddziałów prowizorycznych. Wspomnieć tu trzeba koniecznie o plutonie gońców motocyklowych zgrupowania pancernego obrony Warszawy. Pluton był wyposażony w takie właśnie motocykle, a ich kierowcami byli cywile, studenci warszawskich uczelni.

53. Motocykl *Zuch* z poznańskiej wytwórni „Automatyk"

54. Motocykl *Perkun 98* z wytwórni „Perkun" w Warszawie

55. Motocykl *Niemen 98* z wytwórni „Niemen” w Grodnie. Motocykl znaleziono wraz z innym sprzętem w okolicach Magnuszewa w miejscu rozbrajania się we wrześniu 1939 roku oddziału łączności (zdjęcie z 1980 roku)

Rozdział 3

Samochody osobowe i lekkie samochody specjalne

Samochody Polski FIAT 508 I

Przed rozpoczęciem w 1936 roku seryjnej produkcji samochodu osobowego *Polski FIAT 508 III Junak* przystąpiono w Polsce już cztery lata wcześniej, bezpośrednio po zawarciu umowy licencyjnej z włoską firmą Fabbrica Italiana Automobili Torino (FIAT), do instruktażowego montażu wytwarzanego w tym czasie we Włoszech modelu *508 I* – pod nazwą handlową *Polski FIAT 508 I.* W efekcie tych działań i prowadzonych badań drogowo-laboratoryjnych wprowadzono w zmodernizowanym samochodzie licencyjnym wiele zmian, przystosowujących pojazd do krajowych warunków techniczno-eksploatacyjnych. Montaż modelu *508 I* prowadzono w warsztatach handlowego przedstawiciela FIAT – Spółki Akcyjnej „Polski FIAT" w Warszawie, pod nadzorem licencjobiorcy, Państwowych Zakładów Inżynierii, gdzie dokonywano badań i budowano dla potrzeb armii pojazdy specjalne dwu typów. Pierwszy z nich to uterenowiony, odkryty samochód osobowy, opracowany na podstawie włoskiej propozycji łazika dla Wojska Polskiego (*Vetture polonia militare 508 I*). Późniejsze *Łaziki 508 III* nawiązywały w swych rozwiązaniach technicznych do tego modelu. Drugi z samochodów budowanych dla wojska to pojazd typu furgon zamknięty, przystosowany do przewozu radiostacji dalekiego zasięgu. Były

56. Samochód osobowy *Polski FIAT 508 I*

57. Radiostacja polowa na samochodzie *Polski FIAT 508 I*

to konstrukcje drewniano-stalowe (szkielet drewniany, obciągnięty blachą stalową o grubości 1 mm) z drzwiami jedno- lub dwuskrzydłowymi w ścianie tylnej nadwozia lub bez nich i z niewielkimi oknami w ścianach bocznych. Konstrukcje te były osadzone na ramie typowej dla modelu osobowego, z podłużnicami wygiętymi nad tylnym mostem. Wnętrze nadwozia miało obok normalnego wyposażenia zapewniającego prawidłowe funkcjonowanie pojazdu, także sprzęt dodatkowy, między innymi stelaż na radiostację i dodatkowe akumulatory, stolik i siedzenie dla radiooperatora oraz niewielką zamykaną szafkę. Na zewnątrz przewożono w specjalnych uchwytach składany maszt radiowy z kompletem ściągaczy usztywniających.

Z całej gamy modeli samochodów osobowych (kareta 2-drzwiowa, torpedo 4-drzwiowe, spider, sport) w Wojsku Polskim używano w zasadzie tylko karety 2-drzwiowej, 4-osobowej, z nadwoziem szkieletowym, drewniano-stalowym i klasycznym układem napędowym.

Opisy techniczne zasadniczych elementów konstrukcji podwozia i nadwozia montowanego *modelu 508 I* i produkowanego seryjnie samochodu *Polski FIAT 508 III* są zbieżne.

Dane techniczne samochodu *Polski FIAT 508 I*

Samochód osobowy z nadwoziem zamkniętym, stalowo-drewnianym, osadzonym na ramie. Rama stalowa, z podłużnicami o profilu ceowym, wzmocniona w części środkowej krzyżową poprzecznicą.

– *Silnik FIAT 108*, gaźnikowy 4-cylindrowy, 4-suwowy, dolnozaworowy, chłodzony cieczą o pojemności skokowej 995 cm^3. Stopień sprężania 5,5:1. Moc 20 KM (14,7 kW) przy 3400 obr/min.
– *Ogumienie* o wymiarach 4,00×17".
– *Długość całkowita* około 3675 mm, *szerokość* około 1330 mm, *wysokość* około 1855 mm, *rozstaw osi* 2250 mm, *rozstaw kół* 1200 mm, *prześwit* około 155 mm.
– *Masa własna* około 700 kg.
– *Prędkość maksymalna* około 85 km/h.
– *Zużycie paliwa* około 8 l/100 km.

Samochód *Polski FIAT 508 I* z radiostacją
Elementy składanych masztów antenowych w brezentowym pokrowcu. Niektóre samochody miały tylne drzwi dwuskrzydłowe

1:35

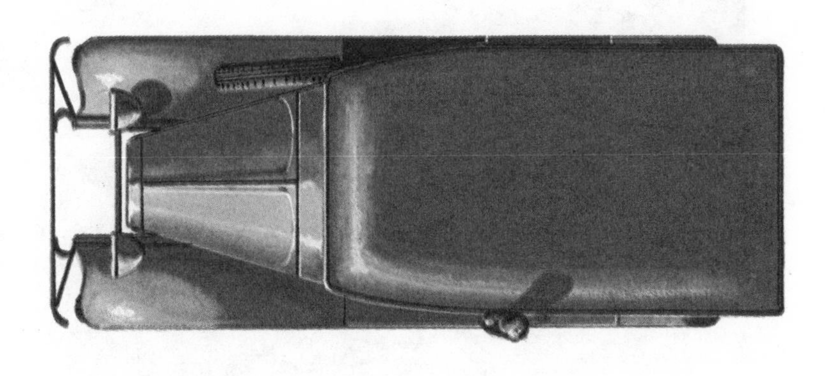

SAMOCHÓD POLSKI FIAT 508 I Z RADIOSTACJĄ

Samochody Polski FIAT 508 III

Samochód *Polski FIAT 508 III Junak*, produkowany w PZInż. seryjnie, na podstawie umowy licencyjnej zawartej w 1932 roku z włoską Fabbrica Italiana Automobili Torino, łączył cechy typowego małego i niedrogiego samochodu z rozwiązaniami technicznymi odpowiadającymi pojazdom średniej klasy. Stanowił rozwinięcie znanego modelu *508 I*, montowanego w Polsce w ramach przygotowań do podjęcia produkcji licencyjnej. Włoska modernizacja dotyczyła między innymi unowocześnienia nadwozia i powiększenia jego wnętrza, zwiększenia mocy silnika z zachowaniem zasadniczych parametrów konstrukcyjnych, zmiany skrzynki biegów, zmiany zespołu wskaźników i części urządzeń sterujących.

Przed przystąpieniem do seryjnego wytwarzania wprowadzono jednak w polskim samochodzie wiele zmian, znacznie podnoszących walory eksploatacyjne. Ulepszenia te – wzmocnienie ramy, osi przedniej, tylnego mostu, resorów, półosi napędowych, zmiana amortyzatorów, a także wprowadzenie lżejszych ażurowych kół i opon o większym przekroju oraz pojemniejszego zbiornika paliwa – znalazły

58. Samochód osobowy *Polski FIAT 508 III Junak*, odmiana 4-drzwiowa

59. Samochód *Polski FIAT 508 III Łazik* z pierwszej serii produkcyjnej, z charakterystycznym „kuferkiem", kołami zapasowymi z tyłu i „krótkimi" błotnikami

zastosowanie także w wersjach pochodnych – *Łaziku* (*508 III/W*) i furgonie dostawczym. Samochód był wytwarzany prawie całkowicie w kraju (co ma szczególne znaczenie w warunkach wojennych), z udziałem wielu poddostawców. W początku 1939 roku tylko niepełne 5% jego elementów pochodziło z importu.

Samochody *Polski FIAT 508 III* miały niezawodne, proste w konstrukcji i obsłudze silniki, zblokowane ze sprzęgłem suchym tarczowym i skrzynką biegów o 4 przełożeniach do jazdy w przód i biegiem wstecznym (3 i 4 – synchronizowane). Zawieszenie samochodów *Polski FIAT 508* było tradycyjne – sztywne osie resorowane półeliptycznymi resorami piórowymi, z hydraulicznymi amortyzatorami ramieniowymi podwójnego działania.

Model osobowy miał zamknięte nadwozie czteroosobowe, dwu- lub rzadziej czterodrzwiowe, wykonane z profilowanych wytłoczek stalowych. Niewielki bagażnik był dostępny wyłącznie od wewnątrz, po odchyleniu oparcia tylnego siedzenia. Na tylnej ścianie nadwozia nad dzielonym, sprężystym zderzakiem były zamocowane dwa koła zapasowe.

Samochód *Polski FIAT 508 III/W Łazik* zaprojektowany w końcu 1935 roku w Biurze Studiów PZInż. różnił się od modelu osobowego otwartym nadwoziem, umożliwiającym szybkie zajęcie miejsc lub opuszczenie wozu przez 4-osobową załogę w warunkach bojowych. Nadwozie o konstrukcji stalowej, w części tylnej z drewnianym szkieletem – budowane do 1937 roku w wersji z krótkimi błotnikami przednimi, wydłużonym kanciastym kufrem i kołem zapasowym umieszczonym na jego tylnej ścianie, a w latach 1937–1939 z długimi błotnikami z wnękami do umieszczenia kół zapasowych i krótszym bagażnikiem o zaokrąglonych kształtach – było chronione od wpływów atmosferycznych brezentowym składanym dachem i przypinanymi tak zwanymi boczkami (też brezentowymi), osłaniającymi wejście do wozu. Szyba przednia osadzona w metalowej ramie mogła być opuszczana na maskę w razie konieczności użycia broni maszynowej lub strzeleckiej. Wnętrze pojazdu było dobrze przystosowane do potrzeb wojskowego użytkownika: przesuwane siedzenia przednie konstrukcji rurowej, torby skórzane mocowane na tylnej stronie ich oparć, uchwyty do broni strzeleckiej i skrzynka na granaty ręczne były wyposażeniem standardowym. W zależności od przeznaczenia (łączność, dowódczy, sztabowy, zwiadowczy itp.) wyposażenie wzbogacano. W niektórych pojazdach montowano uzbrojenie, przeważnie ręczny karabin maszynowy 7,92 mm *wz. 28*, niekiedy na podstawie przeciwlotniczej. W celu podniesienia walorów terenowych stosowano we wszystkich wariantach ogumienie o terenowym bieżniku, blokadę mechanizmu różnicowego napędzanej tylnej osi i zmianę prze-

60. Łazik *Polski FIAT 508 III* z późniejszej produkcji. Długie błotniki, zaokrąglony tył, koła zapasowe w niszach przednich błotników. Wewnątrz wozu rkm *wz. 28* w uchwycie

61. Ten sam *Łazik* typu *508* z żołnierzami 10 Brygady Kawalerii

łożenia przekładni głównej. W niektórych wersjach stosowano skrzynkę biegów o zmienionych przełożeniach, niekiedy z reduktorem. Wszystkie modele *Łazików*, podobnie jak i wojskowe odmiany furgonów miały solidne haki pociągowe przednie i tylne; hak tylny mocowany do ramy był niekiedy wyposażony w sprężynowy amortyzator.
Nadwozia *Łazików* były wykonywane w PZInż. i Zakładach Przemysłowych „Bielany" S.A. w Warszawie.

62. Defilada *Łazików* typu *508* ze sztandarami pułkowymi

Samochody towarowe były budowane w PZInż. w postaci kompletnych podwozi z przegrodą czołową (to jest ścianką oddzielającą przedział kierowcy od silnika), zaopatrzonych w deskę rozdzielczą i urządzenia sterownicze, dzięki czemu mogły być objeżdżane i transportowane z wykorzystaniem własnego źródła napędu. Wytwarzanie samochodów towarowych *Polski FIAT 508 III* nie wymagało dodatkowych nakładów inwestycyjnych w celu stworzenia odpowiedniej bazy produkcyjnej. „Półciężarówki" miały bowiem typowe podwozie modelu osobowego i także typowe zespoły napędowe. Skrzynka biegów, niekiedy z reduktorem, przekładnia główna tylnego mostu i ewentualnie blokada mechanizmu różnicowego pochodziły z budowanego seryjnie *Łazika.* W niektórych modelach typu pick-up wzmacniano resory zwiększając (o 1–2) liczbę piór i instalowano uchwyty do specjalistycznego sprzętu (saperskiego, telefonicznego itp.). Nadwozia dla wojskowego odbiorcy były wykonywane w Nadwoziowni Specjalnej PZInż. W wersji skrzyniowej były to drewniano-stalowe, 2-osobowe kabiny kierowcy (szkielet drewniany, obity blachą), bez drzwi lub z drzwiami połówkowymi (część górna była brezentową wstawką rozpiętą na stalowej ramce z wszytym celuloidowym okienkiem), połączone drewnianą ścianą tylną ze skrzynią ładunkową wykonaną z drewna i solidnie okutą stalowymi wzmocnieniami. Powierzchnia ładunkowa była kryta brezentową opończą rozpiętą na metalowych pałąkach. Zamknięte nadwozia sanitarne były budowane dla potrzeb armii w niewielkich liczbach i nie odbiegały konstrukcyjnie od „cywilnych" furgonów zamkniętych. Na rynek cywilny były dostarczane za pośrednictwem Spółki Akcyjnej „Polski FIAT" w zasadzie same podwozia (w wersji osobowej), które wyposażono w nadwozia indywidualne lub w małych seriach w warsztatach Spółki i innych prywatnych nadwoziowniach, bardzo często ściśle według wzorów PZInż. lub Spółki „Polski FIAT". Podstawowym modelem samochodu towarowego *Polski FIAT* był furgon zamknięty o nośności użytkowej (z obsługą) 400 kg. Miał on, jak podaje prospekt reklamowy z 1938 roku „... *nowoczesne nadwozie o liniach opływowych. Szkielet z twardego, suchego drzewa, okuty i wzmocniony. Pokrycie z blachy dwukrotnie dekapowanej i lakierowanej natryskowo. Przedział kierowcy dwudrzwiowy, z szybami w drzwiach opuszczanymi za pomocą korbek, ma dwa wygodne siedzenia kryte skórą w najlepszym gatunku. Tylne drzwi zamykane na klucz od zewnątrz. Staranne wykończenie wnętrza*". W skład wyposażenia wchodziło jedno koło zapasowe, kierunkowskazy, pojedyncza wycieraczka szyby przedniej, komplet narzędzi i podnośnik.

63. Samochód *Polski FIAT 508 III* z nadwoziem furgonowym otwartym (pick-up) – lekki samochód sanitarny

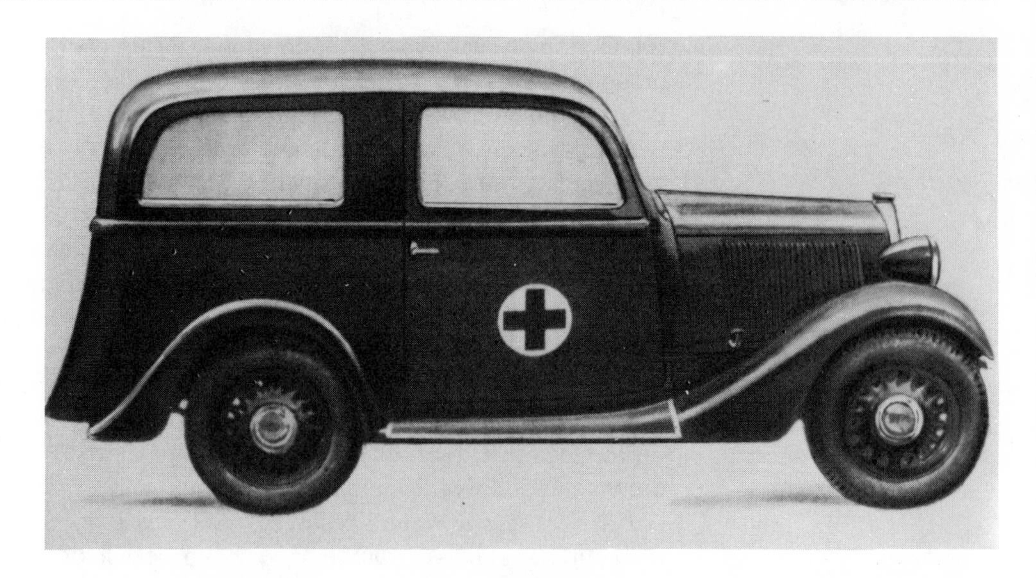

64. Samochód *Polski FIAT 508 III* z nadwoziem furgonowym zamkniętym – ambulans sanitarny

Sanitarki przeznaczone dla jednego chorego leżącego oraz 2 osób personelu (kierowca i lekarz) różniły się od furgonów zamkniętych tylko niewielkimi szczegółami wykonania. Miały wentylator dachowy, matowe szyby w przedziale sanitarnym, drzwi dwuskrzydłowe z tyłu i zamki w drzwiach z bezpiecznikami. Samochody te, używane w wielu instytucjach medycznych, były przewidziane przez dowódcę Broni Pancernych, gen. bryg. Stanisława Kozickiego, jako podstawowy model wojskowego drogowego pojazdu sanitarnego dla jednego rannego. Wybuch wojny pokrzyżował te plany.

W instytucjach i jednostkach Wojska Polskiego używano etatowo samochody *Polski FIAT 508 III* we wszystkich odmianach wojskowych i cywilnych. Najbardziej rozpowszechniony w tej służbie był jednak *Łazik* i model osobowy z zamkniętym dwudrzwiowym nadwoziem.

Warto też wspomnieć, że silniki samochodów *Polski FIAT 508 III* były stosowane między innymi jako jednostki napędowe łodzi saperskich, wind do kafarów i prądnic polowych (agregat zespolony, umieszczony na dwukołowej przyczepie). Były wykorzystywane w wersji samochodowej (typ *PZInż. 117*) lub rzadziej w wersji przemysłowej (typ *PZInż. 417*), o zmienionej konstrukcji (bez rozrusznika, iskrownik i regulator obrotów zamiast rozdzielacza zapłonu i prądnicy) i mniejszej mocy 11,5 KM (8,5 kW) przy 1600 obr/min.

Dane techniczne samochodu *Polski FIAT 508 III Junak* (w nawiasie – furgon)

Samochód osobowy z nadwoziem zamkniętym, 4-osobowym, stalowym (furgon z zamkniętą kabiną kierowcy i skrzynią ładunkową, drewniano-stalowe). Rama stalowa, z podłużnicami o profilu ceowym, wzmocniona w części środkowej krzyżową poprzecznicą.

– *Silnik FIAT 108* (*PZInż. 117*), gaźnikowy, 4-cylindrowy, 4-suwowy, dolnozaworowy, chłodzony cieczą, o pojemności skokowej 995 cm^3. Stopień sprężania 6,6:1. Moc 24 KM (17,7 kW) przy obrotach 3600 obr/min.

– *Ogumienie*: *Polska Opona Stomil* o wymiarach 4,50×16".

– *Długość* 3515 mm, *wysokość* 1380 mm, *szerokość*, 1400 mm (skrzynia ładunkowa: 1190×450×1300 mm), *rozstaw kół* 1200 mm, *rozstaw osi* 2300 mm, *prześwit* 160 mm.

– *Masa własna* około 760 kg (około 650 kg).

– *Prędkość maksymalna* około 100 km/h (z obciążeniem około 90 km/h).

– *Zużycie paliwa* około 8,5 l/100 km.

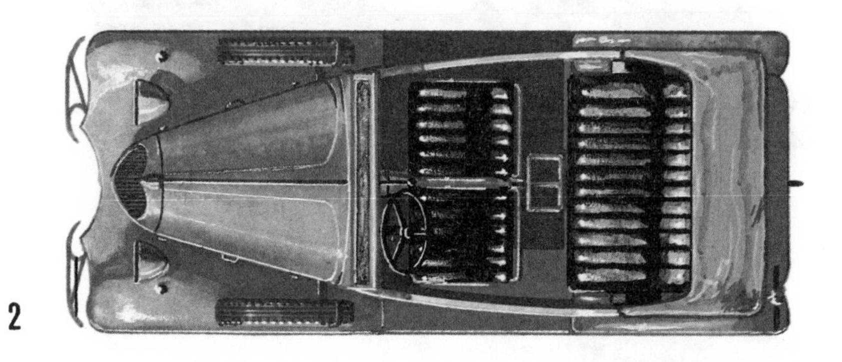

Samochody *Polski FIAT 508 III*
1, 2, 3, 4 – późniejsza wersja produkcyjna samochodu *Polski FIAT 508 III Łazik*;

1:35

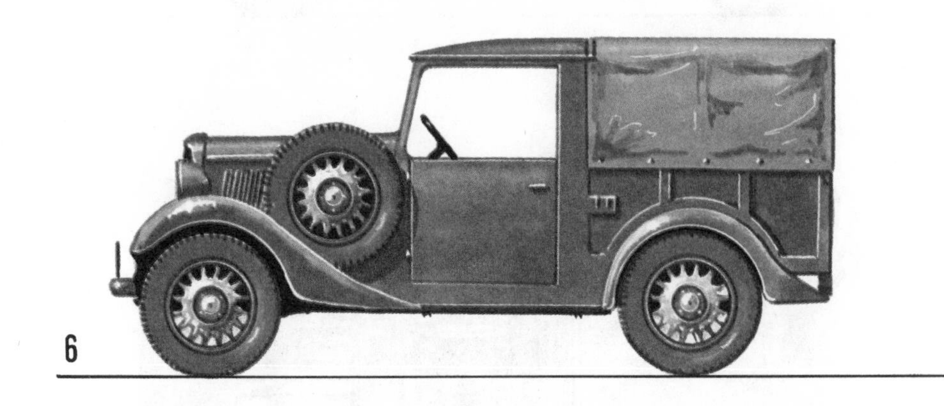

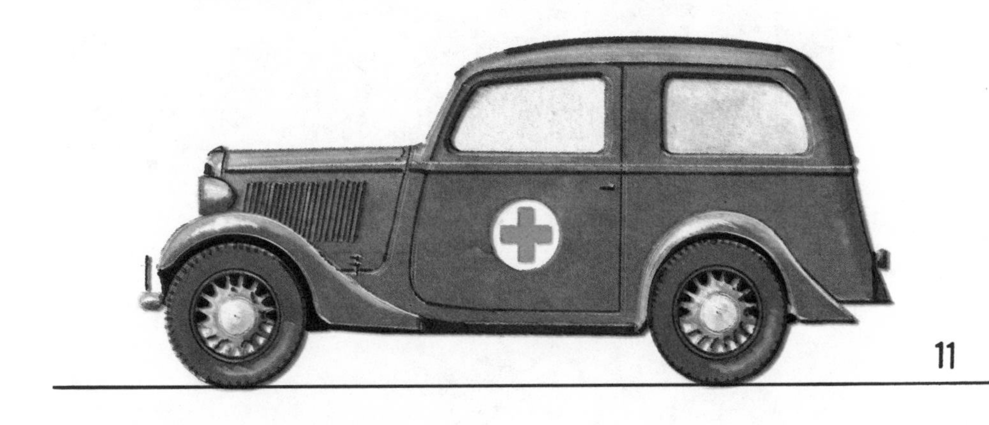

5, 6 – furgony *Polski FIAT 508 III* z niską opończą brezentową;
7 – furgon z opończą na wysokim stelażu, okienka z celuloidowymi szybkami;
8 – furgon z niską opończą w wersji sanitarnej, na tylnych kołach bębny samowyciągarki;
9 – samochód *Polski FIAT 508 III Junak* w wersji czterodrzwiowej;
10 – samochód *Junak* w wersji dwudrzwiowej, malowany w dwóch kolorach (czarne błotniki).
11 – furgon zamknięty, wersja sanitarna z tylnymi drzwiami i matowymi szybami w części przeznaczonej dla chorych

Samochody Polski FIAT 508/518, ciągniki artyleryjskie PZInż. 302

W końcu 1935 roku przystąpiono w Państwowych Zakładach Inżynierii do opracowywania niewielkiego kołowego pojazdu terenowego. Głównym jego zadaniem było holowanie armaty przeciwpancernej 37 mm *wz. 36* oraz przewożenie amunicji, obsługi i wyposażenia. Prototyp, oznaczony symbolem *Polski FIAT 508/518*, był gotowy do prób już po kilku miesiącach. Rama, silnik ze skrzynką biegów, układ kierowniczy i przednia część oblachowania nadwozia pochodziła z produkowanego seryjnie w kraju samochodu osobowego *Polski FIAT 508*, a tylny most (skrócony) z większego modelu *518*. Za skrzynką biegów umieszczono terenowy reduktor, włączany z siedzenia kierowcy. W niewielkiej ramie modelu *508* brakowało miejsca, toteż wbudowanie reduktora było nieco kłopotliwe. Drugim elementem, podnoszącym znacznie terenowe własności pojazdu, było zastosowanie blokady w mechanizmie różnicowym. Blokada włączana ręcznie w szczególnie ciężkich warunkach jazdy, na przykład na podłożu grząskim lub głębokich piaskach. Samochód wyposażony w prowizoryczne nadwozie przeszedł wiele prób drogowych i terenowych. Jazdy doświadczalne wykazały liczne wady, wynikające z niedopracowania konstrukcji, między innymi pękanie ramy i urywanie się półosi.

65. Samochód *Polski FIAT 508/518* dla zmotoryzowanego patrolu telefonicznego

66. Ten sam samochód typu *508/518* widziany z góry

67. Radiostacja na samochodzie *508/518*, nadwozie metalowo--drewniane (zdjęcie wykonane w szkole łączności w Zegrzu)

68. Samochody „radio" 10 Brygady Kawalerii. Od lewej: *508/518* ze sztywnym, wysokim nadwoziem drewniano--brezentowym, *508/518* z nadwoziem furgon i opończą brezentową, *508 III* z nadwoziem drewniano-metalowym i *508/518* taki sam, jak ten z lewej

Zdobyte doświadczenie pozwoliło na przystąpienie w PZInż. w 1936 roku do prac projektowych nad doskonalszym rozwiązaniem, zachowującym jednak podstawowe cechy pierwowzoru. Konstruktor pojazdu inż. Mieczysław Skwierczyński przebudował w pierwszym rzędzie środkową część ramy wzmacniając poprzeczną półkę i dodając wsporniki dla dwóch bocznych nośnych kół zapasowych (rozwiązanie takie eliminowało zawieszanie się pojazdu podczas przekraczania poprzecznych nierówności terenu). Zmieniono również tylną część ramy, gdzie zamontowano specjalny hak holowniczy. Producentem ramy były znane Zakłady Mechaniczne „H. Cegielski" S.A. w Poznaniu. W nowym modelu zachowano zastosowany w prototypie silnik z samochodu *Polski FIAT 508 III* – typ *108*, reduktor zaś umieszczono we wspólnej obudowie z czteroprzekładniową skrzynką biegów, wykonaną z elementów skrzynki modelu *508*. W tylnym moście (z modelu *518*, skróconym) zastosowano samoczynną blokadę mechanizmu różnicowego. Blo-

kada włączała się przy określonej różnicy prędkości kół napędowych. Była to koncepcja oparta na rozwiązaniach spotykanych w niemieckich uterenowionych ciężarówkach marki *Henschel.*

Dodatkowym elementem zwiększającym sprawność samochodu było proste urządzenie do samowyciągania – w postaci bębnów przykręcanych do tylnych kół, z nawiniętymi linami stalowymi. W przypadku ugrzęźnięcia i poślizgu kół napędowych zaczepiano liny na przykład do najbliższego mocnego drzewa i wyjazd z trudnego terenu był możliwy bez obcej pomocy.

Pojazd mógł pokonywać także płytkie przeszkody wodne. W czasie prób przejechał około 10 tysięcy kilometrów po drogach i bezdrożach całego kraju, holując przyczepkę z blokiem cementu o masie około 400 kg, równym masie działka. Własności górskie sprawdzono między innymi na trudnych trasach w Górach Świętokrzyskich. Badania terenowe i laboratoryjne przyniosły pozytywne wyniki. Po próbach fabrycznych i dokładnych badaniach w ośrodkach specjalistycznych (między innymi w Instytucie Badań Inżynierii i Biurze Badań Technicznych Broni Pancernych oraz w jednostkach wojskowych), przeprowadzanych w 1937 roku, rozpoczęto produkcję.

Nowy samochód *508/518* miał liczne odmiany. Najbardziej znanym modelem był ciągnik artyleryjski *PZInż. 302* z otwartym nadwoziem, opracowanym według wytycznych Biura Badań Technicznych Broni Pancernych w Nadwoziowni Specjalnej PZInż., a budowanym później między innymi w Wytwórni Silników i Warsztatach Mechanicznych „Henryk Liefeldt i Stefan Schiffner" w Warszawie. Ciągnik (w ostatecznej wersji) mógł przewozić 5 żołnierzy i 16 skrzyń z amunicją (80 naboi) oraz inne elementy wyposażenia działonu i holować armatę przeciwpancerną *wz. 36.* Ciągniki znajdowały się w wyposażeniu oddziałów artylerii przeciwlotniczej i przeciwpancernej w 10 Brygadzie Kawalerii i Warszawskiej Brygadzie Pancerno-Motorowej, a także w pododdziałach specjalnych niektórych jednostek kawalerii, piechoty i saperów.

W latach 1937–1938 powstały także inne wersje tego modelu dostosowane między innymi do potrzeb oddziałów łączności i ciężkich karabinów maszynowych, jak też odmiany transportowe, z nadwoziem furgonowym. W służbach łączności pojazdy były przeznaczone do transportu radiostacji polowych, w artylerii – do transportu sprzętu optyczno-mierniczego baterii (niektóre z nadwoziami z firmy „Warsztaty Karoseryjne Bracia Ordowscy" z Warszawy), a także dla zmotoryzowanych patroli telefonicznych. Nadwozia pojazdów łączności były wykonywane w zasadzie jako drewniano-stalowe furgoniki z otwartą skrzynią i zamkniętą kabiną kierowcy (bez drzwi). Wyjątek stanowiła wersja radiowa wyposażona w drewniano--stalową jednolitą kabinę osłaniającą kierowcę i obsługę radiostacji. Były też wersje radiowe z wysoką „budą", drewniano-metalową, krytą brezentem. Takie nadwozia miały też samochody sprzętowe w bateriach przeciwlotniczych.

Samochody radiowe i sprzętowe miały wzmocnione tylne resory i osiągi trakcyjne nieco gorsze niż ciągniki.

Dla kompanii ciężkich karabinów maszynowych stworzono nadwozie według projektu Biura Badań Technicznych Broni Pancernych, przystosowane zarówno do przewozu ckm-ów *wz. 30,* jak i ostrzału naziemnego i przeciwlotniczego. Próbna seria tych pojazdów, wykonana we wspomnianych już zakładach „Liefeldt i Schiffner", została przejęta przez armię wiosną 1938 roku i zmagazynowana w Centralnej Składnicy Samochodowej w Warszawie.

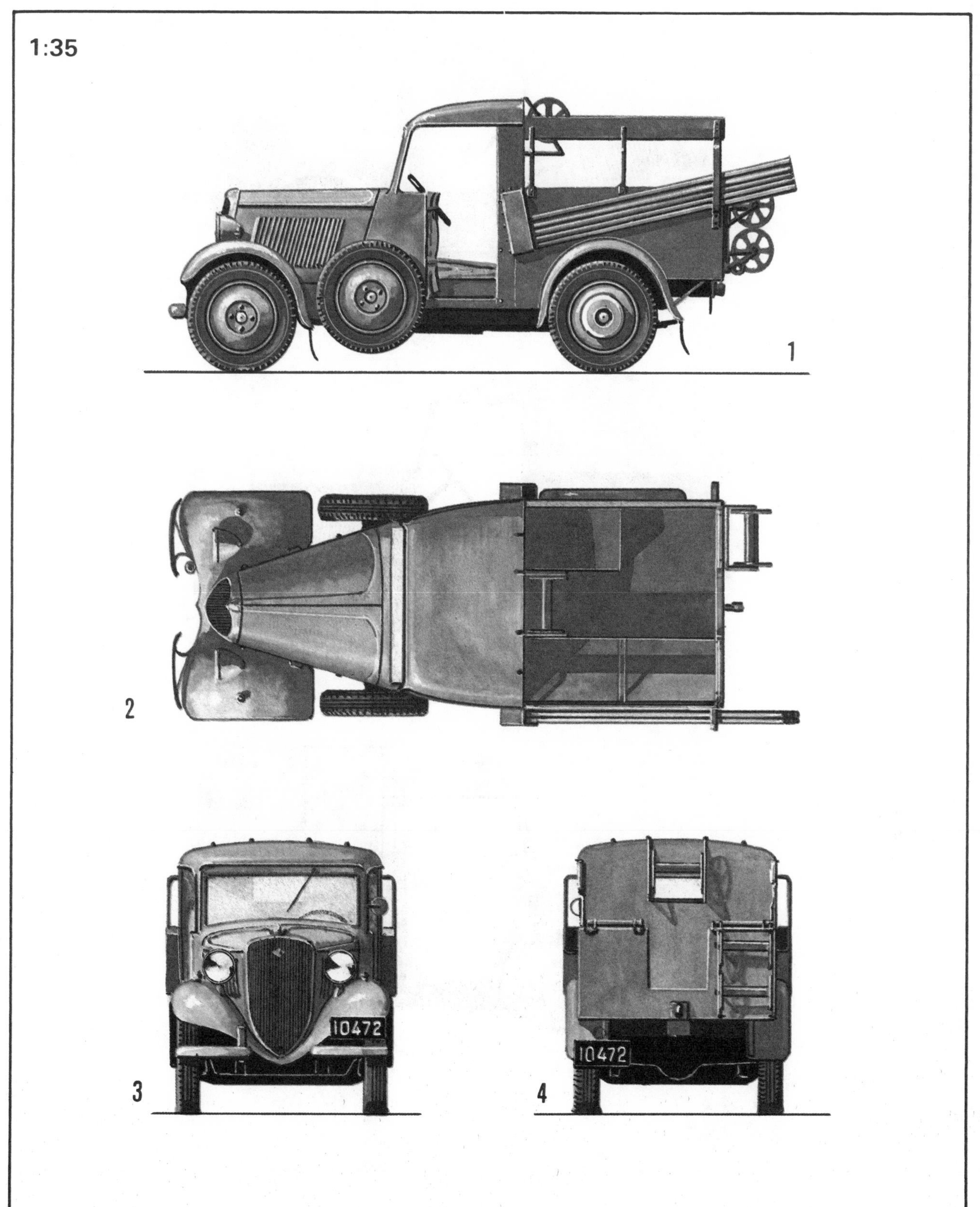

Ciągniki *PZInż. 302* i samochody *508/518*
1, 2, 3, 4 – samochód *508/518* dla zmotoryzowanego patrolu telefonicznego;

1:35

5

6

7

5 – ciągnik *PZInż. 302* do holowania armat przeciwpancernych *Bofors* 37 mm *wz. 36;*
6 – furgon *508/518* z brezentową opończą;
7 – samochód *508/518* z wysokim sztywnym nadwoziem drewniano-brezentowym; ten typ był używany jako samochody „radio" oraz do przewozu sprzętu optycznego w bateriach 40 mm przeciwlotniczych

Dane techniczne ciągnika *PZInż. 302*

Lekki kołowy ciągnik artyleryjski. Nadwozie specjalne, ciężarowe, drewniano-stalowe z otwartą lub częściowo zakrytą kabiną kierowcy. Rama z kształtowników stalowych o profilu ceowym, z podłużnicami wygiętymi nad tylnym mostem.
– *Silnik FIAT 108* (*PZInż. 117*), gaźnikowy, 4-cylindrowy, 4-suwowy, dolnozaworowy, chłodzony cieczą, o pojemności skokowej 995 cm^3. Stopień sprężania 6:1. Moc 24 KM (17,7 kW) przy 3600 obr/min.
– *Ogumienie*: *Polska Opona Stomil* o wymiarach 5,50×15".
– *Długość* 3540 mm, *szerokość* 1580 mm, *wysokość* 1460 mm, *prześwit* 320 mm.
– *Masa własna* około 950 kg.
– *Prędkość maksymalna* około 65 km/h, z działkiem lub przyczepą 55 km/h.
– *Zużycie paliwa* 10–12 l/100 km.

Samochody Polski FIAT 518

W 1936 roku umowa licencyjna z włoskim koncernem FIAT (zawarta 5 lat wcześniej) uległa rozszerzeniu o nowy model samochodu, limuzynę średniej klasy znaną pod nazwą *Polski FIAT 518 Mazur*. Pojazd, dostosowany w PZInż. do krajowych warunków eksploatacyjnych i nieco przekonstruowany w stosunku do włoskiego pierwowzoru, był produkowany od 1937 roku z nadwoziem zamkniętym, wykonanym prawie całkowicie ze stali (drewno służyło jako wewnętrzne wzmocnienie niektórych elementów), 4-drzwiowym, bez słupków międzydrzwiowych. Karoseria *Mazura* była wykonywana w dwóch odmianach: zwykłej, jako kareta 7-miejscowa ze strapontenami i często z oddzielnym przedziałem kierowcy oraz luksusowej, 5-miejscowej, z głębszymi, wygodniejszymi fotelami rozkładanymi do spania (nocleg dla co najmniej 2 osób) i bardziej wykwintnie wykończonej. Samochód był wygodny i elegancki, a dzięki jednostce napędowej o pojemności 2 litrów, sporym wymiarom oraz racjonalnej, przemyślanej (chociaż typowej wówczas) konstrukcji zbliżył się do grupy pojazdów luksusowych. Niektóre rozwiązania techniczne zastosowane w samochodzie *Polski FIAT 518* wybiegały zresztą sporo naprzód – na przykład hamulce dwuobwodowe, hydrauliczne, w sposób masowy zastosowano w samochodach tej klasy dopiero w latach sześćdziesiątych.
W Wojsku Polskim samochody osobowe *Polski FIAT 518* były używane w instytucjach administracji armii i planowania operacyjnego (okólnik rządowy zalecał nabywanie tych pojazdów przez instytucje państwowe) oraz jako indywidualny środek transportu dla dowódców i oficerów sztabowych wyższego stopnia.

69. Samochód osobowy *Polski FIAT 518* z produkcji seryjnej

70. Uterenowiony samochód *Polski FIAT 518* z 1 Pułku Strzelców Konnych (sierpień, 1939 roku)

71. Uterenowiony samochód *Polski FIAT 518* biorący udział z wojskową załogą w rajdzie zimowym (luty 1939 roku)

72. Samochód *Polski FIAT 518* (inne zdjęcie z tego samego rajdu)

Między innymi jeden z *Mazurów* był etatowym pojazdem szefa sztabu 10 Brygady Kawalerii Pancerno-Motorowej i uczestniczył w działanich wojennych tej jednostki.

Gdy w połowie lat trzydziestych rozpoczęto motoryzowanie wybranych jednostek Wojska Polskiego, zaplanowano także stworzenie na bazie samochodu osobowego pojazdu uterenowionego z napędem na jedną oś. Samochód miał być przeznaczony dla dowódców oddziałów zmotoryzowanych niższego szczebla (kompania, szwadron, bateria), zapewniać dostateczną wygodę w czasie długich przejazdów i być wyposażony w urządzenia ułatwiające pracę dowódczą. Uterenowiony *Polski FIAT 508 Łazik* nie spełniał wymogów w tym zakresie. W Biurze Badań Technicznych Broni Pancernej opracowano więc większy samochód, oparty na podzespołach samochodu osobowego *Polski FIAT 518 Mazur.* Samochód ten miał nadwozie otwarte, 4-drzwiowe, z brezentowym składanym dachem i typowe podwozie modelu *518* (z osiami sztywnymi), wyposażone jedynie w terenowy reduktor i szerokie ogumienie (160×40), o terenowym bieżniku. W pierwszej połowie 1937 roku samochód przechodził liczne próby, które wykazały pewne braki konstrukcyjne. Był produkowany seryjnie, ale dotychczas nie wiadomo jednak w jakiej liczbie.

Rozwijając opracowanie Biura Badań Technicznych stworzono w Biurze Studiów PZInż. (w końcu tego roku) nową wersję *Łazika* typu *518.* Zachowując kształt nadwozia, lecz zmniejszając do dwóch liczbę drzwi (co prawda bardzo szerokich), wprowadzono wiele istotnych elementów podnoszących własności terenowe i znacznie ułatwiających użytkowanie. Wymienić tu należy niezależne zawieszenie kół przednich, stabilizator osi tylnej, terenowy reduktor o zwiększonym przełożeniu, samoczynną blokadę mechanizmu różnicowego tylnego mostu, ogumienie 180×40. Zmieniono także rozkład nacisków, na oś tylną (napędzaną) przypadło około 65% ogólnej masy (model poprzedni – 58%), powiększono prześwit podłużny (z 210 na 280 mm) i poprzeczny, kąt zejścia z 19° na 30° (kąt natarcia bez zmian – 45°), zmniejszono promień skrętu z 6 m do 4,5 m. Wprowadzono gładką powierzchnię spodu pojazdu oraz dwa zapasowe koła umieszczone poziomo z tyłu pod bagażnikiem w taki sposób, że wystające fragmenty ich opon służyły jako zderzaki. Zwiększono też do 80 l pojemność zbiornika paliwa (model poprzedni – 45 l). Wygodę jazdy i pracy dowódczej zapewniało zastosowanie między innymi

wygodnych foteli z oparciami rozkładanymi do pozycji półleżącej, dużego składanego stolika o powierzchni 0,3 m^2 (mocowanego do oparcia przednich foteli), z uchwytami do przyborów pisarskich, map, nakrycia stołowego itd., obszernego bagażnika uszczelnionego przed wilgocią i kurzem, brezentowego szczelnego dachu, który wraz z bocznymi osłonami skutecznie zabezpieczał przed wpływami atmosferycznymi, 2 szafek osadzonych na drzwiach (na prowiant i ubrania) i dużych schowków na narzędzia i przedmioty osobiste pod siedzeniami przednimi.
Prototypowy samochód nowej konstrukcji wykonano w końcu 1938 roku. Produkcję seryjną (wykorzystującą podzespoły nie tylko samochodu osobowego *Polski FIAT 518*, ale i licencyjnej 1,5-tonowej ciężarówki *Polski FIAT 618 Grom*) rozpoczęto dopiero wiosną 1939 roku. Jednakże w 1939 roku produkowano w PZInż. przejściową wersję uproszczoną, złożoną ze zmodernizowanego podwozia i czterodrzwiowego nadwozia z 2 zapasowymi kołami zamocowanymi na stopniach przy przednich błotnikach, zbliżonego kształtem do prototypowego.
Łaziki 518, używane w wojnie obronnej nie tylko jako dowódcze, wykazały dużą przydatność i uniwersalność zastosowania na polu walki.

Dane techniczne samochodu *Polski FIAT 518 Mazur*
(w nawiasie – samochodu uterenowionego *Łazik)*

Samochód osobowy z nadwoziem 5–7-osobowym, stalowym z elementami drewnianymi, zamkniętym, 4-drzwiowym (z nadwoziem specjalnym, otwartym, ze składanym dachem, stalowym, 4-osobowym). Rama z podłużnicami o profilu ceowym, wygiętymi nad tylnym mostem)
– *Silnik FIAT 118* (*PZInż. 157*), gaźnikowy, 4-cylindrowy, 4-suwowy, dolnozaworowy, chłodzony cieczą, o pojemności skokowej 1944 cm^3. Stopień sprężania 6,1:1. Moc 45 KM (33 kW) przy 3600 obr/min.
– *Ogumienie* o wymiarach 5,50×17" (180×40).
– *Długość bez zderzaków* 3990 mm (*długość całkowita* 4270 mm), *szerokość* 1650 mm (1660 mm), *wysokość* 1679 mm (1750 mm), *rozstaw osi* 3000 mm (2500 mm), *rozstaw kół przednich* 1390 mm, *rozstaw kół tylnych* 1410 mm (1425 mm), *prześwit* 175 mm (280 mm).
– *Masa własna* 1070 kg (1100 kg).
– *Prędkość maksymalna* 100–110 km/h (90–95 km/h).
– *Zużycie paliwa* około 11,5 l/100 km (około 13 l/100 km).

Samochody *Polski FIAT 518*
1, 2, 3, 4 – samochód osobowy *Polski FIAT 518* z przedprodukcyjnego montażu, z „długimi" błotnikami;
5 – *Łazik* z brezentowym dachem składanym, brezentowymi bokami kabiny i nowszą wersją otworów wentylacyjnych z boków maski silnika;
6 – *Łazik* z czterema drzwiami, „krótkimi" błotnikami przednimi, starszą wersją wlotów powietrza z boków maski silnika i z hakiem pociągowym;
7 – *Łazik* z wysokimi progami kabiny i kołami zapasowymi w osłonach, malowanie kamuflażowe;
8, 9, 10, 11 – samochód terenowy *518 Łazik* z gładkim spodem kadłuba i nowym nadwoziem w części tylnej

1:35

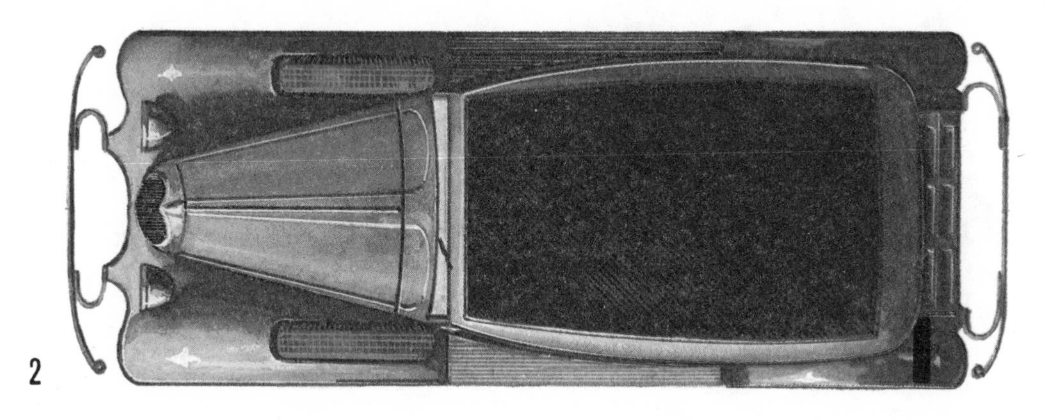

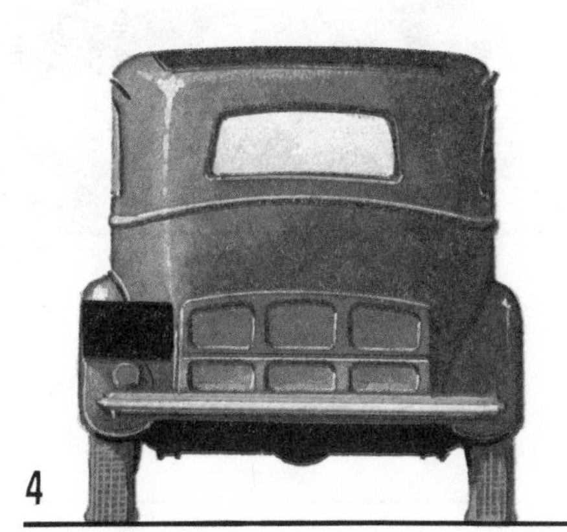

1:35
5
6
7

1:35

8

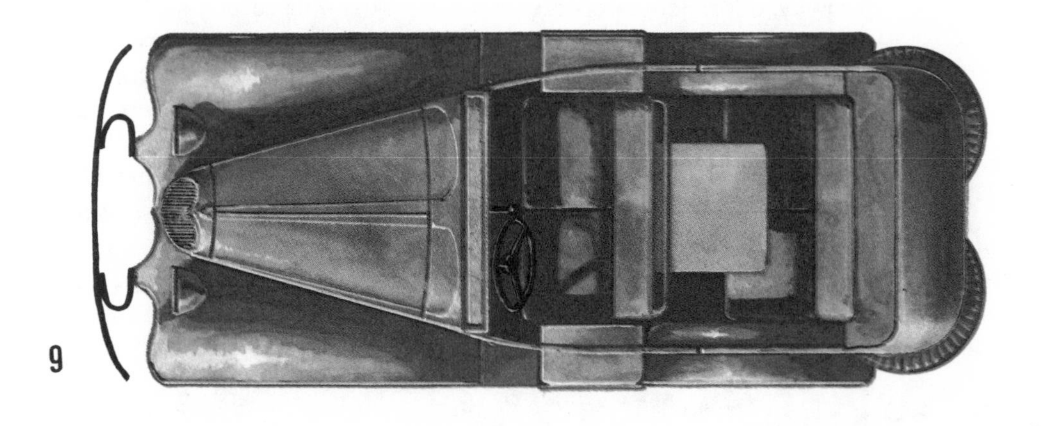

9

10

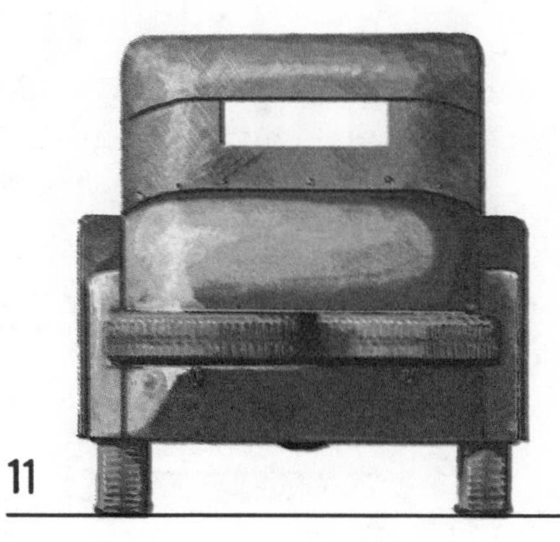

11

Samochody Buick 90

Luksusowe amerykańskie samochody osobowe *Buick 90* (z silnikami o mocy 140 KM, czyli 103 kW) i *41* (107 KM, czyli 78,8 kW) były sprowadzane do Polski w wyniku koncesji na montaż i zezwolenia na import samochodów osobowych i ciężarowych różnych typów koncernu General Motors Corporation (GMC). Koncesję w 1936 roku otrzymało Warszawskie Towarzystwo Przemysłowe Zakładów Mechanicznych „Lilpop, Rau i Loewenstein" S.A. Na przełomie 1937 i 1938 roku w samochodowym dziale fabryki, nazwanym koncesjonowaną Wytwórnią Samochodów „Lilpop, Rau i Loewenstein" S.A., rozpoczęto także montaż *Buicków*. Te nowoczesne limuzyny (zawieszenie przednie niezależne – wahaczowe ze sprężynami śrubowymi, automatyczne urządzenia rozruchowe, podgrzewany kolektor ssący, skrzynka biegów o czterech przełożeniach do jazdy w przód i jednym do tyłu, całkowicie synchronizowana, odbiornik radiowy itd.) składano z amerykańskich podzespołów z udziałem elementów produkcji krajowej (ogumienie, akumulatory, materiały tapicerskie, lakiery i płyn hamulcowy, oleje i smary oraz narzędzia). Samochody miały nadwozia całkowicie stalowe, 4-drzwiowe. Samochód *Buick 90*, 7–8-osobowy (ze strapontenami), był też produkowany w wersji z przedziałem dla kierowcy, oddzielonym od części pasażerskiej opuszczaną szybą.

W początkach czerwca 1938 roku 10 *Buicków* typu *90* o niebagatelnej wartości 198 000 złotych*) dyrekcja zakładów przekazała na Fundusz Obrony Narodowej. *„Spełniając obywatelski obowiązek Rada Towarzystwa „Lilpop, Rau i Loewenstein" postanowiła oddać do rozporządzenia (...) Naczelnego Wodza Armii 10 samochodów Buick jako ofiarę na Fundusz Obrony Narodowej – pragnąc w ten sposób wyrazić hołd ukochanej naszej Armii, której świetność tak bliska jest sercu każdego obywatela (...)"* **)

*) Dla porównania: cena samochodu *FIAT 500*, montowanego w Warszawie, ówczesnego „malucha", jednego z najtańszych na polskim rynku, wynosiła 3800 złotych.
**) Z przemówienia prezesa Rady Nadzorczej Spółki.

73. Samochody *Buick 90*, dar zakładów „Lilpopa" dla wojska (Warszawa, sierpień 1939 roku)

74. Samochód *Buick 90* z wytwórni samochodów „Lilpop, Rau i Loewenstein" S.A.

Samochody te były używane w Ministerstwie Spraw Wojskowych i przez wyższych dowódców. Przed wybuchem wojny ich liczba zwiększyła się, gdyż przybyły pojazdy z rekwizycji cywilnych, przewidzianych planem mobilizacyjnym. Kilka *Buicków 90* – zapewne ewakuujących się urzędników Ministerstwa Spraw Wojskowych – widziano na Węgrzech w końcu września 1939 roku.

Dane techniczne samochodu *Buick 90*

Samochód osobowy z nadwoziem stalowym zamkniętym, 4-drzwiowym, 7–8--miejscowym. Rama z kształtowników stalowych o zmiennym profilu, z podłużnicami wygiętymi nad tylnym mostem.
– *Silnik* gaźnikowy, 8-cylindrowy, rzędowy, górnozaworowy, chłodzony cieczą o pojemności skokowej 5248 cm^3. Stopień sprężania 6,35 : 1. Moc 140 KM (103 kW) przy 3600 obr/min.
– *Ogumienie* 7,50×16".
– *Rozstaw kół przednich* 1514 mm, *tylnych* 1587 mm, *rozstaw osi* 3505 mm.
– *Masa własna* 2200 kg.
– *Prędkość maksymalna* 145 km/h.
– *Zużycie paliwa* 22 l/100 km.

Samochody CWS T-1

Samochód sanitarny *CWS T-1* został zbudowany dla potrzeb wojska na podwoziu modelu osobowego tej samej marki.
W kampanii wrześniowej sanitarki działały przede wszystkim w ramach 101 Kolumny Sanitarnej zmobilizowanej etatowo przez 2 Batalion Pancerny w Żurawicy. Samochody osobowe natomiast (z nadwoziami zamkniętymi i otwartymi typu torpedo) były wyposażeniem niektórych liniowych instytucji wojskowych; spotykało się je też jednostkowo w kolumnach samochodów osobowych mobilizowanych etatowo przez bataliony pancerne. Samochody *CWS* były pierwszymi pojazdami krajowej konstrukcji, warto więc poświęcić im nieco więcej uwagi.
Przygotowania rozpoczęto w 1921 roku w Centralnych Warsztatach Samochodowych Ministerstwa Spraw Wojskowych w Warszawie – które od 1928 roku weszły w skład PZInż. Na czele grupy entuzjastów, którzy potrafili ocenić znaczenie własnej wytwórczości motoryzacyjnej, stanął naczelnik Centralnych Warsztatów Samochodowych, wówczas major, inż. Kazimierz Meyer, a jego współpracownikami, zaangażowanymi bezpośrednio w tworzenie pojazdu, byli inżynierowie: Tadeusz Tański (główny konstruktor), Tadeusz Paszewski (organizacja prac wykonawczych,

75. Samochód *CWS T-1* z nadwoziem torpedo i silnikiem czterocylindrowym

76. Kareta *CWS T-1*

konsultacje technologiczne), Robert Gabeau (współpracownik Tańskiego w zakresie konstrukcyjnym), Władysław Mrajski (nadzór wykonawczy, badania techniczne) i inni.

Wstępne dane projektowe uzyskano na podstawie analizy opisów technicznych i charakterystyk ówczesnych samochodów europejskich i amerykańskich. Zadanie nie było łatwe, polska bowiem konstrukcja musiała co najmniej dorównywać konstrukcjom renomowanym, a pod pewnymi względami nawet je przewyższać. Prace projektowe wykonano bardzo szybko i już w końcu marca 1923 roku został ukończony prototypowy silnik, oznaczony symbolem *CWS T-1.* Nie ustępował on zagranicznym jednostkom napędowym tej klasy, a pod kilkoma względami nawet był lepszy. Ujednolicenie elementów – gwintów, sworzni, otworów oraz modułów – zostało tu doprowadzone nieomal do perfekcji. Silnik *CWS T-1* miał tylko jeden rodzaj połączeń gwintowych (M10×1,5) oraz gwint świecowy M18×1,5. Jednym kluczem płaskim, dwustronnym (17×29) oraz wkrętakiem można było rozebrać zarówno silnik, jak i samochód. Wszystkie mechanizmy silnika (rozrząd, pompę oleju, pompę wody i wentylator, regulator obrotów, prądnicę i iskrownik) poruszał zespół trzech kół zębatych, czołowych, o zębach skośnych. Ten sam moduł kół zębatych występował także w skrzynce przekładniowej. Blok silnika był aluminiowy, a tuleje cylindrowe-żeliwne, wymienne. Głowica żeliwna, tłoki aluminiowe, a korbowody ze stopu krzemoglinowego. W bloku znajdowały się dwa duże otwory dające możliwość kontroli i naprawy wnętrza silnika, zamykane pokrywami. Silnik był smarowany pod ciśnieniem. W silnikach z późniejszych serii dodatkowym elementem wyposażenia był czujnik ciśnienia oleju, wyłączający zapłon w razie defektu w układzie smarowania. Sprzęgło jednotarczowe, suche. Skrzynka biegów o czterech przełożeniach do jazdy w przód i jednym do tyłu, zblokowana z silnikiem,

77. Faux cabriolet *CWS T-1*

78. Samochód *CWS T-8* z ośmiocylindrowym silnikiem. Zewnętrznie prawie taki sam, jak samochód *CWS T-1*

1:35

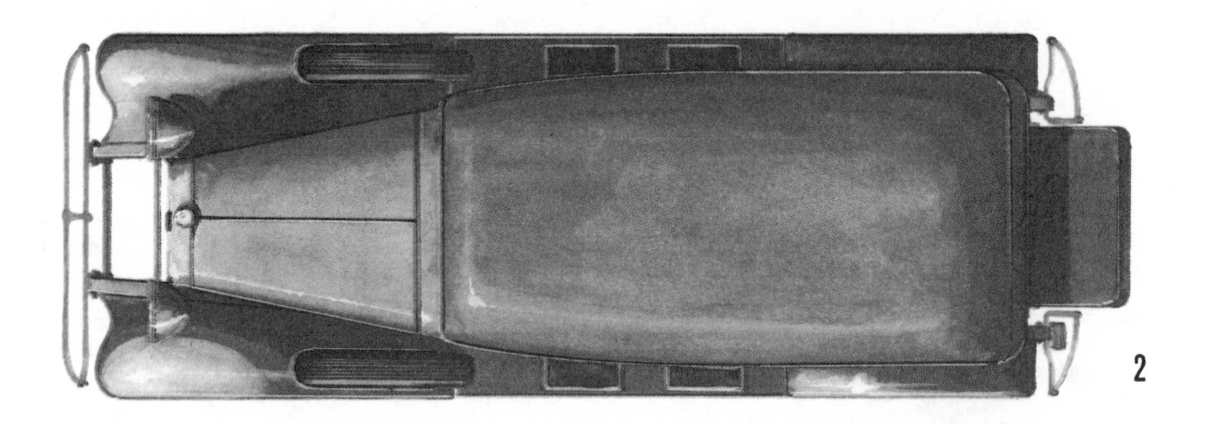

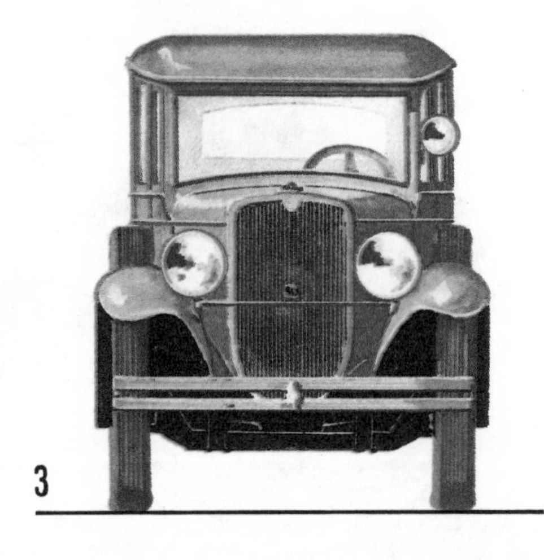

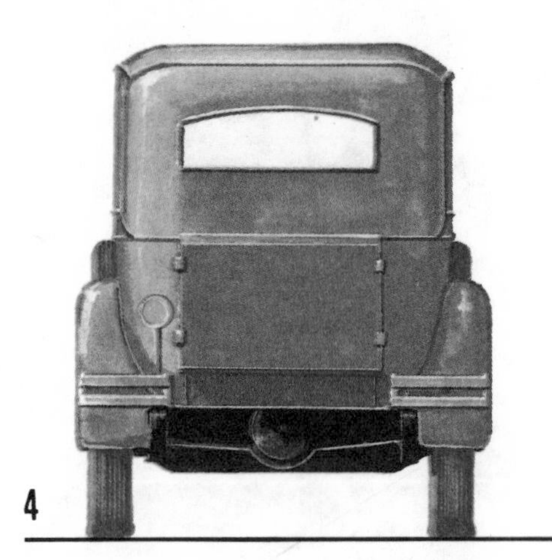

Samochody osobowe *CWS T-1*
1, 2, 3, 4 – kareta czterodrzwiowa, z tyłu na rozkładanej półce zdejmowany kufer;
5 – samochód z nadwoziem torpedo, z brezentowym dachem i składaną półką na kufer

79. Samochód *CWS T-1* z nadwoziem ciężarowym

w niektórych pojazdach była zaopatrzona w pompę mechanizmu wspomagającego mechaniczne hamulce i w zamek (blokadę) uniemożliwiającą kradzież samochodu. Pierwszy samochód *CWS*, z próbnym nadwoziem, został zgłoszony do V-tego Rajdu Automobilklubu Polskiego w lecie 1925 roku i „stanął na kołach" bezpośrednio przed startem. Jednakże z przyczyn technicznych, niezależnych od konstruktora i wytwórcy, wyruszył w drogę z prawie dobowym opóźnieniem i bez prób wstępnych. Prowadzony jednak (poza konkursem) w niezwykle trudnych warunkach przez inż. Mrajskiego przejechał całą trasę rajdu i dopędził innych uczestników... przed rogatkami Warszawy. Pomyślnie ukończony rajd podsycił jeszcze zainteresowanie polskim samochodem. Na samych tylko Targach Wschodnich we Lwowie, gdzie wystawiono samochód *CWS* we wrześniu tegoż roku, można było sprzedać „na pniu" kilkaset tych pojazdów. Do wiosny 1926 roku zbudowano drugi prototyp, lecz przygotowania do produkcji pierwszej serii rozpoczęto – z wielu przyczyn – dopiero w końcu 1927 roku.
Samochody osobowe *CWS* były produkowane w kilku wersjach nadwoziowych: kareta, torpedo 6-miejscowe, kabriolet, samochód sanitarny. Konstruktorem wszystkich nadwozi był inż. Stanisław Panczakiewicz. Budowano również furgony zamknięte (ambulanse) pocztowe i PKO oraz „półciężarówki", także z nadwoziem tego samego konstruktora. Produkowano też dodatkowe silniki, przeznaczone do napędu między innymi wciągarek balonów zaporowych i obserwacyjnych.
Samochód *CWS T-1* nie odbiegał także konstrukcją podwozia od światowych tendencji w zakresie budowy pojazdów mechanicznych. Rama pojazdu miała podłużnice tłoczone z blachy stalowej, związane czterema poprzecznicami. Obudowa tylnego mostu jednolita (systemu banjo). Wszystkie łożyska rolkowe zastosowane w podwoziu były wytworem szwedzkiej firmy SKF. Przypuszczalnie tylko w pierwszych egzemplarzach stosowano łożyska systemu *CWS*, konstrukcji inż. Tadeusza Paszewskiego. Półosie były nieobciążone, na uwagę zasługuje możliwość ich demontowania bez zdejmowania piast. Resory półeliptyczne zawieszenia przedniego i tylnego bardzo miękkie, o długości odpowiednio 1 i 1,48 m. Hamulce mechaniczne działały na cztery koła, a hamulec ręczny tego systemu na odrębne szczęki hamulcowe w bębnach kół tylnych. Duża średnica bębnów (40 cm) umożliwiała łagodne, lecz efektywne hamowanie.
Nadwozie zamknięte było wykonane jako sześcioosobowe (ze strapontenami), z przedziałem dla kierowcy lub bez. Szkielet karoserii drewniany, pokryty blachą, z dachem z dermatoidu w kolorze odpowiednim do nadwozia.
Nadwozia sanitarek, drewniano-stalowe o konstrukcji szkieletowej obitej blachą (z dwuskrzydłowymi drzwiami, w tylnej części), pomieścić mogły 2 chorych leżących (awaryjnie – czterech) lub ośmiu lżej rannych, w pozycji siedzącej.
Parametry konstrukcyjne i dane eksploatacyjne tych pojazdów nie odbiegały w zasadzie od modeli osobowych typu kareta.

Dane techniczne samochodu *CWS T-1*

Samochód osobowy z nadwoziem drewniano-stalowym, zamkniętym lub otwartym 6-miejscowym. Rama z podłużnicami tłoczonymi z blachy stalowej, wygiętymi nad tylnym mostem, związanymi 4 poprzecznicami.
– *Silnik CWS T-1*, gaźnikowy, 4-cylindrowy, 4-suwowy, górnozaworowy, chłodzony cieczą, o pojemności skokowej 2984 cm^3. Stopień sprężania 4,5:1. Moc 45 KM (33 kW) przy 2500 obr/min.
– *Ogumienie*: 860×160 lub *Bibendum* 16×50.
– *Długość* około 4830 mm (około 5000 mm z kufrem), *wysokość* około 1950 mm, *szerokość* około 1700 mm. *Rozstaw kół* 1400 mm, *rozstaw osi* 3420 mm.
– *Masa własna* 1800 kg.
– *Prędkość maksymalna* około 100 km/h.
– *Zużycie paliwa* 18 l/100 km.

Samochody FIAT 614

W wykonaniu umowy licencyjnej zawartej jesienią 1932 roku z włoskim koncernem FIAT przystąpiono w PZInż. – obok przygotowań produkcyjnych – do montażu oraz zwiększonego importu niektórych modeli podwozi i pojazdów tej firmy. Jednym z samochodów tej grupy był ciężarowy *FIAT 614* o ładowności 1 tony, zunifikowany w większości elementów ze znanym i w Polsce modelem osobowym, oznaczonym symbolem *514*. Pojazd miał rozwiązania techniczne typowe dla wczesnych lat trzydziestych (silnik dolnozaworowy, o długim skoku tłoka, nadwozie drewniano-stalowe osadzone na ramie z prostymi podłużnicami, klasyczny układ przeniesienia napędu, hamulce mechaniczne itd.). Samochód miał nie najgorszą opinię, ponieważ był prosty i ekonomiczny w eksploatacji.

Pewną liczbę (w pierwszej fazie przypuszczalnie 100 sztuk) zmontowanych w kraju i importowanych podwozi typu *614* wyposażono w nadwozia PZInż. (według własnego projektu). Były to samochody sanitarne przeznaczone dla wojskowej służby zdrowia i Polskiego Czerwonego Krzyża. Nadwozie jako konstrukcja drewniano-stalowa (drewniany szkielet obity blachą) było wysokie i ciężkie (masa około 700 kg). W czasie jazdy w złych warunkach drogowych obserwowano niekiedy deformację ramy. W tej sytuacji stało się konieczne wzmocnienie podwozia. Projekt wzmocnienia resorów i ocenę wytrzymałości ramy wykonał inż. Kazimierz Studziński z Biura Studiów PZInż.

Sanitarka była przeznaczona do przewozu 8 lżej rannych w pozycji siedzącej na ławach ustawionych wzdłuż ścian kabiny lub 4 chorych leżących (dwóch na noszach podwieszanych). Łatwy dostęp do przedziału medycznego, oddzielonego oszkloną ścianką od 2-osobowego przedziału obsługi (kierowca i lekarz lub sanitariusz), zapewniały dwuskrzydłowe drzwi w tylnej ścianie nadwozia. Samochody były budowane do końca 1934 roku (?).

We wrześniu 1939 roku sanitarne samochody *FIAT 614* wchodziły w skład prawie połowy ogólnej liczby kolumn sanitarnych mobilizowanych etatowo przez bataliony pancerne.

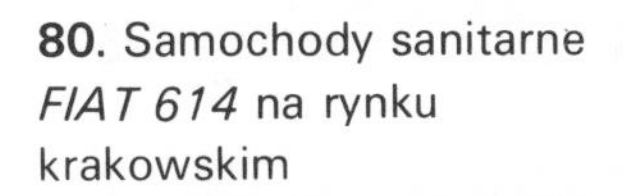

80. Samochody sanitarne *FIAT 614* na rynku krakowskim

81. Samochody sanitarne *FIAT 614*. Uroczyste poświęcenie kolumn sanitarnych PCK (Warszawa, 1937 rok)

Dane techniczne samochodu sanitarnego *FIAT 614*

Samochód sanitarny z nadwoziem zamkniętym, drewniano-stalowym, osadzonym na ramie. Rama prostokątna, o prostych podłużnicach, wykonana z kształtowników stalowych o profilu prostokątnym.

– *Silnik FIAT 114*, gaźnikowy, 4-cylindrowy, 4-suwowy, dolnozaworowy, chłodzony cieczą, o pojemności skokowej 1438 cm^3. Stopień sprężania 5,85:1. Moc 28 KM (20,6 kW) przy 3400 obr/min.

– *Ogumienie* o wymiarach 30×5.

– *Długość* około 4550 mm, *szerokość* około 1780 mm, *wysokość* około 2200 mm. *Rozstaw kół przednich* 1398 mm, *tylnych* 1405 mm, *rozstaw osi* 2860 mm, *prześwit* 231 mm.

– *Masa własna* 1710 kg.

– *Prędkość maksymalna* 60 km/h.

– *Zużycie paliwa* 15,5 l/100 km.

Ambulans *FIAT 614*

Samochód pomalowany farbą ciemnozieloną. Część samochodów eksploatowanych w PCK nie miała barwy przepisowej, lecz różne odcienie farby zielonej

1:35

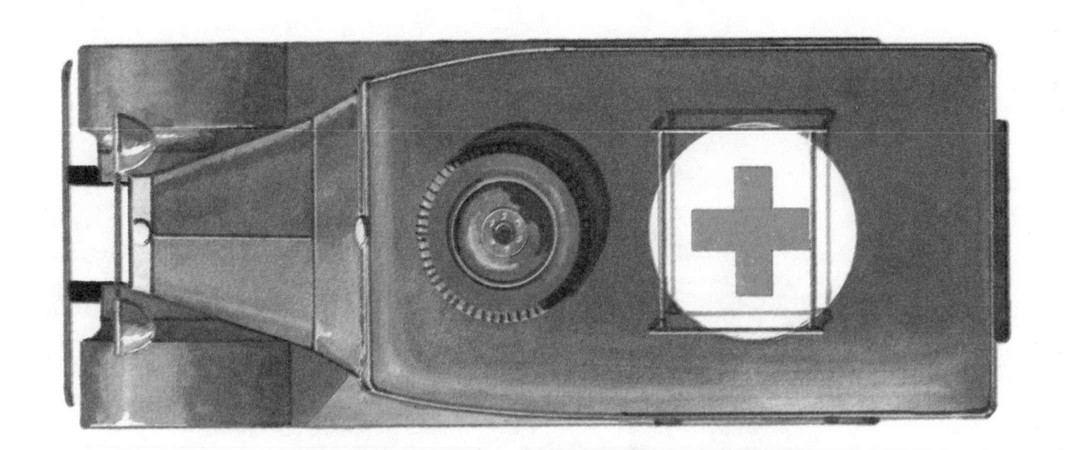

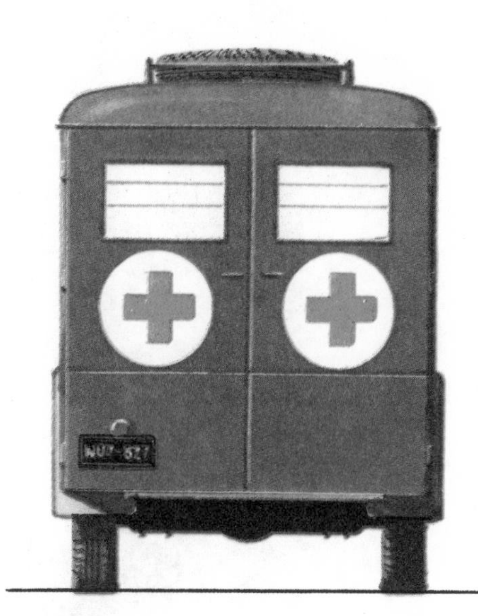

Samochody PZInż. 303

W 1938 roku wykonano w Państwowych Zakładach Inżynierii serię informacyjną prototypowych samochodów terenowych o doskonałych własnościach trakcyjnych i uniwersalnym zastosowaniu. Samochód, oznaczony sambolem *PZInż. 303*, był przewidziany jako wóz dowódczy, zwiadowczy, patrolowy, do przewozu radiostacji, do transportu lekkich ładunków i jako ciągnik artyleryjski do holowania armat przeciwpancernych 36 mm *wz. 36* i nkm-ów 20 mm *wz. 38*. Konstruktorem podwozia był inż. Jerzy Werner z Biura Studiów PZInż. Zastosowanie typowej, wytwarzanej już w kraju, jednostki napędowej wybitnie obniżało koszty przyszłej produkcji. Był to silnik *FIAT 118A* (*PZInż. 357*) stosowany w samochodach *Polski FIAT 518* i *618*. Napęd na koła obu osi był przenoszony za pośrednictwem sprzęgła jednotarczowego suchego i skrzynki biegów o czterech przełożeniach do jazdy w przód. Użycie terenowego reduktora, blokowanych mechanizmów różnicowych

82. Samochód *PZInż. 303* 4 × 4 w czasie jazd próbnych

83. Samochód *PZInż. 303* 4 × 4 z przodu

oraz wciągarki linowej napędzanej silnikiem podnosiło walory użytkowe pojazdu. Dwa nośne koła zapasowe umocowane z boków nadwozia oraz duży prześwit ułatwiały przejazd przez przeszkody terenowe, na przykład rowy. *PZInż. 303* miał także dobrą zdolność pokonywania wzniesień – nawet spadki o nachyleniu 47° nie stanowiły istotnego utrudnienia. W Biurze Studiów PZInż. opracowano także specjalny (pierwszy w Polsce) układ kierowania równocześnie przednimi i tylnymi kołami. Koła tylne można było zablokować. Samochód był zwrotny – promień skrętu wynosił tylko około 3,3 m. Koła pojazdu były zawieszone niezależnie na wahaczach poprzecznych. Element resorujący stanowiły sprężyny śrubowe. Zawieszenie przednie i tylne było wyposażone w hydrauliczne amortyzatory. Hamulce hydrauliczne działały na 4 koła, ręczny mechaniczny – na wał napędowy. Pojazdy prototypowe były zbudowane w kilku wersjach: tak zwanej szybkiej – z otwartym osobowym nadwoziem, ciężarowej – ze skrzynią ładowną o nośności do 800 kg i z nadwoziem specjalnym ciągnikowym – dostosowanym w tylnej części do przewozu obsługi armaty i amunicji.
Wszystkie modele miały zdolność holowania przyczepki z ładunkiem o masie do 500 kg, po obciążeniu samochodu masą wynoszącą również 500 kg. Osobowy samochód *PZInż. 303* rozwijał z pełnym obciążeniem prędkość maksymalną 70 km/h, a ciężarowy o 10 km/h mniej.
Samochody *PZInż. 303* brały udział, wraz z innymi zbudowanymi wówczas prototypami, w wytrzymałościowych rajdach doświadczalnych, między innymi w rajdzie zimowym w 1938 roku, wykazując pełną przydatność eksploatacyjną w trudnym terenie. W wyniku prób i badań samochód został zatwierdzony do produkcji i wszedł do planu produkcyjnego w roku budżetowym 1939/1940. Prototypowe egzemplarze uczestniczyły w wojnie obronnej zapewne w ramach 10 Brygady Kawalerii, gdzie od maja 1939 roku przechodziły ostatni etap badań.

Dane techniczne samochodu *PZInż. 303*

Samochód terenowy i lekki ciągnik. Nadwozie specjalne, odkryte, osobowe lub z przedziałem ładunkowym, osadzone na ramie z kształtowników stalowych.
– *Silnik PZInż. 157* (*Polski FIAT 118A*), gaźnikowy, 4-suwowy, dolnozaworowy, 4-cylindrowy, chłodzony cieczą, o pojemności skokowej 1944 cm^3. Stopień sprężania 6,1 : 1. Moc 45 KM (33,1 kW) przy 3600 obr/min.
– *Ogumienie*: *Polska Opona Stomil* o wymiarach 7,00×18".
– *Długość całkowita* około 4340 mm, *szerokość* 1800 mm, *wysokość* około 2275 mm, *rozstaw osi* 2600 mm, *rozstaw kół* 1450 mm, *prześwit* 250 mm.
– *Masa własna* 2050 kg.
– *Prędkość maksymalna* 60 km/h.
– *Zużycie paliwa* 22 l/100 km.

Samochód terenowy *PZInż. 303*
Wersja osobowa, z hakiem holowniczym do armaty przeciwpancernej 37 mm *wz. 36*

1:35

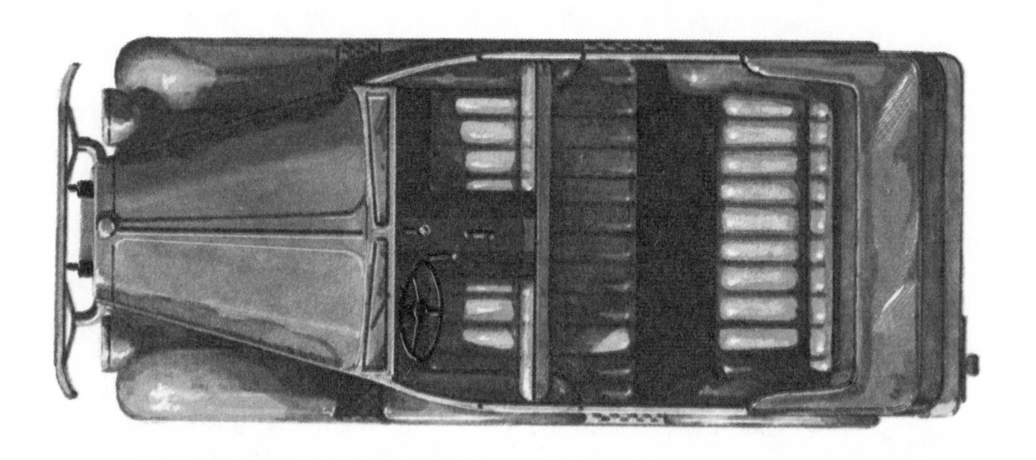

Rozdział 4

Samochody ciężarowe, ciężkie i średnie samochody specjalne

Samochody Berliet CBA

W okres międzywojenny weszła Polska z taborem samochodowym rozmaitego pochodzenia. Samochody ciężarowe zostały przejęte od likwidowanych jednostek armii okupacyjnych oraz zakupione zagranicą, głównie we Francji i Włoszech. Większość pojazdów francuskich przybyła do Polski w 1919 roku. Były to samochody 3–4-tonowe: *Berliet CBA*, *Renault* i *Brazier* ogumione masywami oraz 1,5-tonowe *Unic*, na pneumatykach. W 1921 roku przeprowadzono ujednolicenie sprzętu transportowego. Z prawdziwej mozaiki typów (ponad 40 marek) w dalszym użytkowaniu pozostawiono cztery marki amerykańskie i jedną francuską.
Samochodem francuskim pozostawionym do dalszej eksploatacji był 4-tonowy *Berliet CBA* firmy Automobiles M. Berliet S.A. z Lyonu budowany w latach 1913–1932, z czterocylindrową jednostką napędową o mocy 30 KM (22,1 kW). Silnik chłodzony cieczą w obiegu samoczynnym miał tłoki żeliwne, wykonane według norm technologicznych obowiązujących w okresie poprzedzającym pier-

84. Samochód ciężarowy *Berliet CBA* (początek lat trzydziestych)

85. Samochód *Berliet* z armatą 75 mm i przodkiem na skrzyni ładunkowej

86. Samochód *Berliet CBA* – model produkowany w połowie lat dwudziestych

wszą wojnę światową i archaiczny układ konstrukcyjny – po 2 cylindry zblokowane parami, ale głowice cylindrów były już zdejmowane. Instalacja zapłonowa typu iskrownikowego działała niezawodnie, nawet w warunkach zimowych. Rozruszników elektrycznych nie stosowano – uruchamianie silnika za pomocą ręcznej korby ułatwiało zastosowanie odprężników. Zmiana biegów (skrzynka biegów, o czterech biegach do przodu i biegu wstecznym, była zblokowana z obudową mechanizmu różnicowego i przekładni głównej oraz osłoną półosi napędowych) była dosyć skomplikowana i wymagała dwóch osobnych ruchów dźwigni w celu włączenia lub wyłączenia danego przełożenia. Napęd na tylne koła był przenoszony za pomocą dwóch łańcuchów rolkowych. Układ kierowniczy typu nieodwracalnego i mechaniczne hamulce działające tylko na oś tylną były wystarczająco sprawne dla prowadzenia tego powolnego (prędkość do 25 km/h) pojazdu. *Berliet* miał zbiornik paliwa o pojemności 100 l, co pozwalało na przebycie w pełni obciążonym pojazdem 200-kilometrowej trasy. Samochody były wyposażone w brezentowe opończe chroniące przewożony ładunek i składane dachy nad otwartą kabiną kierowcy.

W 1924 roku przybyły do Polski dalsze pojazdy tej marki, zamówione także dla potrzeb wojska. Różniły się one od sprowadzanych wcześniej półzamkniętą kabiną kierowcy ze stałym drewnianym dachem i przednią szybką wiatrochronną, miały wymuszone, wodne chłodzenie silnika, zmienione resorowanie tylnej osi, a także osiągały prędkość większą o około 5 km/h.

W niedługim czasie samochody otrzymały zamkniętą drewniano-stalową kabinę kierowcy, bardziej dostosowaną do polskiego klimatu. Projekt nowej szoferki wykonano w Centralnych Warsztatach Samochodowych w Warszawie.
W 1929 roku przeprowadzono próbę zmierzającą do unowocześnienia przestarzałych już pojazdów. Zastosowano ogumienie kół tak zwanymi pustakami zamiast używanych dotychczas masywów. Pustaki różniły się od gum pełnych tym, że miały wgłębienie z boków i od strony obręczy koła, były też wyższe i szersze. Po tej zmianie samochody *Berliet* osiągały bez trudu prędkość 35 km/h i stały się wygodniejsze i łatwiejsze do prowadzenia. Mniejsze wstrząsy spowodowały także wzrost przebiegu międzynaprawczego. Na skutek źle pojętej oszczędności – ze zmianą ogumienia czekano do zestarzenia się masywów, które zużywały się bardzo powoli – nie zmodernizowano blisko 650 posiadanych samochodów *Berliet*, ograniczając się jedynie do kilkunastu-kilkudziesięciu egzemplarzy próbnych.
W połowie lat trzydziestych samochody *Berliet* znajdowały się w rezerwie mobilizacyjnej, po wybuchu zaś wojny weszły w skład niektórych kolumn transportowych typu ciężkiego. Były też taborem ciężarowym w niektórych oddziałach pancernych, na przykład w Kompanii Techniczno-Gospodarczej 21 Batalionu Pancernego.

Dane techniczne samochodu ciężarowego *Berliet CBA*

Samochód ciężarowy z kabiną kierowcy drewniano-stalową, zamkniętą i z drewnianą skrzynią ładunkową. Rama prostokątna, z ceowymi podłużnicami.
– *Silnik Berliet Z*, gaźnikowy, 4-cylindrowy, 4-suwowy, dolnozaworowy, chłodzony cieczą, o pojemności skokowej 5300 cm^3. Moc 30 KM (22,1 kW) przy 1250–1350 obr/min.
– *Ogumienie*: masywy – przód 940×130 mm, tył 1000×130 mm.
– *Długość całkowita* około 6100 mm, *szerokość* 2100 mm, *wysokość* 2950 mm, *rozstaw osi* 4055 mm, *rozstaw kół przednich* 1800 mm, *rozstaw kół tylnych* 1820 mm, *prześwit* 350 mm.
– *Masa własna* około 3250 kg.
– *Prędkość maksymalna* około 30 km/h.
– *Zużycie paliwa* około 50 l/100 km.

Samochód ciężarowy *Berliet CBA*
Wersja ze stałym dachem kabiny kierowcy. Koła ogumione masywami

Samochody Renault MN

Po pierwszej wojnie światowej poszukiwano nowych rozwiązań w celu podwyższenia wartości użytkowych niedoskonałych jeszcze samochodów terenowych. Eksperymentowano zwłaszcza w kierunku zwiększenia liczby osi napędzanych i zmniejszenia nacisku na podłoże, stosując większą liczbę kół. Doskonałą konstrukcją zbudowaną na bazie modelu osobowego był *Renault MN* firmy Sociète Renault Freres w Billancourt, budowany w latach 1923–1930; trzyosiowy, o dwóch tylnych osiach napędzanych. Samochód miał 12 kół ogumionych balonowymi penumatykami, po 4 koła (bliźniacze) na każdej z trzech osi. Ładowność pojazdu wynosiła około 1500 kg. Jednostką napędową był silnik gaźnikowy chłodzony cieczą (chłodnica – jak we wszystkich ówczesnych samochodach *Renault* – za silnikiem) o mocy 26 KM (19,1 kW) przy 1800 obr/min, współpracujący ze skrzynią biegów o 3 przełożeniach do jazdy w przód i jednym do tyłu, dwustopniowym reduktorem oraz dodatkowym elementem podnoszącym własności terenowe – wciągarką linową umieszczoną z przodu pojazdu. Zdolność do pokonywania wzniesień dochodziła do 35°, rowów do 1–1,5 m. Prędkość maksymalna z pełnym obciążeniem wynosiła około 50 km/h, lecz w ciężkim, piaszczystym terenie spadała dziesięciokrotnie. Znakomitym sprawdzianem walorów samochodu (a także świetną reklamą dla wytwórni) był pierwszy w historii kołowego pojazdu przejazd trzema samochodami *Renault MN* trasy liczącej ponad 2000 km przez Saharę w styczniu 1924 roku.
Około 1925 roku sprowadzono do Polski ponad 100 pojazdów tego typu. Przeznaczono je między innymi do transportu radiostacji polowych dalekiego zasięgu. Wybór podwozia *MN* do tego celu był głównie podyktowany dobrym, miękkim zawieszeniem (resory piórowe półeliptyczne) i własnościami terenowymi sprawdzonymi także w innych niż saharyjskie warunkach drogowych. Przystosowanie pojazdu do nowych, specjalistycznych funkcji odbyło się w Centralnych Warsztatach Samochodowych w Warszawie. Kilkadziesiąt samochodów przetrwało w Pułku Radiotelegraficznym w Warszawie i w rezerwie mobilizacyjnej do września 1939 roku i uczestniczyło w działaniach wojennych, między innymi w 10 Brygadzie Kawalerii i w Samodzielnym Plutonie Radiowym przy Naczelnym Dowództwie.

87. Kolumna samochodów *Renault MN*

88. Defilada samochodów *Renault MN* na Polu Mokotowskim w Warszawie w 1934 roku

Dane techniczne samochodu *Renault MN*

Samochód terenowy łączności, z nadwoziem drewniano-stalowym, zamkniętym, lub z kabiną kierowcy zamkniętą i osobnym zamkniętym przedziałem radiostacji. Rama prosta, prostokątna, z kształtowników stalowych o profilu skrzynkowym.

– *Silnik Renault*, gaźnikowy, rzędowy, 4-cylindrowy, 4-suwowy, dolnozaworowy, chłodzony cieczą, o pojemności skokowej 2120 cm^3. Moc 26 KM (19,1 kW) przy 1800 obr/min.

– *Ogumienie* o wymiarach 775×145.

– *Długość* około 4970 mm, *szerokość* około 2150 mm, *wysokość* około 2275 mm, *rozstaw osi* I–II 2500 mm, II–III 900 mm, I–III 3400 mm, *rozstaw kół* 1640 mm, *prześwit* 245 mm.

– *Prędkość maksymalna* około 50 km/h.

– *Zużycie paliwa* 28 l/100 km.

Samochód *Renault MN*
Wersja „radio", farba użyta do malowania była ciemniejsza od przepisowej

1:35

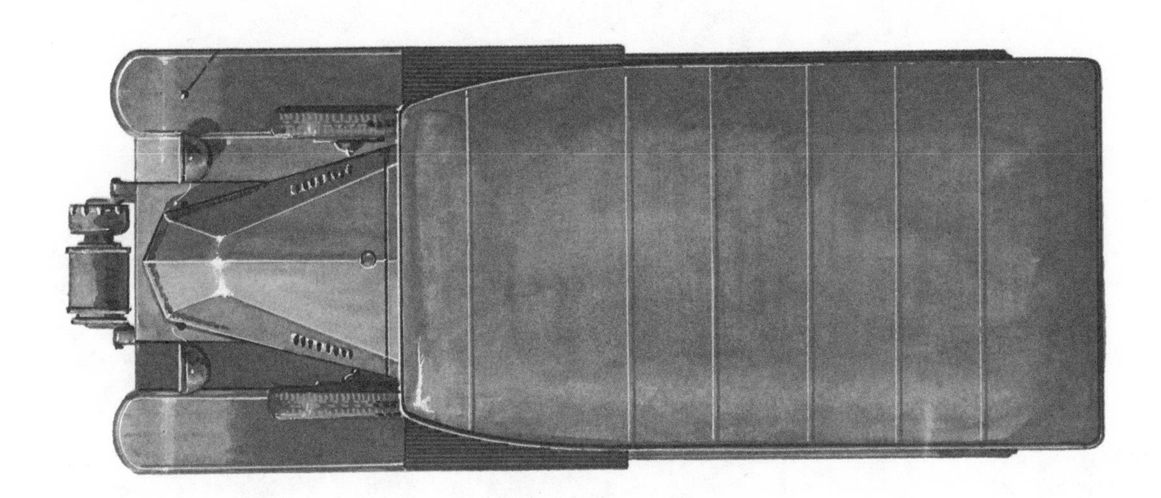

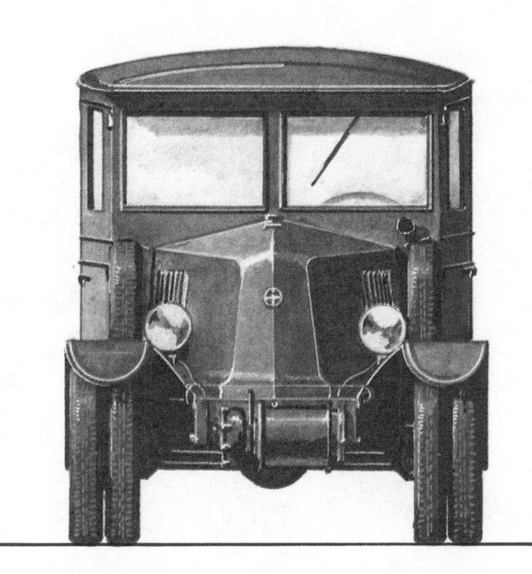

Samochody SPA 25C Polonia

W 1924 roku Ministerstwo Spraw Wojskowych podpisało z Zakładami Mechanicznymi „Ursus" S.A. kontrakt na przedprodukcyjną dostawę dla potrzeb armii lekkich włoskich samochodów ciężarowych *SPA 25C Polonia*, o ładowności 1,5–2 t, dostosowanych (jak twierdził włoski wytwórca – Societa Liqure Piemontes Automobili) do polskich warunków eksploatacyjnych. Pojazdy miały być dostarczane do kraju w trzech partiach po 150 sztuk. Pierwsza grupa miała być importowana w całości, druga zmontowana w „Ursusie" z włoskich podzespołów, trzecia zaś, wykonana już z elementów polskiego pochodzenia, miała stanowić początek licencyjnej produkcji samochodów ciężarowych *SPA* pod krajową marką *Ursus.* Planu tego jednak nie zrealizowano i do 1928 roku, w którym wyprodukowano pierwsze samochody *Ursus* (będące przekonstruowaną, ulepszoną odmianą włoskiej ciężarówki), zmontowano jedynie trzecią partię około 150 samochodów, importując pozostałe 300.

89. Pierwszy z samochodów *SPA 25C* na dziedzińcu wytwórni

90. Samochody *SPA* nad Morskim Okiem w Tatrach w czasie rajdu kontrolnego (w środku *SPA 25C*)

91. Samochody *SPA* i pierwsze *Ursusy* w rajdzie kontrolnym (Sochaczew, 1928 rok)

Samochód *SPA 25C* o ładowności 1500–2000 kg miał wiele rozwiązań ułatwiających eksploatację i naprawę w warunkach polowych. Wymienić tu trzeba przede wszystkim chłodnicę segmentową, rozbieralną, zbudowaną z łatwo wymiennych elementów (chłodzenie wodą, wymuszone), gaźnik specjalnego typu, łatwy do rozbiórki i naprawy „*... bez specjalnego klucza, nawet po wyjęciu pływaka i dysz silnik pracuje na wolnych obrotach...*"*), sprzęgło wielotarczowe, suche, demontowane bez wyjmowania silnika lub skrzynki biegów, wał napędowy w osłonie stanowiącej całość z tylnym mostem (półosie odciążone i mechanizm różnicowy przystosowany do bardzo łatwej wymiany) oraz ogumienie pneumatyczne. Podzespoły pojazdu były dostosowane do zainstalowania elektrycznego rozrusznika i kompletnej instalacji oświetleniowo-sygnalizacyjnej. W samochodzie zainstalowano zbiornik o pojemności 115 l, co pozwalało na przebycie z pełnym obciążeniem ponad 320-kilometrowej trasy. Kabina kierowcy, drewniana, obita blachą, miała stały dach i szybę wiatrochronną oraz zwijane, brezentowe boczki, co wystarczająco zabezpieczało obsługę przed wpływami atmosferycznymi.

We wrześniu 1939 roku samochody *SPA 25C*, w większości z przekonstruowaną, zamkniętą kabiną kierowcy, stanowiły wyposażenie niektórych pododdziałów technicznych broni pancernej i saperskich, a także kilku kolumn transportowych typu lekkiego, jakie z zapasów mobilizacyjnych (*SPA* przeszły do rezerwy mobilizacyjnej na początku lat trzydziestych) organizowały bataliony pancerne.

*) „Auto" 1/1924.

Dane techniczne samochodu ciężarowego *SPA 25C Polonia*

Samochód ciężarowy z kabiną kierowcy drewniano-stalową, półzamkniętą lub zamkniętą i skrzynią ładunkową drewnianą, osadzonymi na ramie.

– *Silnik SPA*, gaźnikowy, 4-cylindrowy, 4-suwowy, dolnozaworowy, chłodzony cieczą, o pojemności skokowej 2000 cm^3. Moc około 35 KM (25,8 kW) przy 2000 obr/min.

– *Ogumienie*: *Overmann* o wymiarach 895×135 mm lub *Polska Opona Stomil* 31×6".

– *Długość ramy* 5915 mm, *szerokość* około 1800 mm, *rozstaw osi* 3800 mm, *rozstaw kół przednich* 1510 lub 1536 mm, *rozstaw kół tylnych* 1500 mm, *prześwit* 350 mm.

– *Masa własna* około 2500 kg.

– *Prędkość maksymalna* 40–45 km/h.

– *Zużycie paliwa* około 33 l/100 km.

Samochody Ursus

Pierwsze kontakty warszawskich Zakładów Mechanicznych „Ursus" S.A. z samochodami sięgają 1921 roku, kiedy to przeprowadzono remonty pojazdów wojskowych. Zachęciło to zarząd spółki do wystąpienia z projektem stworzenia w Polsce fabryki samochodów ciężarowych, przydatnych zwłaszcza dla sił zbrojnych. Jeszcze w tym samym roku zakłady otrzymały od rządu pożyczkę w wysokości 500 tys. dolarów i zobowiązały się do uruchomienia produkcji dwóch typów ciężarówek. Do realizacji umowy jednak nie doszło, ponieważ „Ursus" wykorzystując nieścisłości prawne nie wywiązał się z zadania. Z otrzymanych pieniędzy zdołano tylko zakupić w podwarszawskich Czechowicach (dzisiejszy Ursus) tereny pod przyszłą fabrykę.

W 1923 roku Ministerstwo Spraw Wojskowych rozpisało przetarg na dostawy dla wojska samochodów ciężarowych i półciężarowych. W przetargu mógł uczestniczyć każdy krajowy wytwórca, zobowiązujący się do uruchomienia w posiadanej fabryce produkcji zgłoszonego samochodu. Zgodnie z regulaminem odbył się rajd sprawnościowy. Zwycięzcą, i to w obu kategoriach, były francuskie samochody *De Dion-Bouton*, lecz produkcję powierzono Zakładom „Ursus", które zgłosiły włoskie samochody *SPA*. Podobno w ten sposób chciano odzyskać część straconej pożyczki, sam zaś rajd był fikcją. Nieco później zamówienie to rozszerzono podpisując z Zakładami Mechanicznymi „Ursus" S.A. umowę na produkcję i dostawę 4-tonowych samochodów *Berliet CBA* i 1,5-tonowych *SPA 25C Polonia.* Zarząd spółki w ciągu trzech lat wybudował nowoczesny zakład produkcyjny, posiadający wszystkie działy niezbędne do produkcji samochodów. Jedynie półfabrykaty hutnicze, instalacje elektryczne, chłodnice i wyroby gumowe zamawiano u poddostawców.

92. Samochód *Ursus A* z pierwszej serii produkcyjnej

93. Samochód *Ursus A* o ładowności 2 t, z kabiną kierowcy ze stałym dachem

94. Samochód *Ursus A* z ostatniej serii, z drewniano-metalową, zamkniętą kabiną kierowcy (samochód przystosowany do przewozu koni)

Wytwórnia była przystosowana do produkcji na jedną zmianę około 700 samochodów rocznie, gdy tymczasem umowa (i możliwości produkcyjne) określały ich liczbę na około 350. To przeinwestowanie i zła gospodarka finansowa stały się jedną z przyczyn późniejszej niewypłacalności spółki i przejęcia całego „Ursusa" przez Państwowe Zakłady Inżynierii (w 1930 roku).

Dostawę zamówionych samochodów przewidywano realizować w trzech partiach – po 200 samochodów *Berliet* i 150 *SPA*. Pierwsza część miała być importowana, druga zmontowana ze sprowadzonych podzespołów, a trzecia w całości wyprodukowana w kraju. Jednakże, dla ułatwienia, uzyskano zgodę Ministerstwa Spraw Wojskowych na sprowadzenie drugiej partii w stanie zmontowanym i na odstąpienie od produkcji samochodów *Berliet* i zastąpienie ich 1,5-tonowymi samochodami *SPA*, w łącznej liczbie 375.

Pierwsza seria krajowych samochodów ciężarowych ukazała się w lipcu 1928 roku. Samochody nosiły nazwę *Ursus* i w stosunku do włoskiego pierwowzoru wykazywały różnice, wynikające z przystosowania do polskich warunków pracy. Zmiany

95. Autobusy *Ursus.* Pierwszy na podwoziu typu *AW* (wydłużonym), drugi i trzeci (pocztowy) na podwoziach typu *A*

opracowało Biuro Konstrukcyjne Fabryki Samochodów Zakładów Mechanicznych „Ursus" (kierownik inż. Witold Jakusz), które stworzyło także inne wersje tego pojazdu.
Podstawowym modelem był *Ursus typ A* o ładowności powiększonej w stosunku do *SPA* do 2 ton, a w niedługim czasie 2,5 tony. Szkielet zamkniętej, trzyosobowej, blaszanej kabiny kierowcy oraz skrzynia ładunkowa były wykonane z drewna. Zawieszenie przednie i tylne składało się z 4 resorów półeliptycznych (bez amortyzatorów). Końce resorów tylnych były osadzone w panewkach ślizgowych. Hamulec nożny, mechaniczny działał tylko na bębny kół tylnych, ręczny zaś na wał napędowy. Późniejsze samochody *Ursus A* oraz *A-30* (model unowocześniony) i *AW* (z wydłużonym podwoziem), były wyposażone w tak zwany wspornik górski, opuszczany i wbijany w drogę w razie zatrzymania się na pochyłości.
Jednostką napędową był silnik o pojemności skokowej 2873 cm^3 i mocy 35 KM (25,8 kW) przy 1800 obr/min, stopień sprężania 6,3:1. W późniejszych modelach *A* oraz unowocześnionym *A-30* moc silnika – przy nie zmienionej pojemności – zwiększono do 40 KM (29,4 kW). Smarowanie pod ciśnieniem. Chłodzenie wodą, wymuszone. Chłodnica segmentowa, zbudowana z łatwo wymiennych elementów (w modelach późniejszych zwykła, segmentowa na żądanie).
Sprzęgło wielotarczowe, suche było połączone ze skrzynką biegów w specjalny sposób. Po zdjęciu pokrywy obudowy sprzęgła i po wyjęciu elementu pośredniego sprzęgło można było łatwo zdemontować. Skrzynka biegów miała cztery przełożenia do jazdy w przód i jedno do tyłu. Wał napędowy z przegubem krzyżakowym był umieszczony w pochwie, połączonej z tylnym mostem. Obudowa mostu miała duży otwór (zasłonięty pokrywą), umożliwiający demontaż przekładni głównej w stojącym na kołach samochodzie. Czynnością dodatkową było tylko wysunięcie półosi.

Na podwoziach typu *A* i *A-30* budowano pojazdy strażackie, polewaczki, ambulanse pocztowe, 20-osobowe autobusy, cysterny paliwowe (na przykład z 2 zbiornikami paliwa o pojemności 1800 l, zbiornikiem na 225 l oleju silnikowego oraz pojemnikiem na smary), warsztaty polowe, transportery z rozkładanym pomostem i wciągarką do przewozu czołgów *TK* i *TKS* oraz sanitarki dla 10 chorych siedzących lub 4 leżących i 2 siedzących.
Bazując na seryjnym podwoziu typu *A* inż. Witold Jakusz zaprojektował między innymi pojazdy zbudowane w serii prototypów: samochód *Ursus AT*, 3-osiowy wóz terenowy o dwóch tylnych osiach napędzanych, samochód *Ursus 303* także 3-osiowy, lecz z drugą tylną osią typu wleczonego oraz specjalne wydłużone podwozie (typ *AW*) przeznaczone także dla autobusów. Rama została wzmocniona, wydłużona i poszerzona (rozstaw osi 4500 mm, rozstaw kół 1600 mm, długość całkowita 6800 mm), wzrosła także masa – o 300 kg. Podwozie wyposażono w specjalne wsporniki, pozwalające na lepsze ustawienie nadwozia. Zmianie uległo zamocowanie tylnych resorów. Zamiast panewek ślizgowych zastosowano osadzenie w blokach gumowych, co zmniejszało wibrację i eliminowało smarowanie. Wydłużony wał napędowy składał się teraz z dwóch elementów: wału seryjnego połączonego z mostem napędowym i krótkiego wałka pośredniego z dwoma przegubami – elastycznym i krzyżakowym. Nośność podwozia *AW* (produkowanego seryjnie) wynosiła 2,5–3 tony. Stosowano nadwozia samochodów ciężarowych i 22-osobowych autobusów. Samochody miały już hamulce na 4 koła, nadal mechaniczne, lecz sterowane za pomocą pneumatycznego systemu wzmacniającego. Silnik o niezmienionej pojemności skokowej rozwijał moc 35–45 KM (25,8–33,1 KW).
Samochody typu *A* i pochodne nie odbiegały jakością od późniejszych samochodów *Polski FIAT 621*, były bardzo silne i wytrzymałe. W grudniu 1928 roku samochody *CWS* i sanitarne samochody *Ursus* startowały w rajdzie Warszawa–Zakopane–Warszawa. Po przybyciu do Zakopanego jeden z samochodów *Ursus* sforsował pokrytą śniegiem Gubałówkę (blisko 20% spadku) i dotarł do sanatorium wojskowego. Całą trasę rajdu sanitarki przebyły bez defektu, ze średnią prędkością 35 km/h, a trzeba dodać, że *„wyjątkowo silne mrozy i ciężkie warunki terenowe sprawiły, że firmy zagraniczne nie wzięły udziału w rajdzie"*. Samochody *Ursus* produkowane do końca 1931 roku stanowiły wyposażenie wszystkich rodzajów wojsk i broni (zwłaszcza służb sanitarnych). Był to obok samochodu *Polski FIAT 621* podstawowy środek transportu ciężarowego.

Dane techniczne samochodu *Ursus A*

Samochód ciężarowy z drewniano-stalową, zamkniętą kabiną kierowcy i drewnianą skrzynią ładunkową, krytą brezentową opończą. Rama z kształtowników stalowych o zmiennym profilu.
– *Silnik* gaźnikowy, 4-cylindrowy, 4-suwowy, dolnozaworowy, chłodzony cieczą, o pojemności skokowej 2873 cm^3. Stopień sprężania 6,3:1. Moc 35 KM (25,8 kW) przy 1800 obr/min.
– *Ogumienie*: *Overmann* o wymiarach 895 × 135 mm lub *Polska Opona Stomil* 32 × 6".
– *Długość ramy* 5115 mm, *szerokość* 2000 mm, *wysokość* (z budą) 2500 mm, *rozstaw kół* 1500 mm, *rozstaw osi* 3500 mm.
– *Masa własna* podwozia pojazdu 1540 kg.
– *Prędkość maksymalna* 60 km/h.
– *Zużycie paliwa* 21 l/100 km.

Samochód *Ursus*

1, 2, 3, 4 – samochód ciężarowy *Ursus A*; wersja ze stałym dachem kabiny kierowcy i reflektorami elektrycznymi;
5 – samochód *Ursus A*, wersja wcześniejsza, z brezentowym dachem składanym i krótką skrzynią ładunkową;
6 – samochód *Ursus A*, wersja przystosowana do przewozu tankietek;
7 – samochód *Ursus A*, późniejsza wersja z drewniano-metalową zamkniętą kabiną kierowcy;
8 – ambulans na podwoziu samochodu *Ursus A*;
9 – autobus na podwoziu samochodu *Ursus AW*, z nową, szerszą osłoną silnika;
10 – podwozie transportowe (autoransporter) czołgów *TK* na podwoziu *A30* (z powiększonym rozstawem osi)

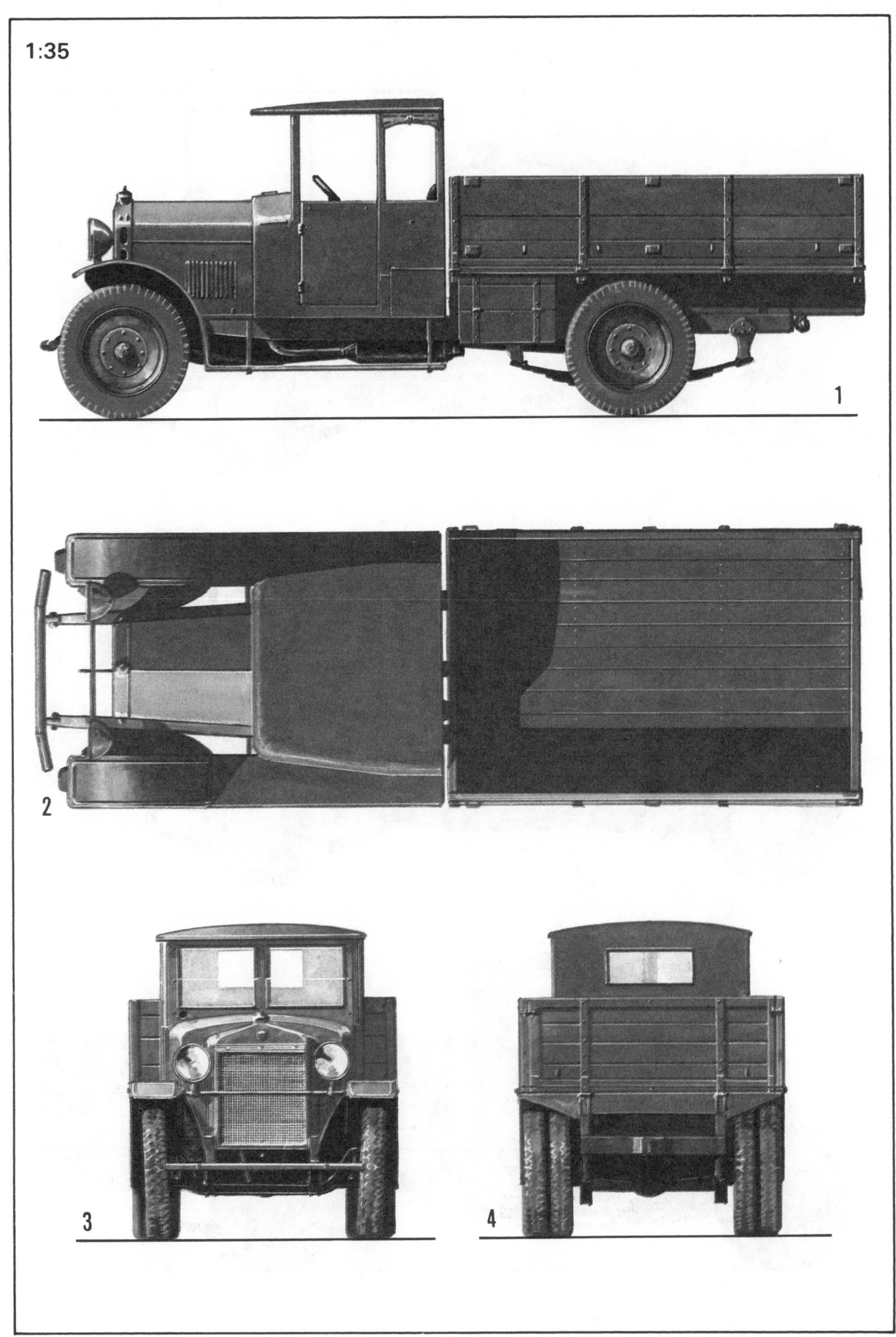
1:35
1
2
3
4

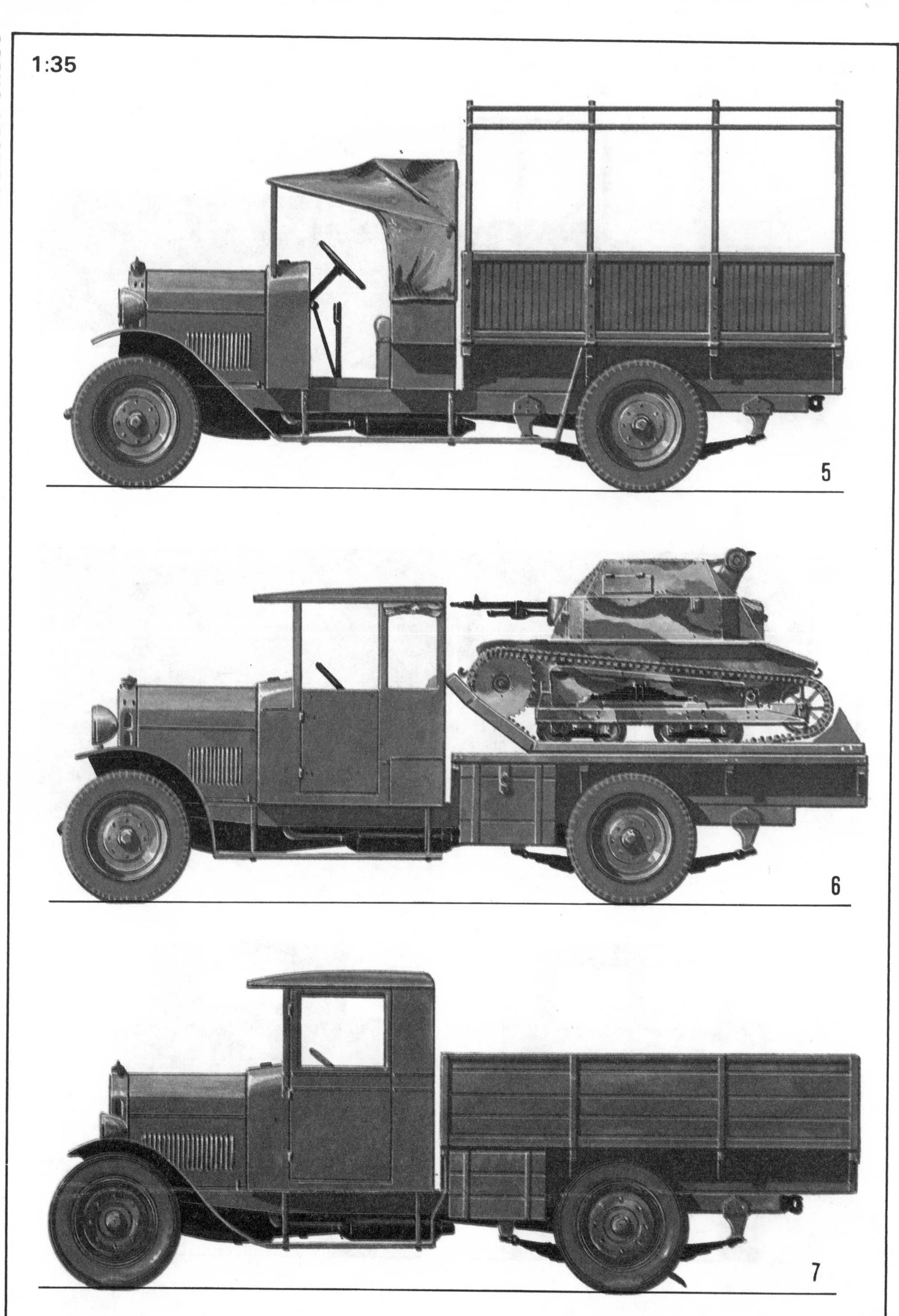
1:35
5
6
7

1:35

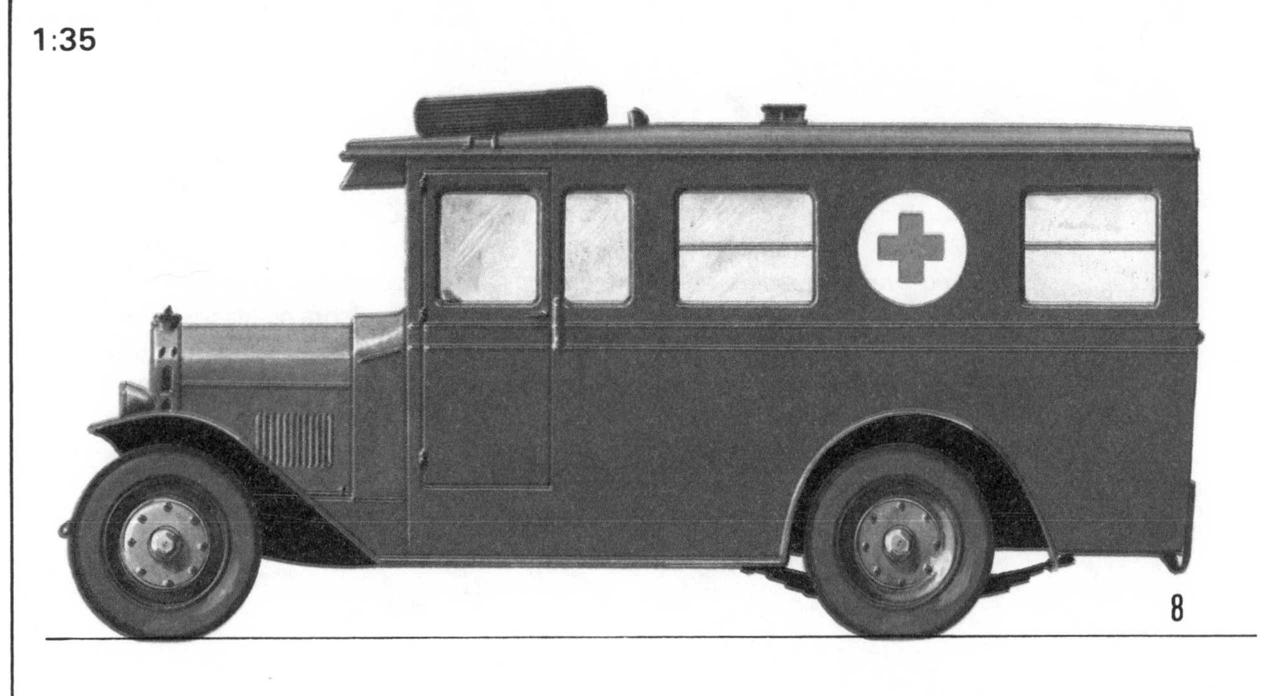

8

9

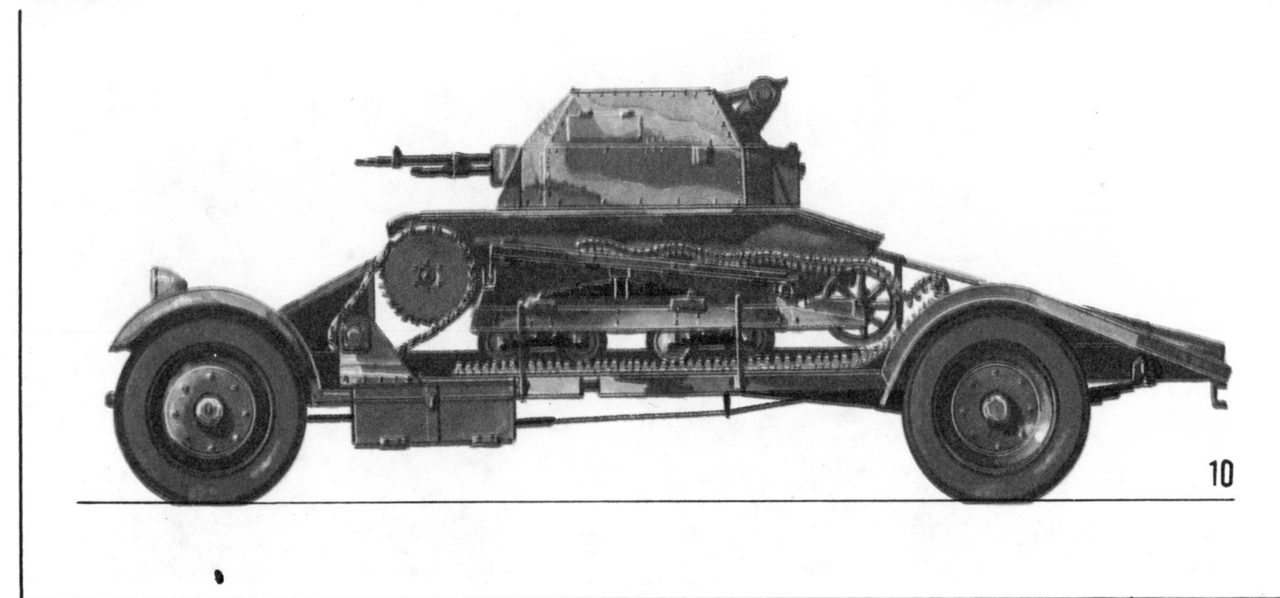

10

Samochody Polski FIAT 621

Jeden z punktów umowy licencyjnej pomiędzy włoską firmą Fabbrica Italiana Automobili Torino a Państwowymi Zakładami Inżynierii w Warszawie dotyczył uruchomienia w Polsce produkcji samochodów ciężarowych o ładowności 2,5 tony. Wybrany model – *FIAT 621L* i *FIAT 621R* (odmiana autobusowa) – był budowany w macierzystej wytwórni od kilku lat i ze względu na prostą konstrukcję i dużą – jak na włoskie warunki – trwałość cieszył się dobrą opinią użytkowników. W wyniku przeprowadzonych w Polsce badań przedprodukcyjnych okazało się jednak, że wytrzymałość pojazdu była niewystarczająca w krajowych warunkach eksploatacyjnych. W Biurze Studiów PZInż. opracowano wówczas projekty ulepszeń, które zastosowano w produkcji.

Podstawowymi zmianami, jakie wprowadzono w samochodzie *Polski FIAT 621*, było wzmocnienie podwozia (ramy, osi przedniej, tylnego mostu, zawieszenia resorów i amortyzatorów oraz półosi napędowych), zwiększenie rozstawu osi,

96. Samochód *Polski FIAT 621L* przewożący piechotę. Na samochodzie maszt do strzelania przeciwlotniczego (ckm *wz. 30*)

97. Samochód *Polski FIAT 621L* o ładowności 2,5 t

98. Samochód *Polski FIAT 621L* z przyczepą do przewozu pontonów saperskich

wzmocnienie osadzenia drzwi w kabinie kierowcy, zastosowanie zbiornika paliwa o większej pojemności i wykonanie bloku silnika z materiałów o lepszej jakości. Ponadto użyto w miejsce oryginalnego gaźnika *Weber* uproszczony, oszczędny gaźnik francuski typu *Solex*. Produkcja samochodów *Polski FIAT 621* rozpoczęła się w pierwszych miesiącach 1935 roku (informacyjno-instruktażowy montaż przedprodukcyjny w krótkich seriach trwał od końca 1932 roku). Samochody były początkowo montowane z włoskich podzespołów, lecz już w drugiej połowie 1935 roku tylko 13,7% części pochodziło z zagranicznych fabryk. W 4 lata później liczba ta zmalała do 10%. Podstawowymi elementami importowanymi były tylko gaźniki i łożyska toczne. Należy tu dodać, że większość podzespołów ciężarówki dostarczali na zamówienie PZInż. wyspecjalizowani krajowi kooperanci.

99. Samochody *Polski FIAT 621L* z przeciwlotniczymi armatami 75 mm

100. Samochody *Polski FIAT 621L* z nadwoziami sanitarnymi

Samochody ciężarowe były budowane w PZInż. w postaci kompletnych podwozi z przegrodą czołową (oddzielającą przedział kierowcy od komory silnika), zaopatrzoną w deskę rozdzielczą z urządzeniami sterowniczymi, dzięki czemu mogły być objeżdżane i transportowane na kołach, jedynie po uprzednim ustawieniu na ramie prowizorycznego siedzenia dla kierowcy. Dla potrzeb wojskowego odbiorcy podwozia wyposażano w Nadwoziowni Specjalnej PZInż. w drewniano-stalowe kabiny kierowcy (szkielet drewniany, „obłożony" blachą).

Do 1938 roku kabiny, z wysuniętym okapem nad przednią szybą, miały charakterystyczny kanciasty kształt, później zaś produkowano je w wersji unowocześnionej – bardziej opływowej, bez okapu. Skrzynie ładunkowe były konstrukcji drewnianej. Na rynek cywilny dostarczano za pośrednictwem Spółki Akcyjnej „Polski FIAT" w zasadzie same podwozia, do których budowano nadwozia indywidualnie w prywatnych warsztatach karoseryjnych bardzo często według wzorców PZInż.

101. Samochody *Polski FIAT 621L* wojskowej garnizonowej straży pożarnej

102. Autobusy *Polski FIAT 621L* (starszy model) Komunikacji Samochodowej PKP

103. Autobusy *Polski FIAT 621R* (nowy model)

104. Prototyp samochodu sztabowego na podwoziu *621*

Ciężarówki typu *621* używane we wszystkich rodzajach wojsk i broni, jako podstawowy – obok samochodu *Ursus A* – środek transportu, były budowane w wielu odmianach nadwoziowych. Między innymi w wersjach sanitarnej, pożarniczej, rekwizytowej z nadwoziami otwartymi i zamkniętymi, cywilnej i wojskowej dla straży garnizonowych i lotniskowych (z nadwoziem 8-osobowym otwartym), jako beczkowozy pożarnicze i cysterny paliwowe, polewaczki, wozy dowodzenia (z radiostacją), warsztaty polowe oraz ciągniki siodłowe, na przykład z naczepą w postaci cysterny o pojemności 4500 l, połączoną z motopompą o wydajności 800 lub 2200 l/min (używane w warszawskiej straży ogniowej – w czasie wojny jako wojskowe cysterny paliwowe). W podwozia *621L* wyposażono także samobieżne armaty przeciwlotnicze 75 mm *wz. 14*, zainstalowane uprzednio na przestarzałych francuskich podwoziach *de Dion-Bouton*.
Cięższą odmianą modelu *621* było podwozie typu *R* przeznaczone w zasadzie dla autobusów, lecz stosowane również z nadwoziem 3-tonowej ciężarówki. W stosunku do samochodu *Polski FIAT 621L* typ cięższy wykazywał wiele zmian. Polegały one między innymi na wydłużeniu i obniżeniu ramy w taki sposób, że podłużnice były wygięte nad tylnym mostem, na zwiększeniu rozstawu osi i zmianie stosunku przełożeń w odwróconej przekładni głównej (prędkość maksymalna wzrosła z 50 km/h do 64 km/h, lecz zmalała zdolność pokonywania wzniesień) oraz na zastosowaniu wspornika górskiego, wbijanego w podłoże w przypadku postoju na pochyłości. Model *R* miał ponadto odciążone półosie napędowe. W wyniku tych zmian wzrosła o 50 kg masa własna podwozia (do 1705 kg) i nieco powiększył się promień skrętu. Na podwoziu samochodu *Polski FIAT 621R* budowano przeważnie 22-osobowe autobusy w dwóch wersjach: międzymiastowej i turystycznej, o kształtach nadwozi odpowiadających zmianom w konstrukcji kabiny samochodów ciężarowych. Ciężarówki i wojskowe wersje specjalne były używane etatowo w jednostkach liniowych i służbach. Autobusy natomiast spotykało się jako pojazdy transportowe w wojskowych instytucjach i niektórych oddziałach lotniczych.
Zespoły napędowe (silniki, sprzęgła, skrzynki biegów) samochodów *Polski FIAT 621* były wykorzystywane także w zaadoptowanej odmianie w innych pojazdach produkowanych w PZInż. Do grupy tej należą przede wszystkim budowane seryjnie czołgi rozpoznawcze *TKS* oraz ich starsze wersje *TK-3* i *TKF*, gąsienicowe ciągniki artyleryjskie *C2P* stworzone z elementów czołgów *TKS*, a także lokomotywki spalinowe. Silniki ze zmienionym osprzętem były też stosowane do napędu ciężkich łodzi saperskich i prądnic elektrowni polowych. Do ostatniej funkcji szczególnie nadawał się model oznaczony symbolem *PZInż. 467*, różniący się od wersji samochodowej mniejszą mocą (35 KM czyli 25,8 kW przy 1800 obr/min) i wyposażeniem (brak rozrusznika, iskrownik zamiast rozdzielacza zapłonu, regulator obrotów – w miejscu prądnicy).

Dane techniczne samochodu ciężarowego *Polski FIAT 621L*

Samochód ciężarowy z drewniano-stalową, zamkniętą kabiną kierowcy i drewnianą skrzynią ładunkową krytą brezentową opończą. Rama prosta, o kształcie prostokąta z kształtowników stalowych o profilu ceowym.
– *Silnik FIAT 122B* (*PZInż. 367*), gaźnikowy, 6-cylindrowy, rzędowy, 4-suwowy, dolnozaworowy, chłodzony cieczą o pojemności skokowej 2952 cm^3. Stopień sprężania 5,1:1. Moc 46 KM (33,9 kW) przy 2600 obr/min.
– *Ogumienie*: *Polska Opona Stomil* o wymiarach 9,00 × 20".
– *Długość* około 5700 mm, *szerokość* 2070 mm, *wysokość* 2620 mm, *rozstaw osi* 3650 mm.
– *Masa własna* około 2350 kg.
– *Prędkość maksymalna* 50–55 km/h.
– *Zużycie paliwa* 24–25 l/100 km.

1:35

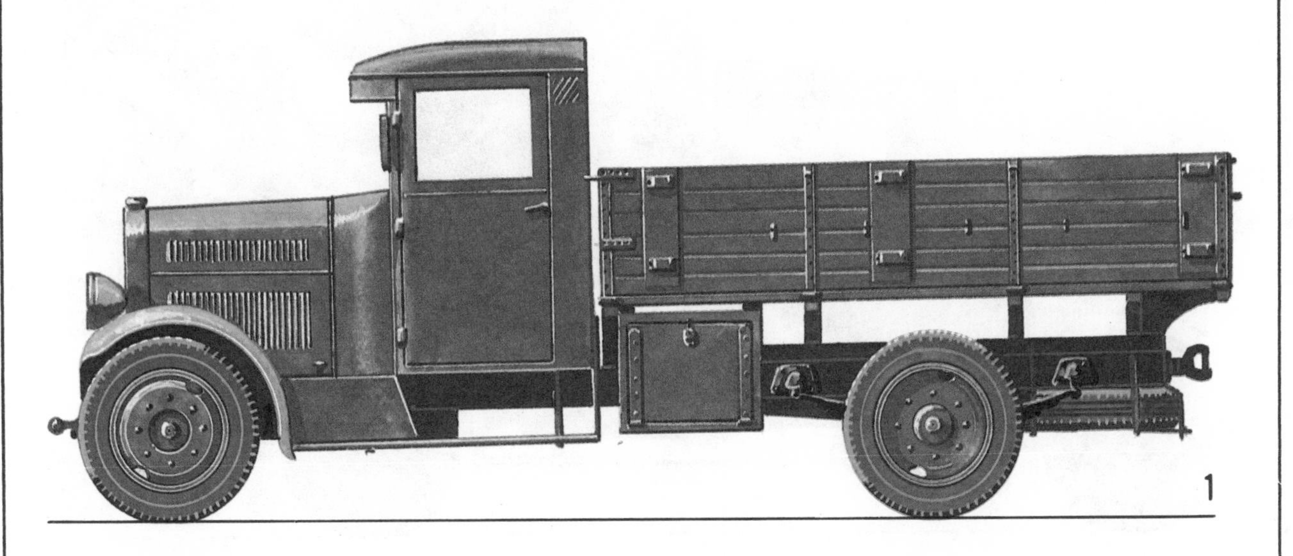
1

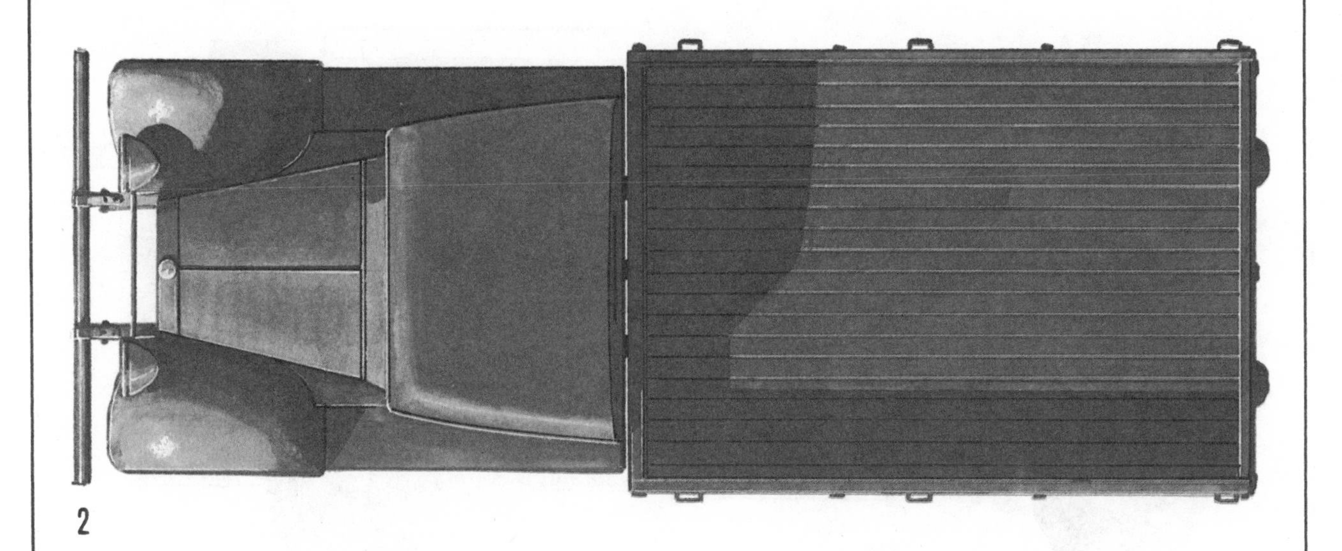
2

3

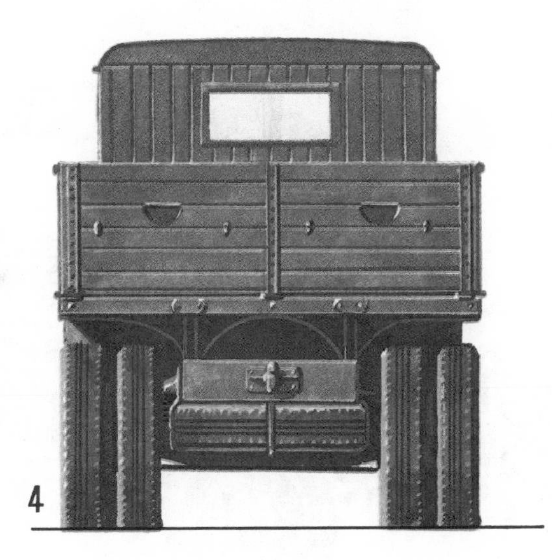
4

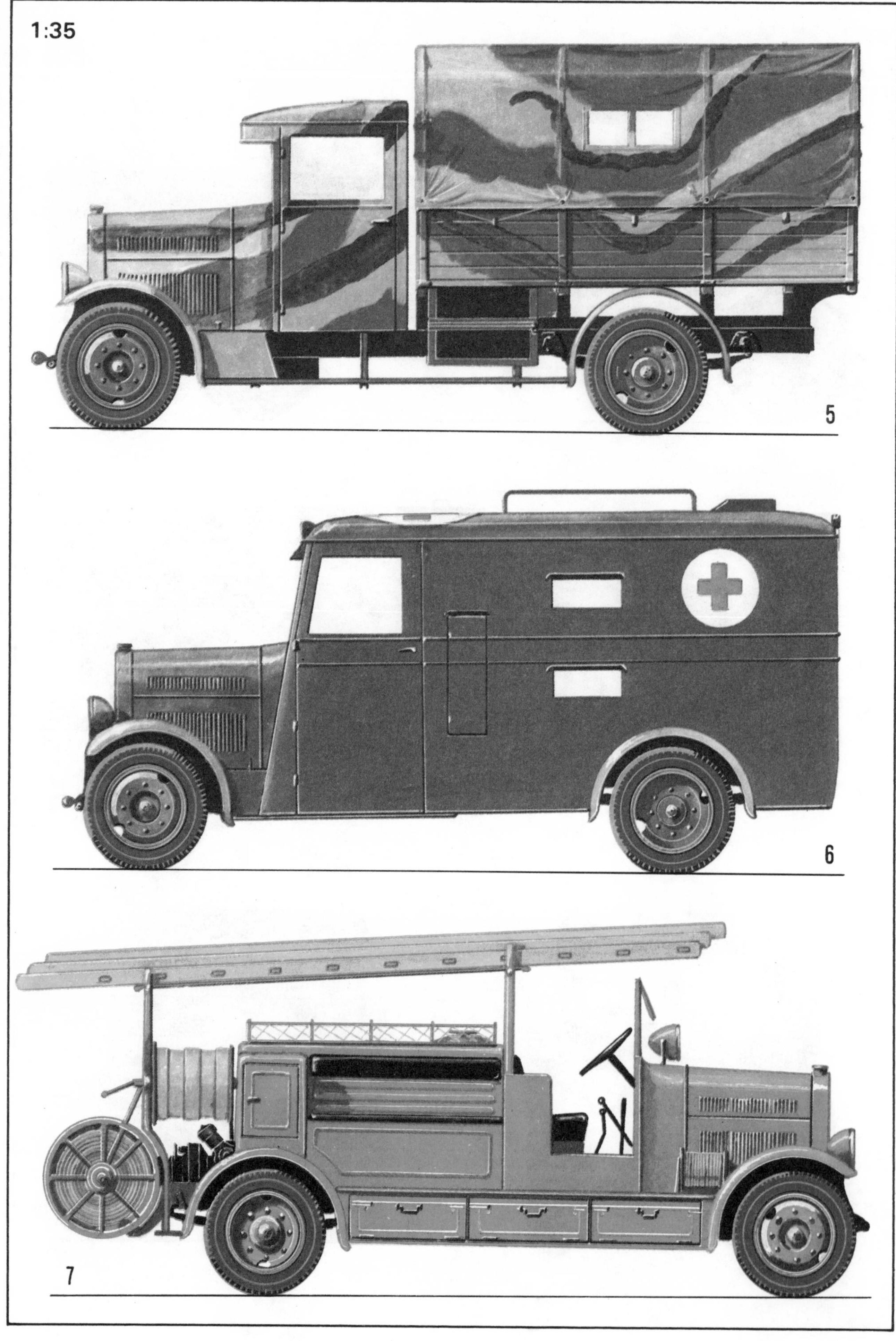
1:35
5
6
7

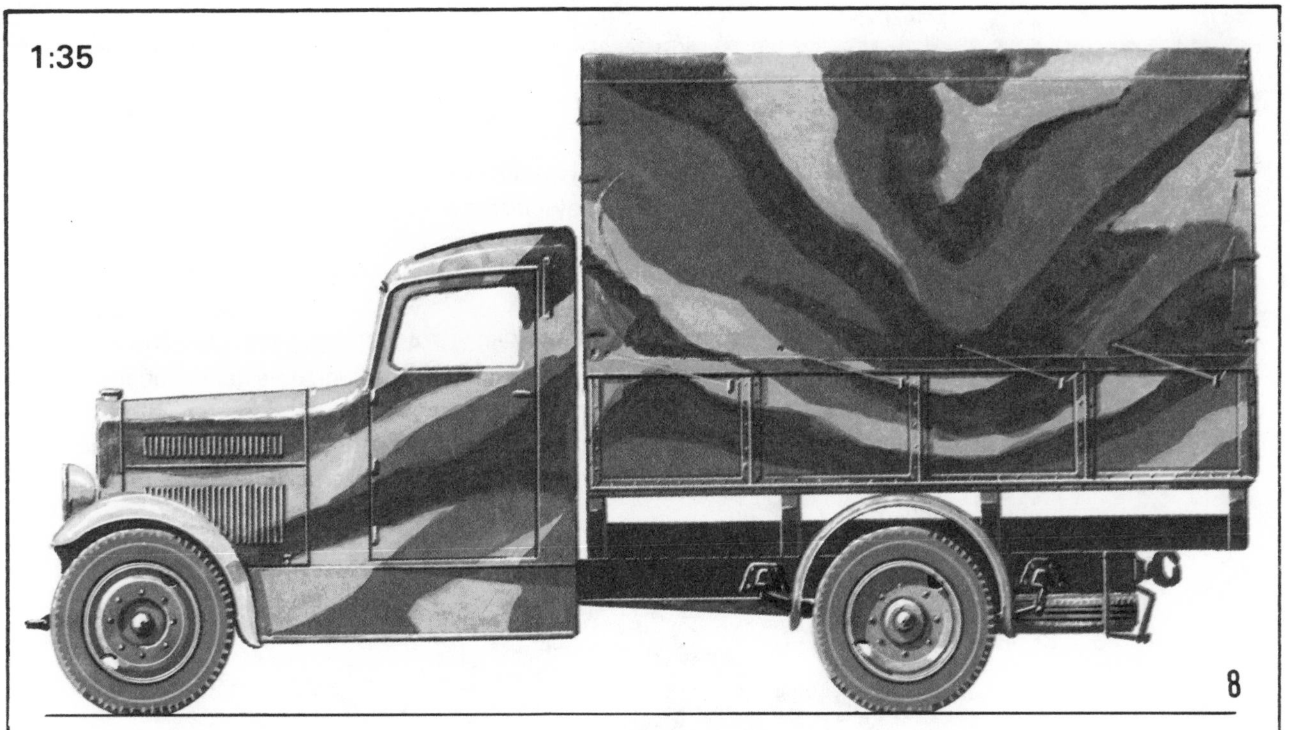

Samochody *Polski FIAT 621*

1, 2, 3, 4 – samochód *Polski FIAT 621* podstawowej wersji produkcyjnej, kabina kierowcy z wywietrznikami, koło zapasowe pod ramą z tyłu;
5 – samochód *Polski FIAT 621*, wczesna wersja z długim stopniem i szerokimi drzwiami kabiny, koło zapasowe na ramie, pod skrzynią ładunkową;
6 – ambulans na podwoziu *621L*;
7 – samochód pożarniczy straży przemysłowych i garnizonowych;
8 – samochód warsztatowy na podwoziu *621L*, skrzynia metalowa ze sztywnym szkieletem drewnianym pokrytym brezentową opończą, nowy typ kabiny kierowcy (opływowa), wstawka w dachu pokryta dermatoidem lub asfaltowanym brezentem

105. Ciągnik siodłowy *Polski FIAT 621L*, z naczepami – cysternami o pojemności 4,5 tys. l. Trzy takie ciągniki służyły w warszawskiej straży pożarnej. Zmobilizowane w sierpniu wyjechały ze stolicy z wojskiem w pierwszych dniach września 1939 roku

Samochody Polski FIAT 618

Na podstawie umowy licencyjnej zawartej w 1932 roku z włoskim koncernem FIAT wytwarzano w PZInż. samochody ciężarowe o ładowności 2,5–3 ton i popularne pojazdy osobowe. W 5 lat później, po rozszerzeniu porozumienia, do produkcji wprowadzono nowy typ samochodu osobowego (*Polski FIAT 518*) i zunifikowaną z nim w elementach napędowo-podwoziowych ciężarówkę o ładowności 1200–1500 kg. Model ten, nazwany *Polski FIAT 618 Grom*, budowano w PZInż. w postaci kompletnego podwozia z silnikiem, układem przeniesienia napędu, mechanizmami sterowniczymi i hamulcowymi, a nawet z zespołem wskaźników i przełączników umieszczonych na desce rozdzielczej. Nie zakładano tylko nadwozia i do wykonania przejazdów montowano prowizoryczną, drewnianą ławeczkę dla kierowcy.

106. Samochód ciężarowy 1,5-tonowy *Polski FIAT 618* z kabiną drewniano-metalową

107. Samochód *Polski FIAT 618* dla kawalerii zmotoryzowanej

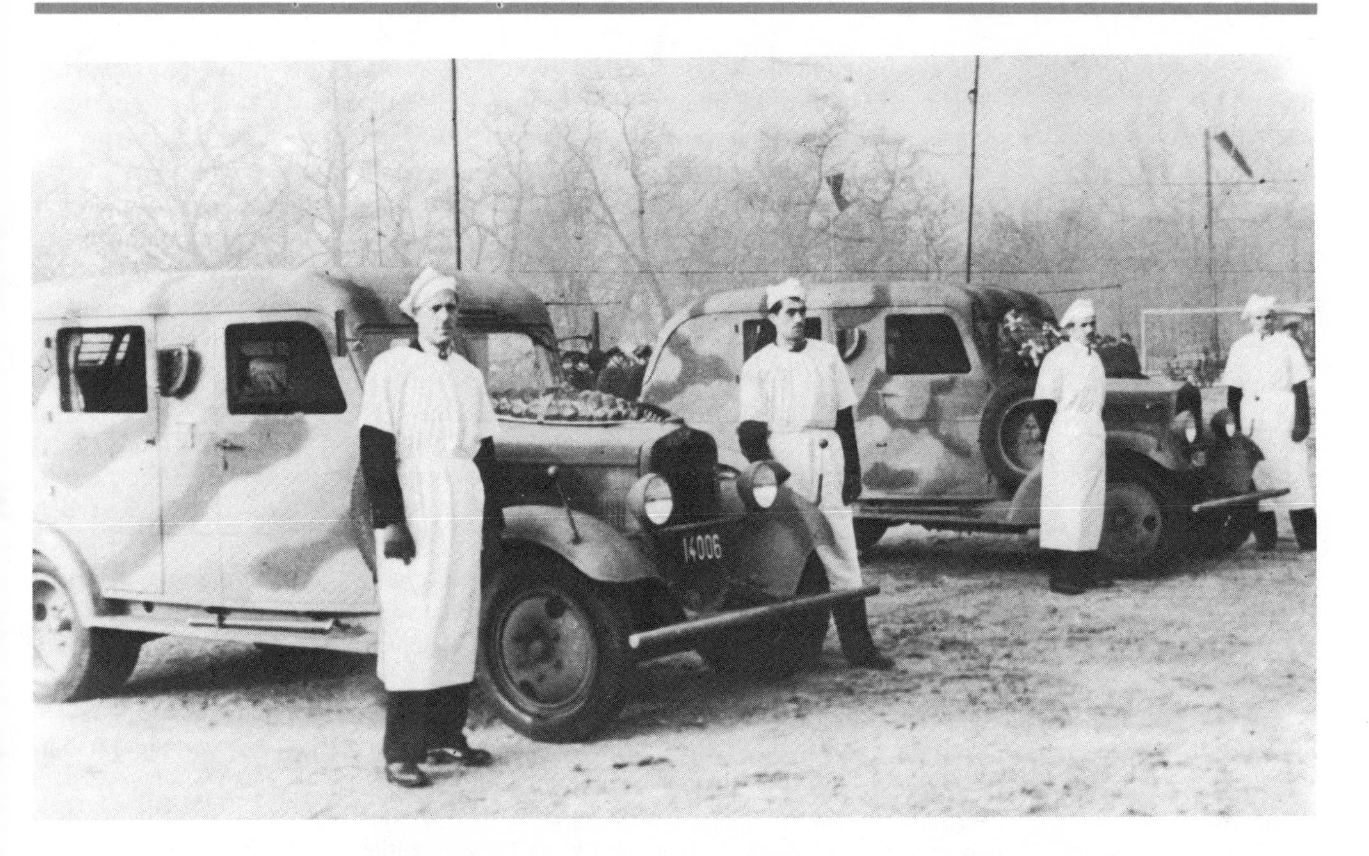

108. Samochody *Polski FIAT 618* z radiostacjami. Dar dla wojska Cechu Piekarzy-Chrześcijan

Nadwozia pojazdów przeznaczonych dla potrzeb wojska były budowane w Nadwoziowni Specjalnej PZInż., a dla odbiorców indywidualnych (w niewielkich seriach) w warsztatach Spółki Akcyjnej „Polski FIAT", jedynego dystrybutora pojazdów tej marki na rynek cywilny. Nabywca mógł też otrzymać przygotowane do jazdy podwozie i wykonać nadwozie w innej wyspecjalizowanej wytwórni.
Podwozie samochodu *Polski FIAT 618*, budowane jako prostokątna rama z obniżonymi podłużnicami wygiętymi nad tylnym mostem i wzmocnione krzyżowymi poprzecznicami, charakteryzowało się nisko położonym środkiem ciężkości i nadawało się doskonale do montowania nie tylko otwartych nadwozi ciężarowych, lecz także autobusowych (11- i 14-osobowych), sanitarnych i towarowych zamkniętych. Cztery długie resory półeliptyczne o odpowiednio dobranej charakterystyce i hydrauliczne amortyzatory ramieniowe przy kołach obu osi zapewniały komfort jazdy, szczególnie ważny dla pasażerów sanitarek i autobusów.
Nowatorskim rozwiązaniem podnoszącym znacznie bezpieczeństwo jazdy był dwuobwodowy, hydrauliczny układ hamulcowy. Pompa hamulcowa składa się z dwóch niezależnych sekcji (uruchamianych jednocześnie pedałem), działających na dwa odrębne układy – kół przednich i tylnych.
Samochód był wyposażony w silnik *FIAT 118* (*PZInż. 157*). Zasadnicze elementy silnika – kadłub i głowica – były wykonane z żeliwa. Ze stopów lekkich odlano tylko tłoki. Ta technologia sprawiła, że jednostka napędowa pojazdu ważyła 155 kg, co stawiało ją w rzędzie cięższych w swej klasie.
Przeniesienie napędu na koła tylne odbywało się przez sprzęgło suche, jednotarczowe, skrzynkę biegów o 4 przełożeniach do jazdy w przód i biegu wstecznego (bieg trzeci i czwarty synchronizowane), wał napędowy z dwoma przegubami i przekładnią główną ze stożkowymi kołami zębatymi o spiralnym uzębieniu.
W końcowej części ramy, za tylnymi wieszakami resorów był zamocowany poprzecznie zbiornik paliwa o pojemności 60 l. Ta ilość benzyny zezwalała na pokonanie bez tankowania około 400-kilometrowej trasy.
Całkowita masa gotowego do jazdy podwozia typu *618* wynosiła około 1200 kg, masa zaś całej ciężarówki około 1850 kg. Znacznie cięższy, bo o około 250 kg, był

tak zwany samochód kawaleryjski typu *618*, zaprojektowany w Biurze Badań Technicznych Broni Pancernej w Warszawie dla oddziałów kawalerii zmotoryzowanej. Główne różnice występowały w konstrukcji nadwozia, które przystosowano do przewożenia 12 żołnierzy z pełnym obciążeniem (lub 8 żołnierzy + ckm + jednostka ognia lub 10 żołnierzy + 1 rkm + 4 jednostki ognia) i wyposażono w urządzenia specjalne, jak na przykład podstawa dla ckm-u lub rkm-u dostosowana do strzelań do celów powietrznych i urządzenia sygnalizacyjne (dzienne – za pomocą tarcz i nocne – różnokolorowymi lampami). Prototypowy egzemplarz zbudowano w PZInż. w drugiej połowie 1938 roku – po pomyślnym przeprowadzeniu prób planowano wykonać większą serię informacyjną.
Samochody typu *618* w wersji ciężarowej były używane do przewozu żołnierzy i sprzętu w różnych rodzajach broni, a z nadwoziami sanitarek były przewidziane przez Dowództwo Broni Pancernych jako podstawowy środek drogowego transportu medycznego dla 4 chorych leżących, wprowadzony etatowo w całych siłach zbrojnych.
Samochód *Polski FIAT 618 Grom* stał się podstawą do stworzenia dalszych specjalistycznych konstrukcji pochodnych, opracowanych w Biurze Studiów PZInż. w bardzo krótkim czasie. Jedną z nich był sześciokołowy samochód terenowy *Polski FIAT 618*, przeznaczony (w wersji sanitarnej) dla potrzeb Polskiego Czerwonego Krzyża oraz jako środek transportu dla obsługi naziemnej wojsk lotniczych. Nadwozie typu sanitarnego, opracowane w PZInż. według wytycznych Biura Badań Technicznych Broni Pancernych, mogło pomieścić 10 rannych siedzących na wygodnych tapicerskich ławach ustawionych wzdłuż jego ścian bocznych lub 4 chorych leżących, zajmujących te ławy i parę składanych noszy, zamocowanych ponad nimi na specjalnych wspornikach. Wejście do kabiny sanitarnej (drzwi dwuskrzydłowe) znajdowało się w jej tylnej ścianie. Nadwozie miało nieco uproszczoną formę. Górną część jego ścian bocznych zarówno w szoferce, jak i w kabinie sanitarnej, stanowiły brezentowe boczki (w szoferce z celuloidowymi szybkami), które zakładane w przypadku brzydkiej pogody chroniły obsługę i pasażerów. Koło zapasowe, przewożone w typowych sanitarkach *Polski Fiat 621* i *618* pod kabiną sanitarną, zamocowano na dachu kabiny, w przedniej jej części. Stało się tak między innymi dlatego, że samochód miał nietypowy system napędowy, z dwiema tylnymi osiami napędzanymi, wmontowanymi w seryjne podwozie typu *618*. Mechanizm napędowy dla 4 kół tylnych (koła tylnej osi miały bębny linowych „samowyciągaczy") został opracowany przez inż. Mieczysława Bekkera z PZInż. w formie urządzenia „doczepnego" w taki sposób, aby bez większych zmian i przeróbek było możliwe jego zastosowanie w seryjnym podwoziu. Obie tylne osie miały wspólne zawieszenie składające się z dwóch odwróconych półeliptycznych resorów piórowych, umocowanych wzdłużnie po bokach ramy. W końcu 1937 roku wykonano dwa takie mechanizmy, które wbudowano w podwozie. Masa podwozia bez karoserii wynosiła około 1650 kg, prędkość zaś pojazdu była tylko o 5 km/h niższa od prędkości modelu seryjnego. W początkach 1938 roku jeden z samochodów przeszedł próby w Biurze Badań Technicznych Broni Pancernych (między innymi jazdę terenową na trasie 3000 km), a później w Polskim Czerwonym Krzyżu. Stwierdzono dobre zdolności ruchowe na drogach gruntowych, nieutwardzonych, na drogach zaś wyboistych zawieszenie inż. Bekkera znacznie zmniejszało wstrząsy (w stosunku do tradycyjnego), co wpływało dodatnio na stan fizyczny i psychiczny przewożonych rannych. W wyniku badań nie ujawniono żadnych usterek projektowych i wykonawczych i na wiosnę 1939 roku zatwierdzono samochody do seryjnej produkcji. Masowe wytwarzanie samochodów *Polski FIAT 618* 4×6 mogło być przedsięwzięciem opłacalnym, gdyż poza systemem napędowym wszystkie elementy samochodów pochodziły z „półciężarówek" budowanych seryjnie.

Dane techniczne samochodu ciężarowego *Polski FIAT 618 Grom*

Samochód ciężarowy z drewniano-stalową zamkniętą kabiną kierowcy i drewnianą skrzynią ładunkową krytą brezentową opończą. Rama z kształtowników o profilu ceowym, z podłużnicami wygiętymi nad tylnym mostem i krzyżowymi poprzecznicami.

– *Silnik FIAT 118* (*PZInż. 157*), gaźnikowy, 4-cylindrowy, rzędowy, 4-suwowy, dolnozaworowy, chłodzony cieczą o pojemności skokowej 1944 cm^3. Stopień sprężania 6,1 : 1. Moc 45 KM (33,1 kW) przy 3600 obr/min.
– *Ogumienie*: *Polska Opona Stomil* o wymiarach 6,00×18".
– *Długość* 4720 mm, *szerokość* 1760–2000 mm, *wysokość* 2000–2100 mm, *rozstaw kół przednich* 1490 mm, *tylnych* 1540 mm, *rozstaw osi* 3050 mm.
– *Masa własna* około 1850 kg.
– *Prędkość maksymalna* 60 km/h.
– *Zużycie paliwa* około 15 l/100 km.

Samochody *Polski FIAT 618*
1, 2, 3 – samochód ciężarowy z drewniano-stalową kabiną kierowcy;
4 – jedna z kilku wersji nadwozia małego autobusu;
5 – ambulans 4×6 z czterokołowym wózkiem zamiast tylnej osi (z kołami bliźniaczymi);
6 – furgon zamknięty z radiostacją; zamknięte furgony Poczty Polskiej, Polskiego Radia i PLL „Lot" były podobne

1:35

1

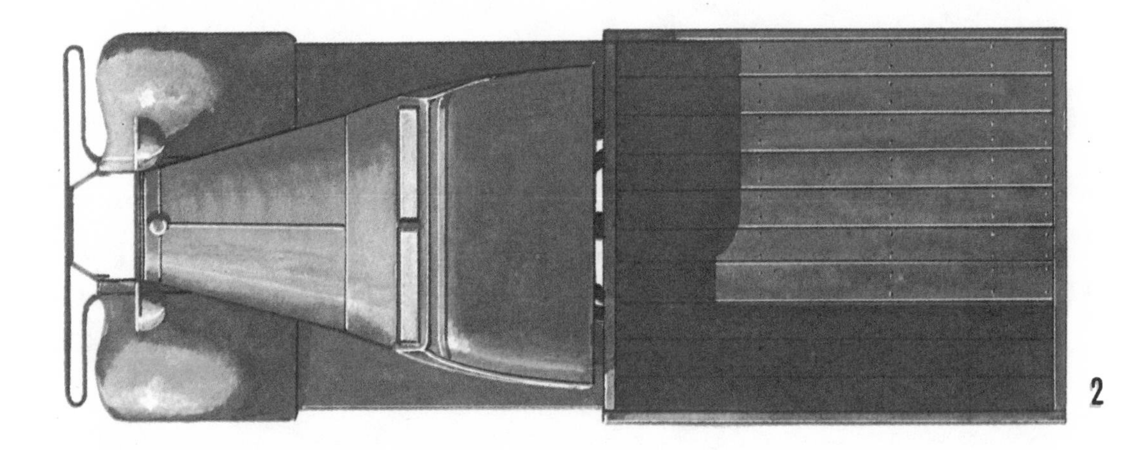

2

3

1:35
4

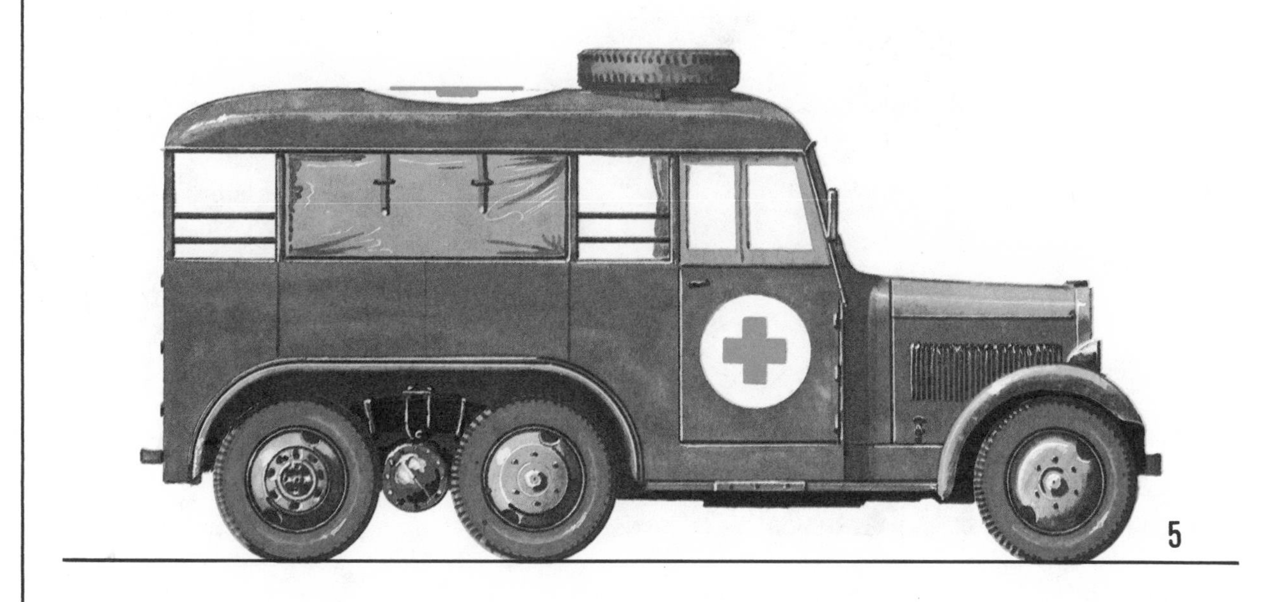
5

6

Samochody Saurer

W maju 1930 roku podpisano umowę licencyjną ze szwajcarską firmą Adolphe Saurer S.A. na produkcję (i sprzedaż) wszelkich samochodów przemysłowych tej marki, o ładowności większej niż 1,5 tony. Nazwą „samochody przemysłowe" objęto pojazdy z silnikami gaźnikowymi lub wysokoprężnymi przeznaczone do przewozu towarów lub publicznego transportu osób, to jest samochody ciężarowe, ciągniki, autobusy różnych typów, ambulanse pocztowe i pojazdy komunalne, jak: śmieciarki, polewaczki, zamiatarki oraz samochody pożarnicze w wielu odmianach. Umowa zapewniała ponadto możliwość wprowadzenia do produkcji wszystkich nowości Saurera oraz stałą współpracę konstrukcyjną i szkoleniową.

109. Samochód *Saurer* 5-tonowy z platformą do przewozu czołgów rozpoznawczych *TK* (Poznań, 1934 rok)

110. Autobus *Saurer* w służbie wojska (Wilno?, 1934 rok)

111. Autobus *Saurer* w wersji budowanej dla wojska i Komunikacji Samochodowej PKP

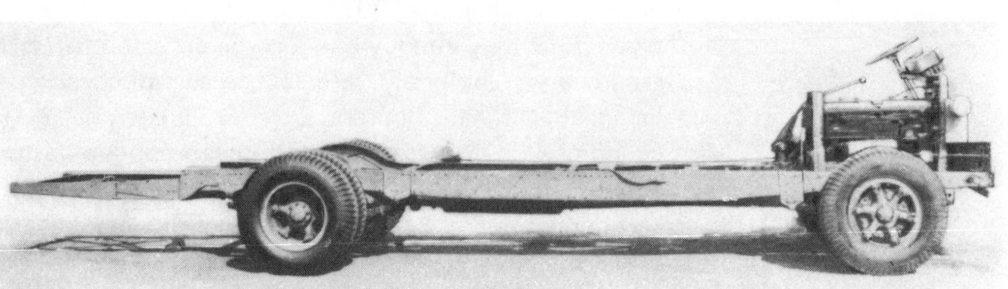

112. Podwozie autobusowe *Saurer 3 CT1D* (*PZInż. 153*)

113. Autobus *Saurer* Komunikacji Samochodowej PKP. Po lewej stronie radziecka kawaleria i piechota (Wilno, po 19 września 1939 roku)

W 5 lat później podpisano nową umowę dotyczącą produkcji (i sprzedaży) w Polsce wszystkich silników wysokoprężnych, czterosuwowych, o średnicy cylindra nie przekraczającej 150 mm (z wyjątkiem silników lotniczych), opracowanych przez firmę Saurer dotychczas i w przyszłości z zastrzeżeniem, że silniki te nie mogły być wykorzystywane do napędu samolotów i samochodów o liczbie miejsc mniejszej niż osiem.

Z bogatej gamy wyrobów Saurera wybrano w PZInż., w pierwszej fazie produkcji (od 1931 roku), podwozia ciężarowe 4- i 6-tonowe, budowane także w wersjach z podłużnicami obniżonymi z przodu i wygiętymi nad tylnym mostem, przeznaczone dla autobusów: modele podstawowe *3BLDPL* (4-tonowe) i *4BLDP* (6-tonowe), wyposażone w niezawodne 6-cylindrowe silniki typu *BLD.*

W drugiej połowie lat trzydziestych (około 1937 roku) zainteresowano się także najnowszym produktem szwajcarskiego partnera – podwoziem Saurer *3CT1D* o ładowności 5 ton. Zamierzano wprowadzić do masowej produkcji podwozia w dwóch odmianach: ciężarowe – *PZInż. 153C* i autobusowe – *PZInż. 153*, z tym samym nowoczesnym silnikiem *Saurer CT1D* (*PZInż. 155*), 6-cylindrowym, o pojemności skokowej 7980 cm^3 i mocy 100 km (73,6 kW) przy 1800 obr/min. Do wybuchu wojny zbudowano jedynie serie informacyjne oraz zgromadzono oprzyrządowanie i materiały do dalszego seryjnego wytwarzania.

Licencyjne silniki Saurera były produkowane w PZInż. w wersjach 6- i 4-cylindrowych. 6-cylindrowa jednostka napędowa to wspomniany już silnik *BLD*, zbudowany według systemu *ACRO–Diesel*, czyli z tak zwanymi czynnymi zasobnikami powietrza w komorach spalania głowicy cylindrów.

Silnik ten był jednak stosunkowo ciężki i nie nadawał się do napędu pojazdów wojskowych. Biuro Studiów PZInż. opracowało jego lżejszą i mocniejszą odmianę – *PZInż. 205* i *PZInż. 235* (*BLDb*). Blok cylindrowy nowej jednostki wykonano z alpaksu (12% Si, 88% Al) z żeliwnymi tulejami mokrymi, moc zaś podniesiono do 110–115 KM (81–84,6 kW) przy 1800 obr/min. Silniki te były między innymi stosowane w lekkich czołgach *7TP* i ciągnikach artyleryjskich *C7P*.

Produkcja silników czterocylindrowych, znacznie skromniejsza liczbowo od wymienionej powyżej, została zapoczątkowana typem *CRD* (*PZInż. 115*) o pojemności 4500 cm^3 i mocy 60 KM (44,1 kW) przy 2000 obr/min, później zaś wykonywano w niewielkich liczbach jego unowocześnioną odmianę – *CR1D* (*PZInż. 135*) o pojemności 5320 cm^3 i mocy 65 KM (47,9 kW) przy 2800 obr/min. Silnik ten stosowano między innymi do napędu krajowych 3,5-tonowych ciężarówek i autobusów typu *PZInż. 703, 713* i *723*, a także w próbnym, nowatorskim półgąsienicowym ciągniku artyleryjskim *PZInż. 202*.

Samochody *Saurer* budowane w PZInż. (a w pierwszym krótkim okresie tylko montowane) wyposażano także w nadwozia autobusowe. Były to pojazdy miejskie lub międzymiastowe, w zależności od wersji o 30–45 miejscach siedzących, w tym słynne warszawskie *Zawraty* z nadwoziami konstrukcji inż. Stanisława Panczakiewicza.

Autobusy były stosowane na terenie Warszawy i całego kraju, między innymi w komunikacji miejskiej Gdyni, Krakowa, Wilna oraz w komunikacji międzymiastowej, gdzie najpoważniejszym ich użytkownikiem była Komunikacja Samochodowa – przedsiębiorstwo prowadzone przez Polskie Koleje Państwowe. Stosowano je też w nieliniowych jednostkach wojskowych (szkoły, instytuty itp.). Pojazdy Komunikacji Samochodowej oraz większość autobusów komunalnych i prywatnych podlegały planowej mobilizacji. Uczestniczyły – jako transportowe i improwizowane sanitarki – w działaniach wojennych 1939 roku. Cięższe modele samochodów ciężarowych *Saurer* były używane na przykład w Wojsku Polskim jako platformy do przewozu czołgów rozpoznawczych *TK* i *TKS*.

Podwozia tych pojazdów charakteryzowały się solidnym wykonaniem. Rama prasowana z blachy stalowej, o profilu ceowym, była wzmocniona 4 poprzecznicami (użytkownicy nie wnosili nigdy skarg na jej zbyt słabą budowę, co zdarzało się często na przykład w pierwszych modelach licencyjnych autobusów *Polski FIAT 621*). W wydaniu autobusowym rama mogła być obniżona w części środkowej przez wygięcie podłużnic nad tylną osią. Zawieszenie przednie na resorach półeliptycznych połączonych z ramą przez tuleje gumowo-stalowe. Promień skrętu był dosyć duży i wynosił dla modelu *3BLDPL* – 7 m, dla *4BLDP* był o 1,2 m większy. Hamulec nożny, mechaniczny, z próżniowym urządzeniem wspomagającym działał na bębny 4 kół; ręczny tylko na koła tylne. W opisywanych podwoziach był zastosowany silnik *BLD* o mocy 85 KM (62,6 kW) zblokowany ze sprzęgłem wielotarczowym suchym i skrzynką biegów o czterech przełożeniach do jazdy w przód i biegu wstecznym. Napęd na oś tylną był przenoszony za pomocą wału z przegubem. Autobus 30-osobowy na podwoziu *3BLDPL* ważył około 6000–6600 kg, a 45-osobowy, *4BLDP*, 6909–7600 kg. Prędkość maksymalna obu modeli była zbliżona i wynosiła 76 i 74 km/h (z przekładnią przyspieszającą *Maybacha*), a zużycie oleju napędowego wynosiło około 24–28 l/100 km. Duża pojemność zbiornika paliwa – 100 l w mniejszym i 125 l w większym modelu – zezwalała na długą jazdę bez tankowania.

Dane techniczne podwozia autobusowego *4BLDP*
(w nawiasie podwozia ciężarowego *PZInż. 153C – Saurer 3CT1D*)

Rama stalowa o profilu ceowym, z 4 poprzecznicami (z 5 poprzecznicami),
– *Silnik* wysokoprężny 6-cylindrowy, 4-suwowy, górnozaworowy, chłodzony cieczą, umieszczony z przodu, napędzający koła tylne. Średnica cylindra 100 mm (110 mm), skok tłoka 150 mm (140 mm), pojemność skokowa 8550 cm^3 (7980 cm^3). Stopień sprężania 16,5:1 (16:1).
– *Ogumienie* o wymiarach 36×8 (9,75×20).
– *Długość* 8600 mm (7245 mm), *odległość podłużnicy od podłoża* 670 mm (690 mm), *szerokość* 2200 mm (2270 mm). *Rozstaw kół przednich* 1845 mm (1770 mm), *tylnych* 1700 mm (1720 mm), *rozstaw osi* 5800 mm (4100 mm).
– *Masa własna* podwozia około 4400 kg (3830 kg).
– *Prędkość maksymalna* z pełnym obciążeniem 59 km/h lub 74 km/h z przekładnią przyspieszającą (60 km/h – bez przekładni).
– *Zużycie paliwa* z pełnym obciążeniem około 26 l/100 km (24 l/100 km).

Samochody i autobusy *Saurer*
1, 2, 3 – autobus na podwoziu *3BLPL* z nadwoziem omnibus *BP242* konstrukcji szwajcarskiej, część samochodów *Saurer* miała nadwozie tego typu;
4 – samochód – platforma do przewozu czołgów *TK*, podwozie *Saurer 4BLDP*;
5 – autobus *Saurer* na podwoziu *4BLDP* z nadwoziem *PZInż.*, jednostka wojsk technicznych nie znana; autobusy Komunikacji Samochodowej PKP miały nadwozia takie same lub podobne

1:35
1
2
3

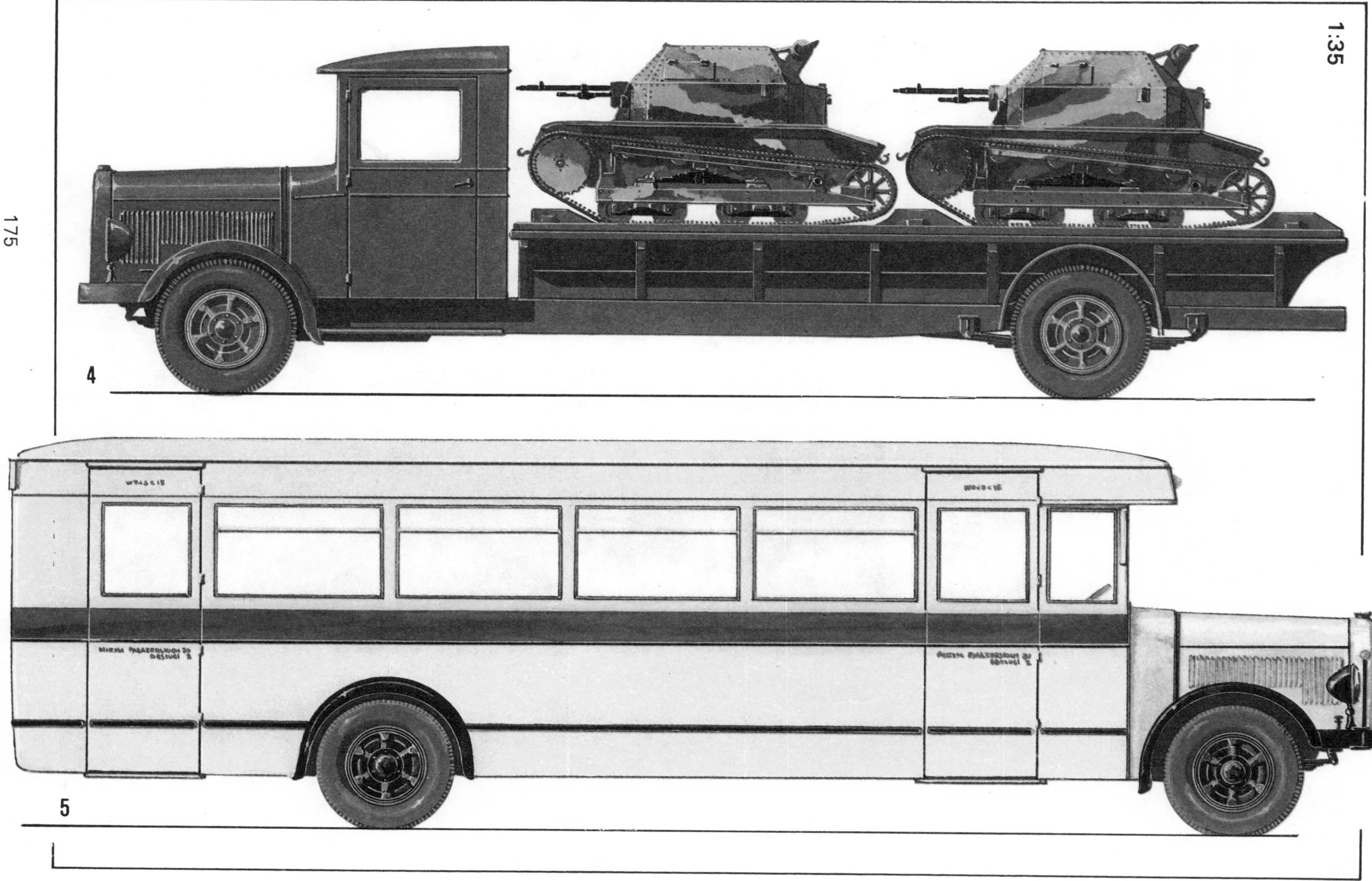

SAMOCHODY I AUTOBUSY SAURER

Samochody Chevrolet 157

W końcu 1936 roku Towarzystwo Przemysłowe Zakładów Mechanicznych „Lilpop, Rau i Loewenstein" S.A. w Warszawie rozpoczęło montaż wybranych modeli samochodów osobowych i ciężarowych amerykańskiej firmy General Motors Corporation. W myśl zawartego porozumienia GMC udzieliło także licencji na produkcję wybranego typu samochodu ciężarowego. Do krajowego wytwarzania wytypowano ciężarówkę *Chevrolet 157* o ładowności 3 ton, charakteryzującą się konstrukcją klasyczną (kabina kierowcy za silnikiem), prostą, funkcjonalną i wytrzymałą. Całkowicie stalowa szoferka miała 3-miejscową tapicerską kanapę, ukształtowanie zaś ramy podwozia (wytrzymałe podłużnice o profilu ceowym, w przedniej części lekko wygięte ku górze, z sześcioma poprzecznicami) zezwalało na ustawienie nie tylko skrzyni ładunkowej, lecz także na przykład jarzma dla jednoosiowej naczepy, stwarzając możliwość wykorzystania pojazdu jako ciągnik siodłowy. Samochód miał półosie typu odciążonego (co powodowało, że ich demontaż, prosty i krótkotrwały, był możliwy do wykonania w warunkach polowych) oraz skuteczne hamulce, zbudowane w tak zwanym systemie wodzikowym zapewniającym właściwe przyleganie szczęki do bębna w czasie hamowania i

114. Montaż ciężarowych samochodów *Chevrolet* w zakładach „Lilpopa"

115. Samochód ciężarowy *Chevrolet 157* z krajowego montażu

równomierne zużywanie się okładzin. Z innych nowoczesnych rozwiązań technicznych wymienić trzeba między innymi zastosowanie podciśnieniowego przyśpieszacza zapłonu, synchronizację 2, 3 i 4 biegu, gaźnik dolnossący o wysokiej sprawności, rozrusznik elektryczny włączany nożnym przyciskiem i 2 wycieraczki (napędzane w typowo amerykański sposób – silniczkiem pneumatycznym poruszanym za pomocą podciśnienia wytwarzanego w układzie ssącym silnika). Ciekawostką była możliwość zastosowania różnych wariantów łatwo wymiennych pomp wody i wentylatorów dostosowanych do warunków pracy pojazdu.
Początkowy montaż (z wzrastającą liczbą polskich zespołów) prowadził niezależny samochodowy dział fabryki, nazywany Koncesjonowaną Wytwórnią Samochodów „Lilpop, Rau i Loewenstein" S.A., z myślą zaś o produkcji licencyjnej rozpoczęto jesienią 1938 roku w Lublinie budowę fabryki samochodów (obecnie FSC Lublin). Planowana produkcja samych tylko silników wynosić miała 10 tys. sztuk na jedną zmianę w skali rocznej. Silniki miały być stosowane we wszystkich typach samochodów tej marki budowanych w Polsce.
Pracami teoretycznymi, w pierwszym rzędzie przystosowaniem amerykańskiej dokumentacji technicznej do polskich warunków produkcyjno-eksploatacyjnych, zajęło się samodzielne Samochodowe Biuro Konstrukcyjne, zorganizowane i kierowane przez inż. Aleksandra Rummla. Biuro prowadziło także prace konstrukcyjno-badawcze i rozwojowe w zakresie pojazdów własnej produkcji. Zostało zaproponowane wzmocnienie ramy, sworzni zwrotnic oraz wąsów i sworzni kierowniczych, przekonstruowanie skrzynki biegów, tak aby zmiana przełożeń odbywała się przesuwaniem nie kół zębatych, lecz sprzęgieł kołowych – przedłużyłoby to pracę skrzynki biegów, bez utraty zamienności ze skrzynkami oryginalnymi. Proponowano też zmianę silników oryginalnych na wzajemnie wymienne i właściwie identyczne silniki *Opla**[*)], stosowane w 3-tonowych ciężarówkach *Blitz* i samochodach osobowych *Admiral.* Silniki *Opla* różniły się od chevroletowskich jedynie układem metrycznym, tłokami aluminiowymi (w silnikach *Chevrolet* tłoki były żeliwne) oraz usprawnionym systemem smarowania. Po uzyskaniu zgody dyrekcji „Lilpopa" oraz licencjodawcy przystąpiono do wykonania dwóch prototypów. Mając nadzieję na wprowadzenie licencyjnych samochodów, których pełna krajowa produkcja miała się rozpocząć w 1940 roku, do wyposażenia sił zbrojnych, zgłoszono udział samochodów *Chevrolet* w rajdach wojskowych. Ze względu na dużą moc silnika, małą masę i należyty dobór przełożeń wyniki nie należały do najgorszych. W celu poszerzenia asortymentu opracowano (inż. A. Rummel) odmianę z napędem na 4 koła. Wiosną 1939 roku brała ona udział w ciężkim rajdzie i wykazała doskonałe właściwości terenowe.

[*)] Niemiecka firma „Adam Opel" AG weszła w skład GMC w 1929 roku.

Prace nad „polonizacją" licencyjnej ciężarówki postępowały bardzo szybko. Obok takich elementów polskiej produkcji, jak: ogumienie, akumulatory, tapicerka, lakiery, płyny hamulcowe, narzędzia, używane do wszystkich montowanych samochodów, od czerwca 1939 roku stosowano do wozów licencyjnych inne elementy krajowej produkcji: ramy, resory, koła, skrzynki biegów, zbiorniki paliwa, chłodnice oraz układy hamulcowe. Ponadto zamówiono już u krajowych wytwórców inne ważne elementy: osie przednie, wyposażenie elektryczne i wskaźniki, oblachowanie kabiny i błotniki oraz układy kierownicze.
W 1938 roku II wiceminister Spraw Wojskowych gen. Aleksander Litwinowicz zatwierdził zapotrzebowanie sił zbrojnych na 10 000*) podwozi ciężarowych *Chevrolet* głównie typu *157*. Zapotrzebowanie przekazano do realizacji zakładom Lilpopa. Od stycznia 1939 roku rozpoczęto sukcesywne dostawy pojazdów ciężarowych głównie dla potrzeb jednostek saperskich i broni pancernej. Uzyskanie wojskowego zamówienia było wynikiem zwiększającej się sukcesywnie grupy podzespołów pochodzenia krajowego, gdyż jeszcze 2 lata wcześniej (w chwili rozpoczęcia montażu) gen. Litwinowicz odrzucił ofertę Zakładów dotyczącą ambulansu rentgenowskiego na podwoziu *Chevrolet 157*, uzasadniając odmowę faktem zastosowania pojazdu zagranicznego wytwórcy.
Samochody *Chevrolet 157* brały udział w wojnie 1939 roku jako etatowe środki transportu między innymi w Warszawskiej Brygadzie Pancerno-Motorowej. W różnych oddziałach znalazły się też samochody pochodzące z cywilnych rekwizycji. Pojazdy wykazały pełną przydatność do działań w warunkach bojowych.

*) Na skutek braku jednoznacznego określenia w zachowanych dokumentach zarówno liczby podwozi, jak i sformułowania „zatwierdził" źródłem zapisu są relacje.

Dane techniczne samochodów ciężarowych *Chevrolet 157*

Samochód ciężarowy, z zamkniętą stalową kabiną kierowcy i drewnianą skrzynią ładunkową. Rama z kształtowników stalowych o profilu ceowym, z sześcioma poprzecznicami.
– *Silnik* gaźnikowy, 6-cylindrowy, 4-suwowy, górnozaworowy, chłodzony cieczą, o pojemności skokowej 3600 cm^3. Stopień sprężania 7,5:1. Moc 78 KM (57,4 kW) przy 3200 obr/min.
– *Rozstaw osi* 3988 mm.
– *Masa własna* 3200 kg.
– *Szybkość maksymalna* około 80 km/h.
– *Zużycie paliwa* około 28 l/100 km.

Samochody Praga RV

Na krótko przed wybuchem wojny (przypuszczalnie w początkach trzeciego kwartału 1939 roku) Wojsko Polskie otrzymało 300 terenowych, 3-osiowych (o dwóch tylnych osiach napędzanych) ciężarówek *Praga RV* o ładowności 2000 kg. Samochody te w ramach umowy polsko-niemieckiej stanowiły część rozliczeń III Rzeszy za tranzyt kolejowy przez nasz kraj do Prus Wschodnich. Te nowiutkie samochody, produkowane w stolicy Czechosłowacji w zasłużonej firmie „Prażska Automobilowà Tovarna – Prager Automobil Fabrik, PAT-PAF" od 1935 do 1939 roku, zostały zagrabione przez hitlerowców w wyniku kolejnych zaborów ziem tego kraju (jesień 1938 – zagarnięcie Sudetów, marzec 1939 – utworzenie okupowanego Protektoratu Czech i Moraw oraz „niepodległej" Słowacji)*).

*) Druga wersja głosi, że był to wynik rozliczeń Czechosłowacji za tranzyt kolejowy przez Polskę do portów bałtyckich, spłacany w części samochodami *Praga RV*. Pojazdy te przybyły do Polski podobno w pierwszym kwartale tegoż roku.

116. Samochód ciężarowy, terenowy *Praga RV*

Ciężarówki były docierane w jazdach terenowych przez szeregowych rezerwy, z zawodu kierowców, zapewne z 10 Brygady Kawalerii. W dniu 1 września 1939 roku w 10 Pułku Strzelców Konnych, wchodzących w skład 10 Brygady Kawalerii, znajdowało się między innymi 21 samochodów *Praga* (po 7 na szwadron) i 1 samochód tej marki z nadwoziem warsztatowym. 22 pojazdy znajdowały się w 24 Pułku Ułanów. 1 Pułk Strzelców Pieszych (zmotoryzowanych) z Warszawskiej Brygady Pancerno-Motorowej był wyposażony w taką samą liczbę samochodów *Praga*. Losy pozostałych samochodów *Praga RV* w Wojsku Polskim nie są dokładnie znane. Istnieją przypuszczenia, że 28 sierpnia znalazły się w 5 Baonie Pancernym w Krakowie i brały udział w walkach w ramach oddziałów transportowych Armii „Karpaty" i „Kraków". Podobno po 17 września kilkanaście (kilkadziesiąt?) samochodów *Praga RV* wpadło w ręce wojsk radzieckich, a kilkadziesiąt po zakończeniu działań znalazło się na Węgrzech wraz z oddziałami polskimi.
Terenowy samochód *Praga RV* był nowoczesną konstrukcją z całkowicie metalową kabiną kierowcy i drewnianą skrzynią ładunkową (często o wysokich burtach) krytą brezentową opończą, o klasycznych rozwiązaniach technicznych. Samochód wykazywał dobre walory trakcyjne zarówno na szosie, jak i w terenie. Na bazie modelu *RV* opracowano typ *AV*, ściśle wojskowy (wyposażony w ten sam 6-cylindrowy silnik). Typ ten w 1937 roku uzyskał odpowiednik dzisiejszego „znaku jakości" i był używany w czeskiej armii.

Dane techniczne samochodu *Praga RV*

Terenowy samochód ciężarowy, ze stalową kabiną kierowcy i drewnianą skrzynią ładunkową.
– *Silnik Praga*, gaźnikowy, 6-cylindrowy, rzędowy, 4-suwowy, dolnozaworowy, chłodzony cieczą, o pojemności skokowej 3468 cm^3. Stopień sprężania 5,8:1. Moc 68 KM (50 kW) przy 3000 obr/min.
– *Ogumienie* o wymiarach 6,00×20.
– *Długość* 5690 mm, *szerokość* 2000 mm, *wysokość* 2090 mm (2500 mm z opończą skrzyni ładunkowej), *rozstaw osi* I–II 3100 mm, II–III 920 mm, *rozstaw kół przednich* 1350 mm, *rozstaw kół tylnych* 1500 mm.
– *Masa własna* 3800 kg.
– *Prędkość maksymalna* 60 km/h.
– *Zużycie paliwa* 35 l/100 km.

Samochody PZInż. 703, PZInż 713, PZInż. 723

Podstawowym modelem wojskowego samochodu ciężarowego w drugiej połowie lat trzydziestych był 2,5-tonowy *Polski FIAT 621L*, pojazd o niewielkiej ładowności i mimo licznych modernizacji będący już pojazdem przestarzałym. W Państwowych Zakładach Inżynieryjnych rozpoczęto już w 1936 roku opracowanie własnej konstrukcji. Konieczność stworzenia krajowego samochodu ciężarowego o większej ładowności (a później także specjalnych wersji pochodnych) była podyktowana w pierwszym rzędzie względami militarnymi oraz występującymi coraz silniej w PZInż. tendencjami do oderwania się od firmy FIAT jako licencjodawcy. Zbudowanie polskiej ciężarówki o ładowności 3,5 tony było więc istotnym krokiem ku motoryzacyjnej samodzielności. Pierwszy wariant pojazdu, oznaczony symbolem *PZInż. 703*, miał kabinę kierowcy umieszczoną za silnikiem. Projektantami była grupa inżynierów z Biura Studiów w składzie: Mieczysław Dębicki, Ludomir Jakusz, Kazimierz Niewiarowski, Mieczysław Skwierczyński, Uzdowski (kompletne podwozie z zespołami przeniesienia napędu), Wacław Cywilski i Jan Werner (silnik) oraz Stanisław Panczakiewicz (nadwozie).

Wariant drugi, *PZInż. 713*, przekonstruowany gównie przez inżynierów Mieczysława Dębickiego i Stanisława Panczakiewicza, zachował podstawowe parametry techniczno-eksploatacyjne swego poprzednika. Różnice występowały w zasadzie tylko w konstrukcji szoferki, w której miejsca kierowcy i pomocnika były umieszczone po obu stronach silnika.

117. Samochód *PZInż. 703* o ładowności 3,5 t

118. Samochód *PZInż. 703* z boku

119. Samochód 3,5--tonowy *PZInż. 713* w czasie badań drogowych

120. Samochód *PZInż. 713* na wojskowym moście pontonowym

121. Autobusy *PZInż. 723G*

Zmiana ta spowodowała powiększenie powierzchni skrzyni ładunkowej (jej długość – przy zachowaniu dotychczasowej nośności – wzrosła z 4 do prawie 5 metrów).
Podwozie typu *713* było przeznaczone także do wyposażenia w nadwozie autobusu o 30 miejscach siedzących (oznaczonego symbolem *PZInż. 723*). Nowoczesne nadwozie zaprojektował Mieczysław Łukawski. Wersję z napędem gazem generatorowym (modele *713* i *723*) stworzył na bazie niemieckich konstrukcji typu *Imbert* inż. Kazimierz Twardowski.
Do września 1939 roku wyprodukowano pierwszą partię (100 sztuk) samochodów ciężarowych *703* i *713*. Była to seria próbna, wykonana już na obrabiarkach i oprzyrządowaniu przygotowanym do masowego wytwarzania, które miało się rozpocząć w 1940 roku.i wynosić 12–20 tysięcy sztuk rocznie.
Ważnym elementem wyróżniającym rodzinę samochodów *PZInż. 703-713-723* była kabina kierowcy wykonana jako konstrukcja całkowicie stalowa. W modelu *723* (autobus z 30-osobowym nadwoziem) blachy poszycia nadwozia były przymocowane do stalowej konstrukcji nośnej mającej postać szkieletu przejmującego wszelkie obciążenia. Słupki były wykonane z kątowników, a poprzeczki z elementów o profilu ceowym. Nadwozie, jak wszystkie konstrukcje szkieletowe, charakteryzowało się stosunkowo dużą masą i niezbyt wielką wytrzymałością. Kabina samochodu *PZInż. 703*, klasyczna, z silnikiem wbudowanym przed miejscem kierowcy i osłoniętym oblachowaniem, nawiązywała do zagranicznych konstrukcji tej klasy. Dostęp do jednostki napędowej był łatwy, lecz szoferka z wysuniętym silnikiem zajmowała dosyć dużą część długości pojazdu. W modelu *713* zastosowano krótką kabinę typu wagonowego o nachylonej przedniej ścianie. Silnik pojazdu był wbudowany do wnętrza (nad przednią osią) i osłonięty pokrywą z izolacją termiczną i akustyczną. Kabina wagonowa stanowiła rozwiązanie o nowoczesnym charakterze, wykazującym znaczną wyższość nad konstrukcją klasyczną. Przy tej samej długości ramy zwiększyła się powierzchnia użytkowa, wzrosło też bezpieczeństwo jazdy i łatwość prowadzenia. Ważnym elementem było również zastosowanie dwóch wycieraczek, odrębnych dla obu części dzielonej szyby przedniej (w wielu ówczesnych pojazdach wycieraczka przedniej szyby była montowana wyłącznie przed siedzeniem kierowcy). Przewietrzanie kabiny odbywało się za pomocą opuszczanych szyb w drzwiach bocznych (*PZInż. 703*) lub szyb przesuwanych: w modelu *713* w drzwiach, w autobusie *723* w ścianach bocznych nadwozia. Pomocniczą rolę odgrywały nawiewniki, sterowane z wnętrza pojazdu.
Starannie zaprojektowano wnętrza kabin. W kabinie klasycznej zamontowano trzyosobową tapicerską kanapę krytą skórą, w wagonowej zaś dwa foteliki z tapicerskim pokryciem. Dwa przednie fotele (po obu stronach silnika) w kabinie autobusu *PZInż. 723* były tego samego typu, natomiast siedzenia pasażerskie wykonano jako konstrukcje rurowe z tapicerskimi poduszkami pokrytymi kombinacją skóry i tkaniny. Zastosowano także opartą na amerykańskich wzorach nowość – podłużne półki bagażowe nad siedzeniami. Tablica rozdzielcza nawiązywała układem do rozwiązań stosowanych w samochodach osobowych, zblokowany zaś zespół wskaźników umieszczono zgodnie z zasadą ergonomii.
Podstawowym elementem nośnym samochodów *PZInż. 703-713-723* była rama zamknięta, z podłużnicami o zmiennym profilu (w części centralnej o przekroju prostokątnym, w częściach przedniej i tylnej – ceowym). Podłużnice wygięto – w celu obniżenia pojazdu – nad tylnym mostem. Wersja autobusowa (typ *723*) była przedłużona o 680 mm. Dodano też jedną ceową poprzecznicę zamykającą przedłużoną część, przez co ich liczba wzrosła do sześciu. Rama autobusowa miała ponadto wsporniki wysięgowe do mocowania nadwozia, a odmiany *713* i *723* z napędem gazem generatorowym – dodatkowe wsporniki dla gazogeneratora i uchwyty instalacji zasilania.

W samochodach *PZInż. 703-713-723* montowano rzędowe silniki 4- i 6--cylindrowe, o rozrządzie górnozaworowym, chłodzone cieczą w obiegu wymuszonym. Do wyboru były trzy jednostki napędowe: dwie gaźnikowe konstrukcji krajowej, *PZInż. 705* i *PZInż. 725G* (G – gazogeneratorowa) oraz wysokoprężna, *PZInż. 135* (*Saurer CR1D*) produkowana na podstawie szwajcarskiej licencji. Silnik typu *725* stanowił – w wersji podstawowej – wzmocnioną odmianę modelu *705*. Zastosowanie do napędu tego silnika paliwa gazowego z generatora (gaz drzewny był w okresie II Rzeczypospolitej najtańszym paliwem) spowodowało natomiast spadek mocy o około 7% w stosunku do typu *705*, to jest do wartości 65 KM (47,8 kW), osiąganej przez silnik wysokoprężny *PZInż. 135*. Kadłuby silników były wykonane ze stopów lekkich (w *PZInż. 705* i *725* glinowo-krzemowych), głowice zaś z żeliwa. Tłoki pracowały w żeliwnych tulejach cylindrowych, mokrych, wymiennych. Wszystkie jednostki napędowe miały kute wały korbowe wykonane ze stali wysokogatunkowej, z utwardzonymi powierzchniami nośnymi. Benzynę ze zbiornika o pojemności 105 l (umieszczonego w ciężarówce pod siedzeniem kierowcy) podawała pompa przeponowa, napędzana od wałka rozrzędu. Układ zasilania silnika *PZInż. 725* był rozbudowany i zawierał obok generatora *Imbert 600* (budowanego licencyjnie w firmie Haveka w Toruniu), rurkowej chłodnicy gazu, oczyszczalników: korkowego i osadowego, mieszalnika oraz rozruchowej dmuchawy elektrycznej także gaźnik biegu jałowego, zasilany benzyną z niewielkiego zbiornika.
Niezależnie od modelu pojazdu i rodzaju jednostki napędowej stosowano jeden typ skrzynki biegów. Biegi 2, 3 i 4 miały przekładnie cichobieżne. Na żądanie skrzynka biegów mogła być wyposażona w terenowy reduktor. Przekładnia tylnego mostu stożkowa, o zębach spiralnych charakteryzowała się stosunkiem przełożeń jednakowym dla wszystkich modeli. Na życzenie zamawiającego mechanizm różnicowy mógł być wyposażony w samoczynną blokadę.
Istotną nowością zastosowaną w samochodach *713* i *723* był hydrauliczny układ hamulcowy z pneumatycznym wspomaganiem (*PZInż. 703* nie miał wspomagania). Pompa hamulcowa i podciśnieniowe urządzenie wspomagające systemu *Westinghouse* znajdowały się w miejscu łatwo dostępnym, przymocowane od zewnątrz do podłużnicy ramy pod kabiną kierowcy (w autobusie – na wysokości skrzynki biegów). Bębnowe hamulce wszystkich kół były zbudowane w systemie tak zwanym wodzikowym, zapewniającym lepsze dociski szczęki do bębna w czasie hamowania i równomierne zużywanie się okładzin. Hamulec pomocniczy, sterowany mechanicznie, działał na bęben osadzony na wale napędowym lub rzadziej – zwłaszcza w podwoziach autobusowych – na szczęki hamulcowe bębnów kół tylnych. Niektóre podwozia były wyposażone w wspornik górski przymocowany do środkowej poprzecznicy ramy, opuszczany za pomocą systemu cięgien giętkich i wbijany w grunt w razie postoju na pochyłości.
Nowocześnie rozwiązano konstrukcję przedniego i tylnego zawieszenia. Obie sztywne osie były zawieszone na półeliptycznych podłużnych resorach piórowych. W przypadku osi przedniej zastosowano typowe resory połączone ze wspornikami za pomocą tulei gumowo-stalowych. W zawieszeniu tylnym oś napędowa była zamocowana między resorem głównym (nad nim) a dwupiórowym resorem pomocniczym. W miejscach stałego połączenia resorów tylnych ze wspornikami ramy zastosowano tuleje gumowo-stalowe. Komfort jazdy podnosiło zastosowanie hydraulicznych amortyzatorów ramieniowych dla kół osi przedniej. W podwoziu autobusowym typu *723* amortyzatory zastosowano również na osi tylnej. Stosunkowo krótkie rozstawy osi w odniesieniu do długości całkowitej sprawiały, że pojazdy były dość zwrotne. Średnice zawracania wynosiły: *PZInż. 703* i *713* – 15 m, *PZInż. 723* – 17 m. W zależności od zastosowanej jednostki napędowej i przeznaczenia pojazdu zdolność do pokonywania wzniesień (z obciążeniem na twardym podłożu, bez reduktora) wynosiła: dla pojazdów z silnikami gaźnikowymi

27%, dla ciężarówek z napędem gazem generatorowym (*714G*) mniejsza o 5%, a dla autobusów z silnikiem wysokoprężnym (*PZInż. 723D*) – 21%. Najniższą zdolność do pokonywania wzniesień – 20% – wykazuje autobus z napędem gazem generatorowym (*typ 723G*).

Nowe ciężarówki były przewidziane do służby we wszystkich rodzajach wojsk i broni jako pojazdy transportowe i specjalne, z nadwoziami różnych typów. Ich losy w kampanii wrześniowej były niezwykle barwne. Pewna część weszła w skład liczącego ponad sto samochodów konwoju transportującego zagrożone przez Niemców zasoby złota Banku Polskiego z Warszawy do Rumunii. Spora grupa opuściła Warszawę w pierwszych dniach września wraz z potężnym konwojem ewakuacyjnym PZInż. wiozącym pracowników, maszyny, urządzenia, dokumentację techniczną i części do montażu samochodów na wyznaczone stanowisko poza linię obronną rzeki Bug i po 17 września wpadła – wraz z nim – w ręce wojsk radzieckich. Z kolumny 300 ewakuujących się wówczas pojazdów różnych typów do Warszawy powrócił jedynie autobus z napędem gazem generatorowym *PZInż. 723G*. Kilka, a może kilkanaście pojazdów (głównie typu *703*) spotykano też w oddziałach wojskowych na trasie odwrotu, lecz o ich dalszych losach brak jest wiadomości. Pewną liczbę nie skarosowanych podwozi typu *713*, wyposażonych tylko w siedzenie dla kierowcy, widziano w ZSRR po zakończeniu działań wojennych.

Dane techniczne samochodu *PZInż. 703 BC* (w nawiasie *PZInż. DC*)

Samochód ciężarowy z zamkniętą, stalową kabiną kierowcy i drewnianą skrzynią ładunkową.

– *Silnik PZInż. 705*, gaźnikowy, 6-cylindrowy, 4-suwowy, górnozaworowy, chłodzony cieczą, o pojemności skokowej 4670 cm^3. Stopień sprężania 6,1:1. Moc 75 KM (55,2 kW) przy 2400 obr/min. (Wysokoprężny *PZInż. 135*, 6-cylindrowy, chłodzony cieczą, o pojemności skokowej 5320 cm^3. Stopień sprężania 16:1. Moc 65 KM, czyli 47,8 kW przy 1800 obr/min).
– *Ogumienie* o wymiarach 230×20".
– *Długość* 6950 mm, *szerokość* około 2250 mm, *wysokość* około 2600 mm, *rozstaw osi* 3900 mm, *rozstaw kół przednich* 1700 mm, *tylnych* 1720 mm, *prześwit* 245 mm.
– *Masa własna* 3580 kg (3700 kg).
– *Prędkość maksymalna* około 80 km/h (około 70 km/h).
– *Zużycie paliwa* 30 l/100 km (20 l/100 km).

Dane techniczne samochodu *PZInż. 713BC* (w nawiasie autobusu *PZInż. 723G*)

Samochód ciężarowy z zamkniętą stalową kabiną kierowcy i drewnianą skrzynią ładunkową (autobus z nadwoziem stalowym, szkieletowym).

– *Silnik PZInż. 705* – dane jak dla samochodu *PZInż. 703BC* (*PZInż. 725G*, gaźnikowy, napędzany gazem generatorowym – drzewnym, 6-cylindrowy, 4--suwowy, górnozaworowy, chłodzony cieczą, o pojemności skokowej 5180 cm^3. Stopień sprężania 9,5:1. Moc 65 KM, czyli 47,8 kW przy 2800 obr/min).
– *Ogumienie* o wymiarach 230×20".
– *Długość* 7150 mm (7850 mm), *szerokość* 2350 mm, *wysokość* 2500 mm, *rozstaw osi* 3900 mm (4400 mm), *rozstaw kół przednich* 1700 mm, *tylnych* 1720 mm, *prześwit* 245 mm.
– *Masa własna* 3580 kg (5700 kg).
– *Prędkość maksymalna* około 80 km/h (około 65 km/h).
– *Zużycie paliwa* 30 l/100 km (80 kg drewna /100 km).

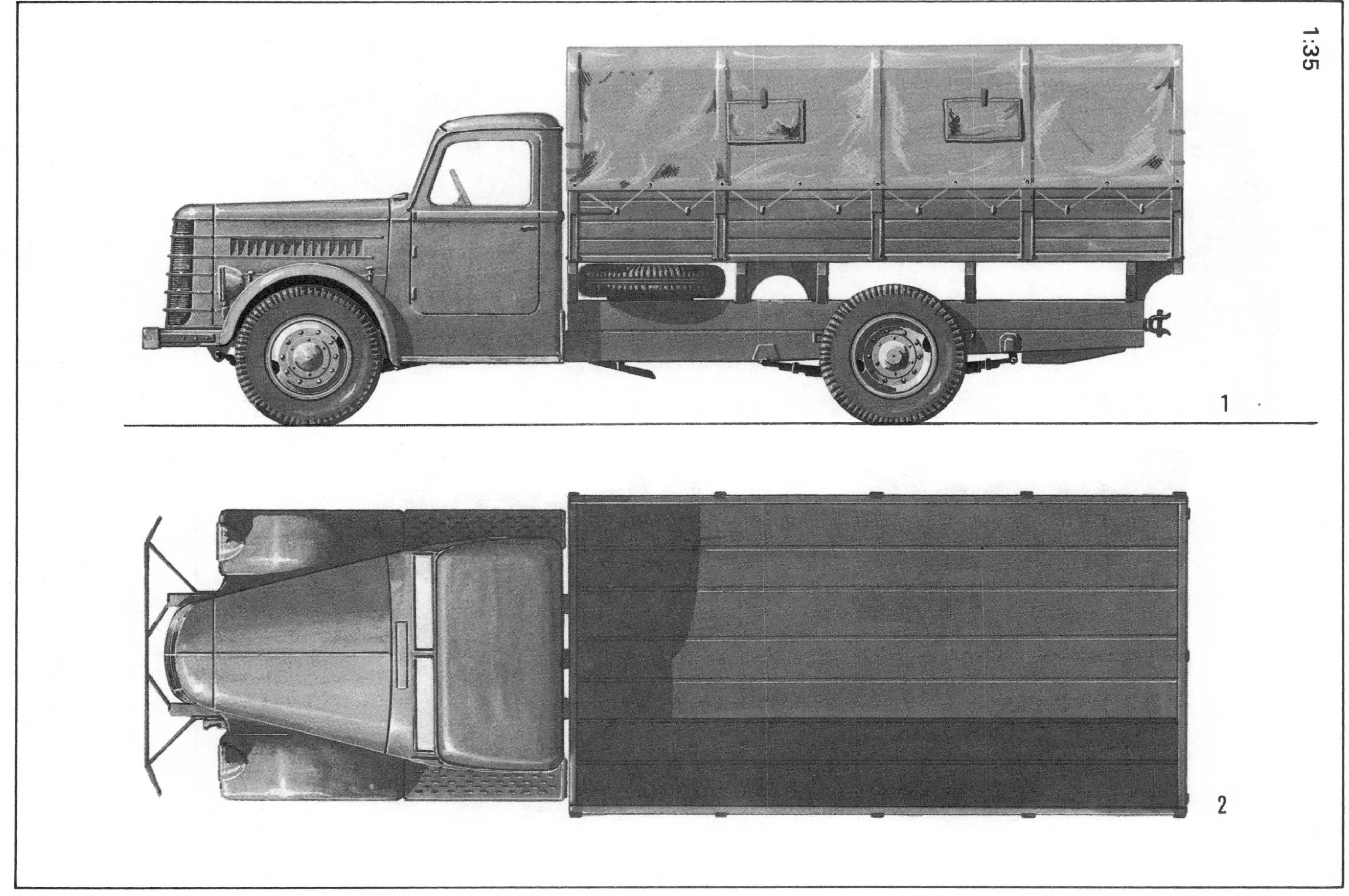

SAMOCHÓD CIĘŻAROWY PZInż. 703

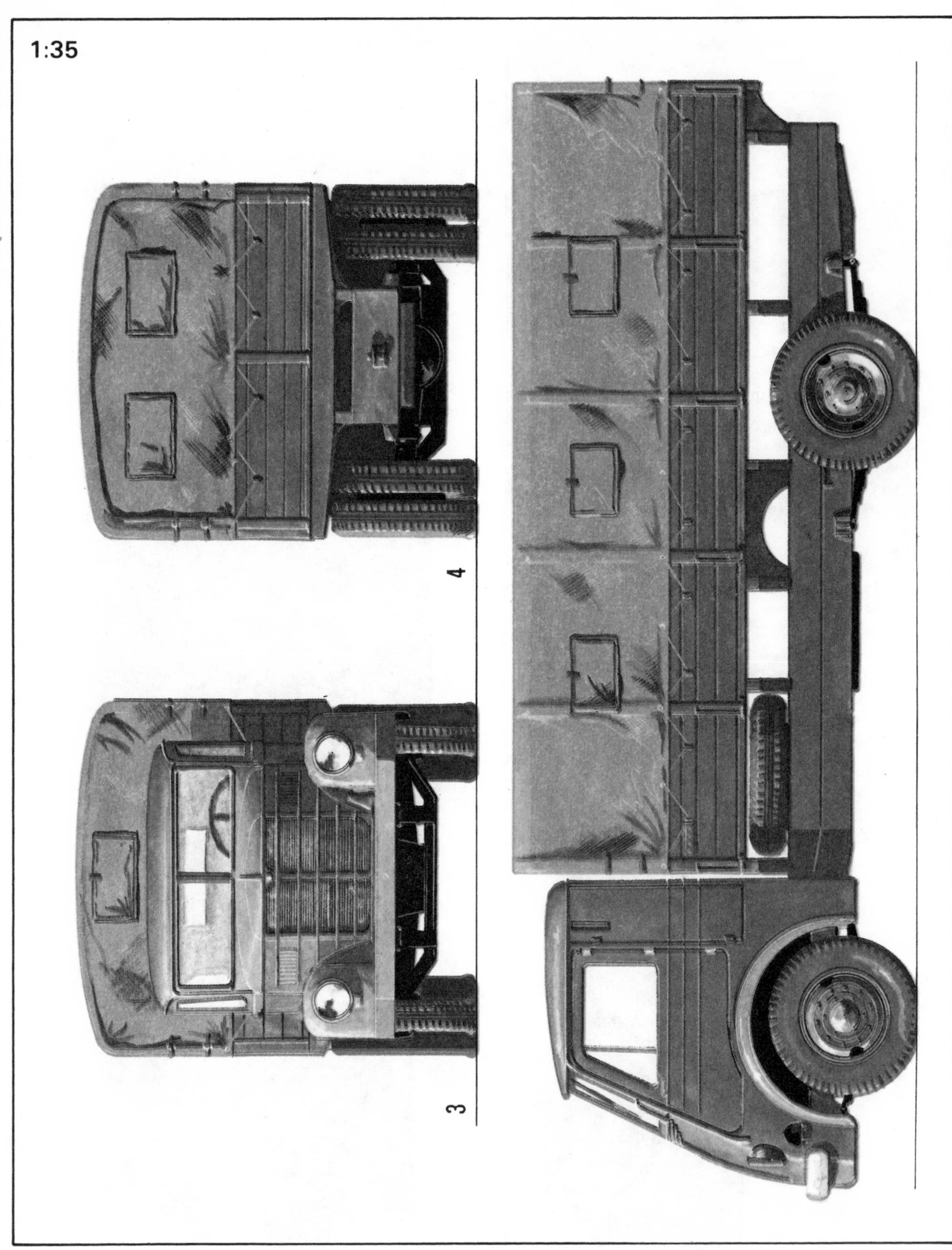

Samochód ciężarowy *PZInż. 703*
1, 2, 3, 4 – samochód prototypowy z malowaniem ochronnym; pojazdy z serii informacyjnej mogły mieć malowanie kamuflażowe
Samochód ciężarowy PZInż. 713 (prototyp)

Samochody PZInż. 603

W końcu 1937 roku zbudowano w PZInż. nowoczesną ciężarówkę *PZInż. 703* o ładowności 3,5 tony. Pojazd miał kilka interesujących wersji pochodnych, w tym między innymi 2–2,5-tonowy samochód ciężarowy oznaczony symbolem *603*, zunifikowany w 75% elementów z modelem podstawowym. Konstruktorami wersji podstawowej i pojazdów pochodnych byli inżynierowie Ludomir Jakusz i Uzdowski (rama), Wacław Cywiński i Jan Werner (silnik), Stanisław Panczakiewicz (nadwozie), Kazimierz Niewiarowski (przeniesienie napędu), Mieczysław Skwierczyński (most tylny, układ hamulcowy) i Mieczysław Dębicki (układ kierowniczy).
PZInż. 603, zatwierdzony do produkcji od 1940 roku, miał być wytwarzany także w odmianach specjalnych jako sanitarka, elektrownia polowa, transporter reflektorów przeciwlotniczych itp. Stworzono dwie podstawowe wersje: szosową – szybką, z 6-cylindrowym silnikiem o mocy 75 KM (55,2 kW) *PZInż. 705* oraz lżejszą uterenowioną (oznaczenie *603–W*) o ładowności w terenie 1600 kg, z silnikiem *PZInż. 625*, 4-cylindrowym, o mocy 60 KM (44,1 kW) i pewnymi zmianami w

122. Ciężarowy samochód terenowy *PZInż. 603*

123. Samochód *PZInż. 603* z prawej

konstrukcji podwozia. Prace nad realizacją silnika typu *625*, jednym z najnowszych projektów PZInż. w tej dziedzinie, znacznie się opóźniły. Prototypy obu wersji wykonane w drugiej połowie 1938 roku wyposażono w 6-cylindrową jednostkę napędową. Silniki charakteryzowały się nowoczesną konstrukcją. Były to jednostki gaźnikowe, w układzie rzędowym, z rozrządem górnozaworowym popychaczowym, chłodzone cieczą w obiegu wymuszonym i jak na owe czasy bardzo lekkie (typ *625* – 250 kg wraz z osprzętem, *705* – 330 kg), gdyż ich kadłuby były wykonane ze stopu glinowo-krzemowego. Z żeliwa odlano tylko głowice i tuleje cylindrowe mokre, wymienne. Zastosowanie tulei tego rodzaju i dużych otworów kontrolno-naprawczych w bloku silnika (zamykanych metalowymi pokrywami) powodowało znaczne uproszczenie czynności obsługowo-remontowych.

Benzynę, ze zbiornika o pojemności 75 l umieszczonego w środkowej części pojazdu, podawała pompa przeponowa napędzana od wałka rozrządu. Silniki miały ten sam rodzaj filtrów: paliwowy typu osadnikowego i olejowy – metalowy, szczelinowy. W instalacji elektrycznej obu jednostek napędowych znajdowała się prądnica 12 V 100 W, rozrusznik o mocy 1,3 KM (0,36 kW) i akumulatory o pojemności 60 A·h.

Niezależnie od modelu pojazdu i rodzaju silnika z jednostką napędową współpracowała skrzynka biegów o 4 przełożeniach do jazdy w przód i biegu wstecznym. Trzy wyższe biegi miały przekładnie cichobieżne. Przekładnia tylnego mostu, stożkowa, o zębach spiralnych była jednakowa dla wszystkich modeli ciężarówek konstrukcji PZInż. Na życzenie odbiorcy mechanizm różnicowy wyposażono w samoczynną blokadę, ułatwiającą wyjazd z ciężkiego terenu. Model *603-W* miał ponadto reduktor o przełożeniu szosowym i terenowym przy tylnym moście.

Hamulce hydrauliczne wszystkich kół były budowane według nowoczesnego systemu wodzikowego (wzorowane na konstrukcji amerykańskich samochodów *Chevrolet*), zapewniającego dobry docisk szczęk do bębna podczas hamowania i równomierne zużywanie się okładzin.

Istotnym elementem nośnym była prostokątna rama stalowa, zamknięta z podłużnicami o zmiennym profilu. Podłużnice były połączone za pomocą profilowanych poprzecznic o różnych kształtach, w przedniej części ramy przystosowanych do mocowania wsporników kabiny kierowcy. Kabinę kierowcy zaprojektowano w systemie klasycznym (z silnikiem wbudowanym pod miejscem kierowcy) niezwykle starannie i z uwzględnieniem istotnych zdobyczy technicznych z zakresu ergonomii, bezpieczeństwa i komfortu eksploatacji. Zastosowano między innymi dwie odrębne wycieraczki dla obu części dzielonej szyby przedniej (w wielu ówczesnych samochodach montowano tylko jedną, przed kierowcą), wentylację możliwą po otwarciu nawiewnika uchylnego umieszczonego przed szybą przednią i opuszczanych szyb w drzwiach bocznych, ogrzewanie z nadmuchu ciepłego powietrza, pochyloną kolumnę kierownicy i tablicę rozdzielczą umieszczoną naprzeciw miejsca kierowcy. Trzeba też dodać, że kabina była wyposażona w trzyosobową tapicerską kanapę krytą skórą, zamontowaną na metalowym stelażu w sposób przesuwny, umożliwiający regulację jej odległości od czołowej ściany nadwozia.

Walory eksploatacyjne ciężarówek typu *603* sprawiały, że samochody tej klasy przodujących firm europejskich nie stanowiły istotnej konkurencji; na przykład: średnica zawracania wynosiła tylko 13 m, zdolność zaś do pokonywania wzniesień (na podłożu twardym, z pełnym obciążeniem) sięgała aż 40°.

Kilka (kilkanaście?) pojazdów z serii informacyjnej przechodziło próby i badania między innymi w 10 Brygadzie Kawalerii latem 1939 roku. Istnieją przypuszczenia, że nie brały udziału we wrześniowych bojach brygady, gdyż zostały odesłane (w sierpniu, czy wszystkie?) do fabryki i podobno uczestniczyły w ewakuacji z Warszawy do Rumunii zapasów złota Banku Polskiego.

Dane techniczne samochodu *PZInż. 603*
(w nawiasie model *603-W*)

Samochód ciężarowy z zamkniętą stalową kabiną kierowcy i drewnianą skrzynią ładunkową. Rama prostokątna, z kształtowników stalowych o zmiennym profilu.
- *Silnik* gaźnikowy, 6-cylindrowy (4-cylindrowy), 4-suwowy, górnozaworowy *PZInż. 705* (*PZInż. 625*), chłodzony cieczą o pojemności skokowej 4670 cm^3 (3450 cm^3). Stopień sprężania 6,1:1 (6,35:1). Moc 75 KM (55,2 kW) przy 2400 obr/min (60 KM, czyli 44,2 kW przy 2800 obr/min).
- *Ogumienie* o wymiarach 230×20" lub 7,50×20", dwa koła zapasowe.
- *Długość* 6140 mm (5940 mm), *szerokość* 2230 mm (2200 mm), *wysokość 2700* mm, *powierzchnia ładowania* 3120×2210 mm, (3170×2100 mm), *rozstaw kół przednich* 1650 mm (1570 mm), *tylnych* 1700 mm (1563 mm), *rozstaw osi* 3550 mm (3350 mm), *prześwit pod obciążeniem* 220 mm (240 mm).
- *Masa własna* około 3400 kg (około 3100 kg).
- *Prędkość maksymalna* 80 km/h (60 km/h).
- *Zużycie paliwa* 23 l/100 km (28 l/100 km).

Samochód ciężarowy *PZInż. 603*
Samochód prototypowy w malowaniu kamuflażowym, z opończą brezentową bez plam

SAMOCHÓD CIĘŻAROWY PZInż. 603

1:35

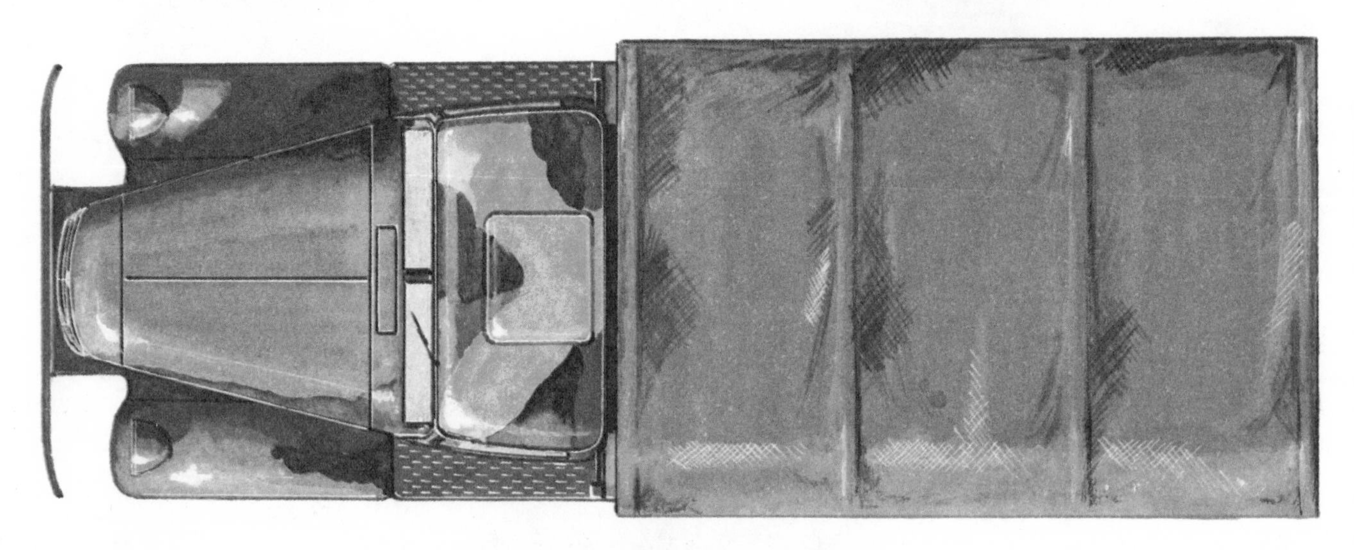

Rozdział 5

Inne samochody

Zgromadzenie pełnych danych o innych typach samochodów użytych przez wojsko we wrześniu 1939 roku chyba już nigdy nie będzie możliwe.
W pierwszej części pracy wspomnieliśmy, że w pułkach i batalionach wyszystkich broni znajdowały się pojazdy pozaetatowe, kupione za oszczędności kwatermistrzowskie. Część z nich to samochody transportowe kasyn i kantyn – sporo wśród nich było *Ursusów* i samochodów *Polski FIAT* (starano się bowiem kupować pojazdy polskie i to te, które produkowano dla wojska), ale też francuskie samochody *Unic*, ciężkie, 7-tonowe samochody *Berliet GCB*, różne odmiany samochodów *Ford* i *Renault*, a od 1937 roku także furgony *Chevrolet 112* i ciężarówki *Chevrolet 131*, montowane w Warszawie u „Lilpopa".
Nie zawsze udało się zgromadzić pełne informacje nawet wtedy, gdy pojazdy ujęte były etatem. Wiadomo na przykład, że kompania techniczno-gospodarcza 21 Batalionu Pancernego miała, prócz samochodów ciężarowych *Berliet* na masywach, pojazdy specjalne, które kupiono we Francji razem z czołgami. Był to samochód warsztatowy, samochody *Renault* i *Latil*, kompletne zestawy wyposażenia na samochody *Laffley* – ale jakich odmian nie udało nam się ustalić.

124. Od lewej: motocykl *CWS M 111*, dwa samochody *Ford T*, samochód *Polski FIAT 508 I*. Zdjęcie wykonano w 1935 roku. Znana, troskliwa opieka mechaników wojskowych pozwala sądzić, że sprzęt ten był jeszcze w użyciu w 1939 roku

125. Półciężarowy samochód *Chevrolet 112* z montowni „Lilpopa" (wywieziony z kraju, sfotografowany w Brygadzie Karpackiej w Syrii w 1940 roku)

126. Samochód *Chevrolet Imperial Limousine* montowany w zakładach „Lilpopa"

127. Samochód *Chevrolet Master* z montowni „Lilpopa"

128. Autobus *Saurer--Zawrat* warszawskiej komunikacji miejskiej

129. Autobus francuski *Somua* z nadwoziem *PZInż.* warszawskiej komunikacji miejskiej

130. Autobus *Chevrolet*, z podwoziem montowanym u „Lilpopa" i nadwoziem z Z.P. „Bielany" S.A., warszawskiej komunikacji miejskiej (w głębi autobus *Saurer-Zawrat*)

131. Autobus *Chevrolet* na podwoziu z montowni „Lilpopa" komunikacji miejskiej w Gdyni

132. Autobus międzymiastowy na podwoziu *Chevrolet* Komunikacji Samochodowej PKP

133. Prototyp samochodu *PZInż. 403* (*Lux-Sport*)

134. Kołowy ciągnik artyleryjski 4 × 4 *PZInż. 342*

135. Podwozie samochodu terenowego 4 × 4 *PZInż. 343*

136. Mały ciągnik kołowy *PZInż. 322* holujący przyczepę z pontonem

W instytucjach wojskowych i dowództwach różnych szczebli znajdowało się wiele samochodów osobowych. Przed samą wojną przybyło sporo pojazdów pozaetatowych, a wśród nich między innymi samochody amerykańskiego koncernu GMC, montowane (obok samochodów *Buick*, wspomnianych już w tej pracy) w stołecznych zakładach „Lilpop, Rau i Loewenstein" S.A. Były to samochody *Chevrolet* i *Opel*. Wszystkie odmiany samochodu *Chevrolet* (*Master*, *Touring*, *Master de Lux* – pięcioosobowe, *Sedan Taxi* – sześcioosobowy i siedmioosobowy *Imperial* oraz *Master de Lux* z niezależnym zawieszeniem przednim) były wyposażone w ten sam silnik: 6-cylindrowy, górnozaworowy, o pojemności 3500 cm^3 i mocy 85 KM (62,6 kW) przy 3200 obr/min.
Samochody *Opel* były niedużymi, ekonomicznymi pojazdami o 4 miejscach wewnątrz całkowicie stalowego nadwozia. *Opel-Kadett* był montowany w wersji 2-i, rzadziej, 4-drzwiowej, a *Oplimpia* w wersji 2-drzwiowej karety z nadwoziem samonośnym. W samochodach *Opel* były montowane silniki 4-suwowe, 4--cylindrowe o mocy 23 KM (16,9 kW) przy 3400 obr/min (*Kadett 1100*) i 37 KM (27,2 kW) przy 3400 obr/min (*Olimpia 1500*).
Tylko w 12 Kolumnie Samochodów Osobowych, będącej w dyspozycji Sztabu Głównego, było 7 samochodów *Chevrolet* pochodzenia cywilnego (a prócz tego 3 samochody ciężarowe, samochód-cysterna, samochód z kuchnią polową i 20 osobowych samochodów *Polski FIAT 508*, podobnie – jak *Chevrolet* – z cywilnych rekwizycji).
Luksusowy, czarny *Chevrolet Imperial* był samochodem służbowym płka dypl. Stefana Roweckiego organizującego od czerwca 1939 roku Warszawską Brygadę Pancerno-Motorową.
Pojazdy pochodzące z planowej mobilizacji, darów lub doraźnych rekwizycji przeprowadzanych wśród ludności, organizacji oraz instytucji cywilnych wspomagały zarówno oddziały posiadające etatowe motorowe środki transportu, jak i ich pozbawione. Interesującym i nieodosobnionym przykładem było postępowanie szer. Stanisława Rolińskiego z 5 Batalionu KOP „Łużki', który widząc słabe wyposażenie swojej jednostki w pojazdy mechaniczne (etatowo 2 samochody *Polski FIAT*: ciężarowy typu *621* i osobowy *508 Łazik*) ofiarował w styczniu 1939 roku motocykl *Indian Scout 600* z 1924 roku. Pojazd, służący do nauki jazdy, celów gospodarczych, łącznikowych, został zniszczony 20 września po otoczeniu batalionu przez oddziały radzieckie pod Łunińcem (lub Kleckiem). 6 Dywizjon Artylerii Ciężkiej swoje braki w parku samochodowym uzupełnił pojazdami cywilnymi. Samochody zostały nawet w warsztatach pułkowych przemalowane. Tak samo postąpiono w czterodziałowej (armaty 40 mm i 8 ckm-ów) przeciwlotniczej baterii zmotoryzowanej (nr 20) z 2 Dywizjonu Artylerii Przeciwlotniczej w Grodnie, gdzie utracone w walkach z Rosjanami (między innymi w obronie Wilna) ciągniki artyleryjskie zastąpiono zarekwirowanymi ciężarówkami. W podobny sposób stworzył swoją kolumnę uczestniczący w obronie Warszawy Lotniczy Oddział Szturmowy, sformowany w Warszawie z wychowanków Szkoły Podchorążych Technicznych Lotnictwa i pilotów nie mogących dołączyć do własnych jednostek. Trzonem kolumny był autobus *Polski FIAT 621R*, z numerem rejestracyjnym 11585, należący do Instytutu Badań Technicznych Lotnictwa (z wyjętą szybą tylnego okna, w którym ustawiono karabin maszynowy). Pozostałe pojazdy Oddziału – 7 samochodów i motocykl (w tym 2 furgony *Polski FIAT 508/III* i *Chevrolet*) pochodziły z cywilnych rekwizycji i zdobyczy wojennych. Pojazdy z rekwizycji i darowizn znalazły się również w dowództwach wyższych szczebli. Luksusową, dużą limuzyną *Mercedes* (6-miejscową, ze straponentami) najnowszego modelu, przydzieloną na kilka dni przed rozpoczęciem działań wojennych, jeździł do 12 września (kiedy to samochód został zniszczony) dowódca Armii „Pomorze", gen. dyw. Władysław Bortnowski. W sztabie płka Edmunda Heldut-Tarasiewicza, dowódcy Rezerwowej Brygady Kawalerii działającej w północno-wschodnich

rejonach kraju, używano białego sportowego samochodu marki *Aero*, produkcji czechosłowackiej, ofiarowanego 17 września przez ziemianina z okolic Grodna (właściciel służył jako cywilny kierowca).

Rodzaje, typy i stan taboru z mobilizacji, darów i rekwizycji były bardzo różnorodne. Były reprezentowane chyba wszystkie marki i rodzaje pojazdów znajdujących się w kraju.

W obronie dużych ośrodków miejskich (na przykład Warszawa, Gdynia, Lwów) ważną rolę odegrały autobusy komunalnych zakładów transportu publicznego (między innymi następujących marek: w Warszawie – *Somua*, *Saurer-Zawrat*, *Chevrolet*; w Gdyni – *Citroën*, *Saurer*, *Chevrolet*) oraz ciężarówki zakładów oczyszczania, samochody pożarnicze (w Warszawie – samochody *Mercedes* i *Polski FIAT* w różnych odmianach) i specjalistyczne pojazdy sanitarne różnych organizacji medycznych (w stolicy w samym tylko Towarzystwie Doraźnej Pomocy Lekarskiej, czyli ówczesnym pogotowiu ratunkowym, było kilkanaście samochodów, głównie marki *Chevrolet*, *Citroën* i *Polski FIAT 508*).

Do działań militarnych wykorzystywano cywilne ciężarówki fabryk, zakładów przetwórstwa spożywczego, indywidualnych posiadaczy itd., często identyczne z etatowymi samochodami wojskowymi, autobusy międzymiastowe Komunikacji Samochodowej PKP, linii prywatnych i spółdzielczych i duże samochody osobowe. Pojazdy mechaniczne tej grupy były w zasadzie objęte centralnym planem mobilizacyjnym. Miejsce i czas ich zdeponowania dla potrzeb wojska oraz późniejszy przydział były ściśle określone.

Wykorzystanie tych pojazdów było podyktowane aktualnymi potrzebami zaplecza i pola walki i często odbiegało od ich fabrycznego przeznaczenia. Dobitnym tego przykładem są losy warszawskich i gdyńskich autobusów miejskich. 6 września, po radiowym apelu płka R. Umiastowskiego do opuszczenia miasta, kilkadziesiąt autobusów wyjechało ze stolicy w kierunku wschodnim. Kolumna ewakuacyjna została w niedługim czasie rozproszona, część wozów powróciła, a niektóre zasiliły tabor napotkanych jednostek wojskowych. Z pozostałych w Warszawie autobusów miejskich została sformowana kolumna transportowa. Liczyła 40 autobusów, 2 samochody pancerne, czołg *TK* i samochód osobowy *Polski FIAT 508*. 7 września dołączyło do kolumny jeszcze 10 autobusów, 3 samochody pancerne i 6 czołgów *TK*. 11 września kolumna, załadowana amunicją, dotarła do Kutna, 15 września powróciła do Warszawy, a następnie została skierowana do Lublina. Kilka pozostawionych w stolicy autobusów wznowiło od 16 września na krótko komunikację na trasie Plac Zbawiciela–Plac Teatralny.

Autobusy gdyńskie i zarekwirowane ciężarówki stanowiły podstawowy sprzęt transportowy Lądowej Obrony Wybrzeża. W pierwszych dniach walk zostały użyte do przewożenia oddziałów z Gdyni i Kępy Oksywskiej na linię frontu. Kilka autobusów zostało przerobionych na ambulanse sanitarne. Ciężarówki przewoziły między innymi na linię frontu posiłki – w bańkach po mleku, doraźnie izolowanych w celu zatrzymania ciepła.

Na kresach wschodnich, wobec braku możliwości skutecznej obrony większych miast (Grodno, Wilno, Nowogródek itd.) przed przygniatającymi siłami radzieckimi, autobusy, głównie międzymiastowe różnych marek, typów, prywatne i państwowe (w Wilnie także miejskie – *Saurery),* uczestniczyły wraz z innymi pojazdami w ewakuacji oddziałów wojskowych i urzędów państwowych na Litwę i Łotwę.

Na zakończenie należy wspomnieć o prototypach różnych pojazdów (projektowanych i badanych), które w przeszłości miały być produkowane seryjnie. Armia zmierzała do nowoczesności – postęp w stopniowej modernizacji uzbrojenia i sprzętu silnie zaznaczał się w dziedzinie pojazdów mechanicznych. Rozwiązania techniczne skonstruowanych pod koniec lat trzydziestych pojazdów nie odbiegały od najlepszych rozwiązań spotykanych wówczas na świecie.

Wśród samochodów osobowych bardzo interesującą, nowoczesną konstrukcję miał *PZInż. 403*, potocznie nazywany *Lux-Sport* lub *LS*, 5-miejscowa limuzyna przeznaczona dla dowództwa wyższych szczebli i wysokich urzędników państwowych. Wyposażona w widlasty, 8-cylindrowy silnik o mocy 96 KM (70,6 kW) i z niezależnym zawieszeniem kół na drążkach skrętnych (naciąg drążków regulowany, zmiana prześwitu samochodu w granicach 180–230 mm) była dobrze przystosowana do ciężkich warunków wojskowych. Samochód ukończył pomyślnie próby i miał wejść do produkcji w 1941 roku.
Pośród samochodów i ciągników kołowych trzeba wymienić ciągnik dla artylerii ciężkiej *PZInż. 312* z napędem na koła obu osi. Został on wprawdzie uznany przez wojsko za nieodpowiedni, ale dostarczył wielu cennych doświadczeń dla zaprojektowanych nieco później nowoczesnych, szybkobieżnych ciągników *PZInż. 342* dla armat przeciwlotniczych 75 mm (napęd na obie osie, wciągarka linowa) i samochodów terenowych *PZInż. 343* o ładowności 3 tony. Samochód i ciągniki wykazywały bardzo obiecujące cechy. W 1939 roku została zamówiona pierwsza partia seryjna ciągników. Liczyć miała 100 pojazdów.
W planach produkcyjnych na 1940 roku był też zatwierdzony mały ciągnik kołowy (2×4) *PZInż. 322*, zaprojektowany do holowania samolotów na lotniskach. Miał on tak dobre parametry, że zainteresował Dowództwo Wojsk Saperskich, które chciało wykorzystać pojazd jako podstawowy sprzęt w oddziałach pontonowych. Nie bez znaczenia był niewielki koszt wytwarzania ciągnika. Jego elementy pochodziły z produkowanych seryjnie samochodów *Polski FIAT 508* i *621*. Zmniejszało to wydatnie nakłady na uruchomienie produkcji. I ten pojazd (podobno nawet 3 egzemplarze) przepadł bez śladu w tragicznym wrześniu.

Rozdział 6

Pojazdy gąsienicowe

Ciągniki artyleryjskie C2P

Ciągnik artyleryjski *C2P* (zwany początkowo *C2T*) był opracowany w Biurze Badań Technicznych Broni Pancernych przez inżynierów J. Łapuszewskiego i A. Schmidta na modernizowanym podwoziu czołgu rozpoznawczego *TKS* (konstrukcji inż. Edwarda Habicha z Biura Studiów PZInż.), którego seryjną produkcję rozpoczęto w PZInż. w 1934 roku. Ciągnik był dłuższy od czołgu o prawie 50 cm, a jego system kierowania zrealizowano w nowoczesny sposób, za pomocą sprzęgieł bocznych. Niewielkie różnice występowały też w wartościach określających własności eksploatacyjne. *C2P* miał zbiornik paliwa o pojemności 70 l, co wystarczało na przejechanie po szosie 150 km, przyjmując zużycie paliwa 42,5 l/100 km na szosie (i 70 l/100 km w terenie). Pojazd charakteryzował się następującymi parametrami: nacisk jednostkowy na podłoże – 40 kPa, zdolność pokonywania wzniesień do 36° spadku, przeszkody wodne do 50 cm głębokości, rowy – do 120 cm szerokości.

137. Ciągniki *C2P* z przeciwlotniczymi armatami 40 mm

138. Ciągniki *C2P* z armatami, z 7 Dywizjonu Artylerii Przeciwlotniczej

Ciągniki przechodziły wyjątkowo długie badania i próby przedprodukcyjne (ponad 2 lata). W rezultacie pojazdy seryjne bardzo się różniły od prototypu. Ulepszenia wprowadzano i w trakcie produkcji ciągników seryjnych. Na przykład w pierwszej połowie 1938 roku zastąpiono ogumioną rolkę napinającą gąsienicę rolką nieogumioną o większej wytrzymałości, a także wprowadzono uchwyty skrzynek amunicji alarmowej (20 pocisków), przewożonej na ciągniku.

Produkcja seryjna trwała od 1937 roku. Pierwsza seria liczyła 196 ciągników. Drugą serię zamówiono w 1939 roku. Miała liczyć 117 pojazdów – ale, ze względu na wybuch wojny, zaledwie zaczęto jej realizację.

C2P były przeznaczone do holowania dział przeciwlotniczych 40 mm *wz.* 36 oraz przyczepek amunicyjnych.

Projektowano także wykorzystanie pojazdu do holowania działa przeciwpancernego 37 mm *wz.* 36, a w 1938 roku wykonano też na podwoziu ciągnika 2 prototypy dział samobieżnych wyposażonych w tę armatę (*TKS-D)*.

Dane techniczne ciągnika *C2P*

Gąsienicowy ciągnik artyleryjski z nadwoziem otwartym, krytym brezentową opończą rozpinaną na stelażu, osadzonym w kadłubie z blach stalowych, spawanych.

– *Silnik FIAT 122B* (*PZInż. 367*) gaźnikowy, 6-cylindrowy, 4-suwowy, dolnozaworowy, chłodzony cieczą o pojemności skokowej 2952 cm^3. Stopień sprężania 5,2:1. Moc 46 KM (33,9 kW) przy 2600 obr/min.

– *Gąsienica* stalowa szerokości 170 mm.

– *Długość* około 2850 mm, *szerokość* około 1800 mm, *wysokość* z opończą 1580 mm, *prześwit* 300 mm.

– *Masa własna* 2750 kg.

– *Prędkość maksymalna* 45 km/h.

– *Zużycie paliwa* 42,5 l/100 km po drodze, 70 l/100 km w terenie.

1:35

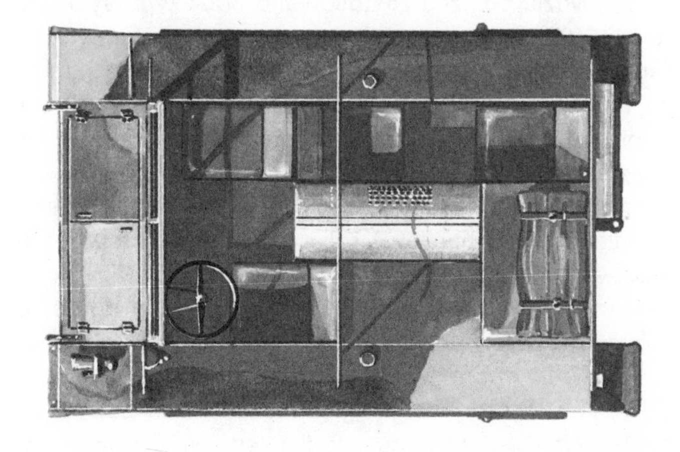

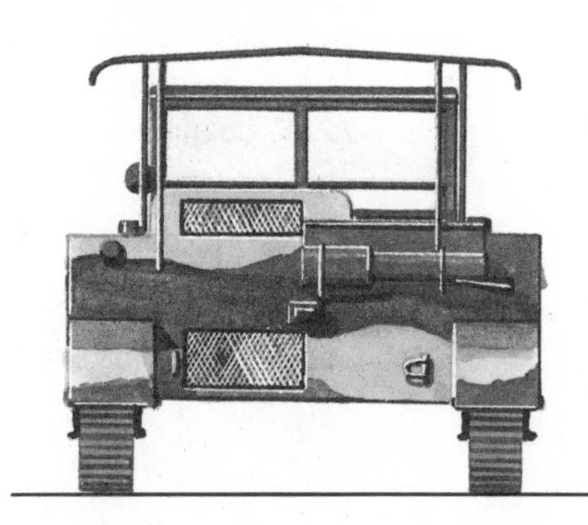

Ciągnik gąsienicowy *C2P*
Ciągniki były używane z opończą założoną lub zwiniętą, ze stelażem postawionym lub zdemontowanym; za siedzieniem kierowcy były zwykle ustawione dwie gaśnice śniegowe

Ciągniki artyleryjskie C4P, samochody kołowo-gąsienicowe wz. 34

Jedną z wersji pochodnych 2,5-tonowego samochodu ciężarowego *Polski FIAT 621L* był półgąsienicowy ciągnik artyleryjski oznaczony symbolem *C4P*, opracowany w Biurze Badań Technicznych Broni Pancernych w Warszawie i unowocześniony – już w trakcie produkcji w PZInż. – przez Biuro Studiów PZInż. Prace projektowe zakończono w 1934 roku i już na początku następnego roku pierwsza seria prototypowych ciągników zakończyła pomyślnie wszechstronne próby laboratoryjne i badania drogowe. W pierwszym okresie pojazd był znany pod nazwą samochód kołowo-gąsienicowy *wz. 34* (z zamkniętą kabiną kierowcy i typową skrzynią ładunkową krytą brezentową opończą) lub ciągnik artyleryjski *wz. 34* (z otwartą kabiną i krótką skrzynią, wyposażony w specjalny hak holowniczy mocowany do ramy).
W podwoziu pojazdu zastosowano obok typowych podzespołów seryjnej ciężarówki *621L* wiele zaadaptowanych, przekształconych konstrukcyjnie elementów z tego modelu. Między innymi rama pojazdu została skrócona i wzmocniona, przednia oś miała nieco inny profil i zwiększoną wytrzymałość, skrzynka biegów miała obniżone wartości przełożeń. Zastosowano także dodatkowy terenowy reduktor i zmieniono przełożenie ślimakowej przekładni głównej napędzanej tylnej osi. Półgąsienicowy mechanizm, z gąsienicami napędzanymi przez półosie tylnego mostu, miał wahaczowo-rolkowy system prowadzenia gąsienic (zbliżony do stosowanego czołgu *7TP*). Na uwagę zasługuje nowoczesne opracowanie gąsienic. Była to nietypowa konstrukcja bezsworzniowa, gumowo-stalowa, zaprojektowana (i opatentowana) przez inż. L. Białkowskiego.
Ciągnik miał dobre własności terenowe: nacisk jednostkowy – 80 kPa, zdolność pokonywania brodów – do głębokości 50 cm, zdolność pokonywania wzniesień (z obciążeniem) – do 20% spadku, zdolność pokonywania przeszkód – rowy o szerokości do 1 m i spory zasięg (do 250 km), lecz zaplanowano modernizację, dotyczącą w pierwszej fazie podniesienia mocy silnika. W 1936 roku inż. Aleksander Rummel opracował wzmocnioną odmianę jednostki napędowej typu *122B*, osiągającą z tej samej pojemności skokowej moc 63 KM (46,4 kW) przy 2600 obr/min.

139. Samochód kołowo--gąsienicowy *wz. 34.*

140. Ciągnik *C4P* z krótką ramą i odkrytą kabiną kierowcy holujący armatę 105 mm na wózku z ogumionymi kołami

141. Ciągniki *C4P* holujące armaty 120 mm przystosowane do ciągu motorowego

Wykonano 10 prototypów, z których 5 zamontowano w ciągnikach *C4P*, a resztę w autobusach. Po pomyślnie przeprowadzonych próbach nowe silniki zatwierdzono do seryjnego wytwarzania, lecz produkcję rozpoczęto przypuszczalnie dopiero tuż przed wybuchem drugiej wojny światowej.

Pojazdy były stosowane w różnych rodzajach wojsk i broni: w artylerii – do holowania armat 75, 105 i 120 mm, haubic 155 mm (po wyposażeniu w koła

142. Samochód *wz. 34* z nadwoziem warsztatowym

143. Samochód *wz. 34* jako ambulans sanitarny

144. Samochód *wz. 34* z karoserią wykonaną przez warsztaty „Unia Strażacka" we Lwowie dla miejskiej straży pożarnej

metalowe ogumione w miejsce drewnianych szprychowych) oraz armat przeciwlotniczych 75 mm *wz. 36*, a także przyczep amunicyjnych, reflektorów i przyczep z nasłuchownikami *Goertza*; w wojskach saperskich – do holowania przyczep z pontonami, materiałami budowlanymi itp., w służbie medycznej – jako terenowa wieloosobowa sanitarka z zamkniętym nadwoziem; w służbach technicznych i w służbie uzbrojenia – jako wóz warsztatowy i do holowania przyczep z odpowiednim wyposażeniem naprawczym.

W zależności od przeznaczenia pojazdu stosowano różne rodzaje nadwozi budowane na ramach o różnej długości. Ciągniki artyleryjskie miał z reguły otwartą kabinę kierowcy i bardzo krótką drewnianą skrzynię – skrzynia i kabina były kryte brezentową opończą (zdarzały się też drewniano-stalowe, zamknięte kabiny, zbliżone do szoferek ciężarówek *621*). Wozy techniczne miały otwarte (kryte brezentem), całkowicie stalowe nadwozia ze skrzynią o wysokich, odchylanych burtach. Interesujące nadwozia miały sanitarki. Zamknięta stalowa kabina tworzyła zewnętrznie całość, lecz przedział sanitarny był oddzielony od szoferki metalową ścianką z przesuwaną szybą. Wnętrze tej części miało uniwersalne wyposażenie. Na miękkich kanapach można było przewozić 8 chorych siedzących, po rozłożeniu zaś ławek i podniesieniu oparć uzyskiwano miejsca dla 2 par noszy (na 2 poziomach). Warto też dodać, że kilka podwozi *C4P* Spółdzielnia „Unia Strażacka" we Lwowie wyposażyła w nadwozia pożarnicze (brały udział w obronie tego miasta we wrześniu 1939 roku).

Dane techniczne ciągnika artyleryjskiego *C4P*

Średni ciągnik artyleryjski z nadwoziem drewniano-stalowym, z otwartą lub zamkniętą kabiną kierowcy i krótką skrzynią ładunkową. Rama prosta, o kształcie prostokąta, z kształtowników stalowych o profilu ceowym (kilka odmian różniących się długością).

– *Silnik FIAT 122B* (*PZInż. 367*), gaźnikowy, 6-cylindrowy, rzędowy, 4-suwowy, dolnozaworowy, chłodzony cieczą, o pojemności skokowej 2952 cm^3. Stopień sprężania 5,1:1. Moc 46 KM (33,9 kW) przy 2600 obr/min.
– *Ogumienie*: *Polska Opona Stomil* o wymiarach 7,00×20". Gąsienice gumowo-metalowe bezsworzniowe o szerokości 300 mm.
– *Długość ramy* 4540 mm lub 4840 mm lub 5250 mm, *szerokość* około 1900 mm, *rozstaw kół* 1470 mm, *rozstaw środków gąsienic* 1480 mm.
– *Masa własna* około 3000 kg.
– *Prędkość maksymalna* około 30 km/h.
– *Zużycie paliwa* 60–120 l/100 km w terenie.

Samochody kołowo-gąsienicowe *wz. 34* i ciągniki *C4P*
1, 2, 3 – samochód z nadwoziem warsztatowym, skrzynia stalowa z opuszczanymi bokami, zakryta od góry opończą;
4 – samochód w wersji ze stałym dachem i brezentowymi bokami, rama i skrzynia z samochodu *Polski FIAT 621L*, starszy typ wózka gąsienicowego;
5 – ciągnik *C4P* z ramą skróconą, stosowany do holowania dział artylerii lekkiej;
6 – samochód z nadwoziem sanitarnym

1:35

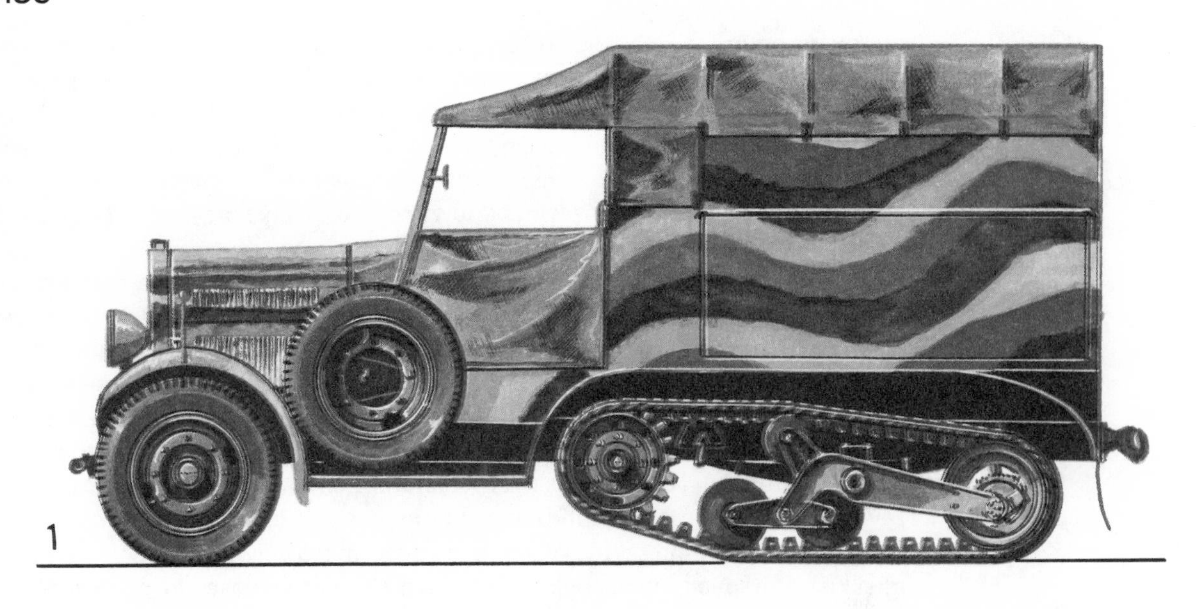

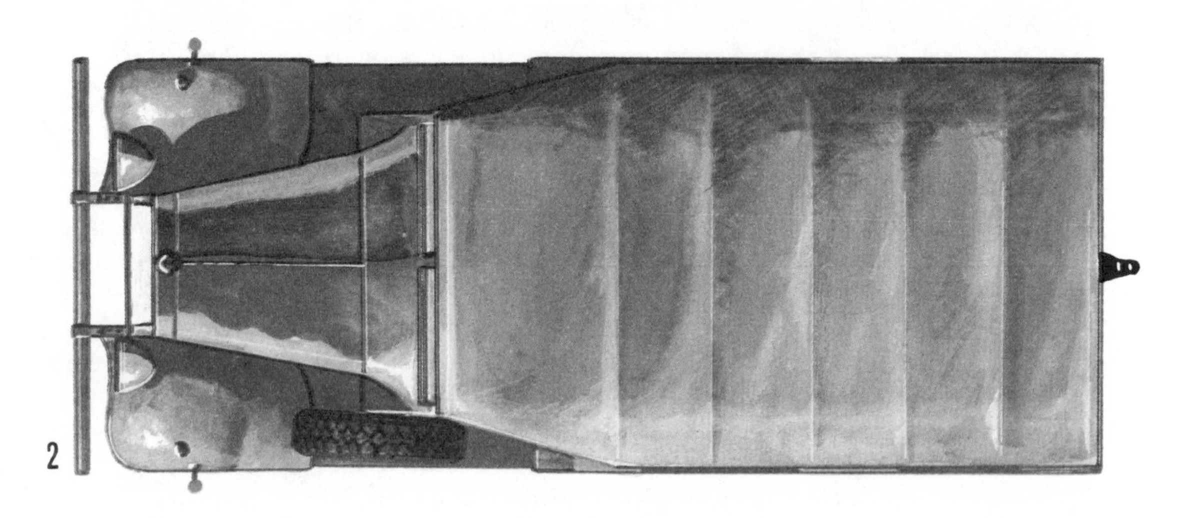

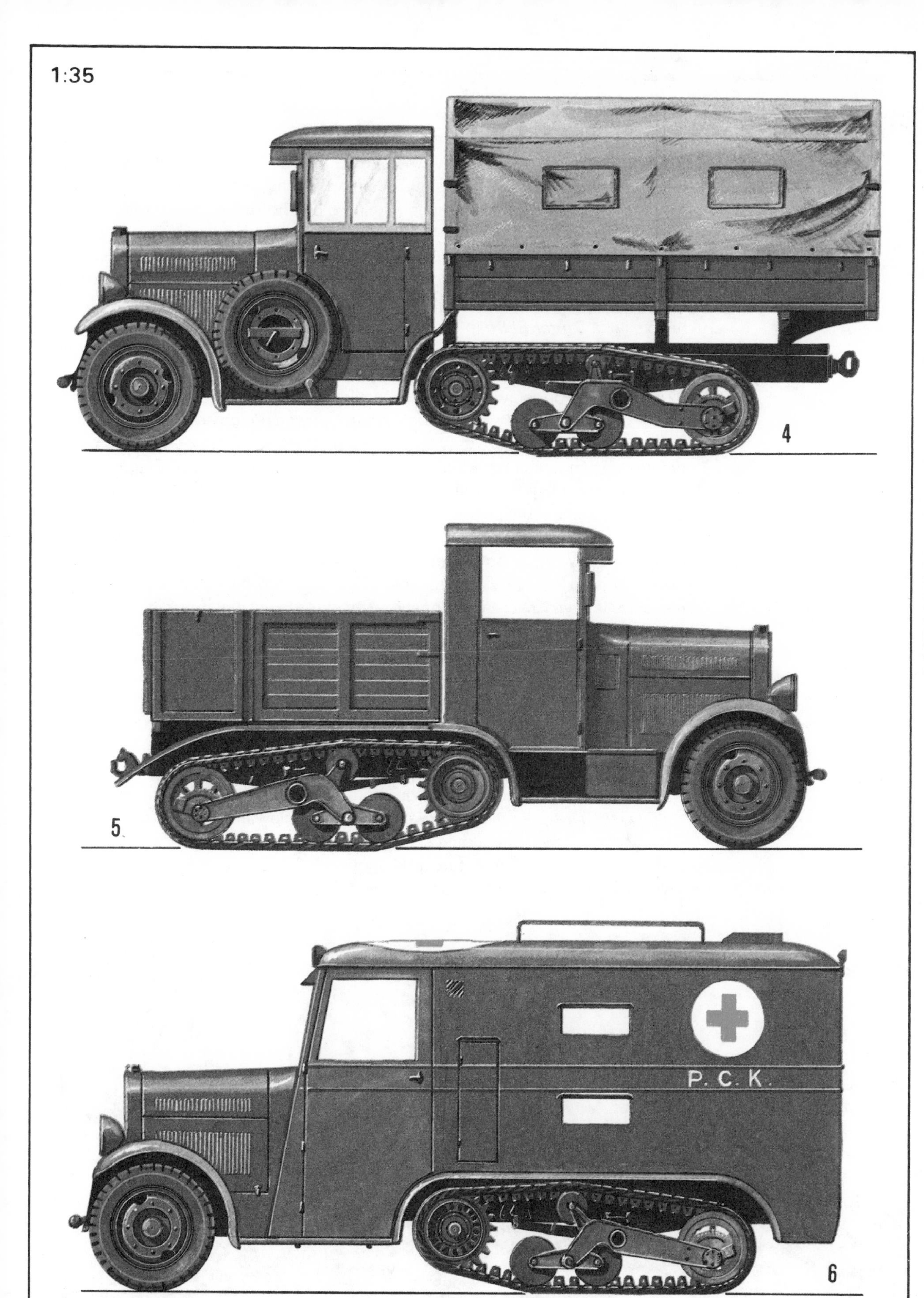
1:35
4
5
P. C. K.
6

Ciągniki artyleryjskie C7P

Ciągnik *C7P* został opracowany w latach 1933–1934 przez inż. Witolda Jakusza z Biura Studiów PZInż. Wykorzystano zespoły (kadłub, elementy jezdne i kierowania, zawieszenie, przeniesienie napędu, silnik) przygotowywanego równolegle do seryjnej produkcji czołgu *7TP*. Czołg ten był modyfikacją lekkiego angielskiego czołgu wsparcia piechoty *Vickers E*, wprowadzonego do uzbrojenia Wojska Polskiego w 1931 roku. Jednostką napędową ciągnika był silnik wysokoprężny *PZInż. 235* opracowany w kraju jako unowocześniona, lżejsza odmiana licencyjnego silnika *Saurer BLDb* (podstawowa zmiana: kadłub silnika z alpaksu – 12% Si, 88% Al – z tulejami cylindrowymi żeliwnymi, mokrymi). Silnik ten stosowano w 4–6-tonowych samochodach ciężarowych i autobusach tej marki, wytwarzanych w PZInż. także na podstawie umowy licencyjnej. Prototypowe ciągniki (znane też pod nazwą *C6P*, *C6T* i *C7TP*) wykazywały zresztą pewne podobieństwo do ciężarówek i autobusów, gdyż umieszczony z przodu pojazdu silnik wraz z chłodnicą osłaniało typowe oblachowanie, charakterystyczne dla autobusów *Saurer*. Ciągniki przeznaczone do produkcji miały jednak jednostkę napędową w tylnej części kadłuba, ustawioną w sposób typowy dla czołgu *7TP*. Rozwiązanie to sprawiło, że lepszy był rozkład obciążeń i skuteczniejsza ochrona silnika. Własności terenowe ciągnika odpowiadały wartościom określonym dla czołgu *7TP* (pokonywanie przeszkód: wzniesienia do 36°, rowy do szerokości 180 cm, brody do głębokości 100 cm), przy nieco mniejszym nacisku jednostkowym, który wynosił 54 kPa. Ciągnik miał większe niż czołg zużycie paliwa – ze zbiornikiem paliwa o pojemności 160 l mógł przejechać 150-kilometrową trasę. Wyposażeniem specjalnym ciągnika była wciągarka linowa napędzana od silnika i hak holowniczy z samoczynną blokadą. Ciągniki *C7P* były przeznaczone dla artylerii najcięższej, broni pancernej i oddziałów saperskich. W artylerii ciągniki służyły do holowania moździerza 220 mm *wz. 32* o masie własnej 13 700 kg, rozebranego na części i transportowanego na trzech specjalnych przyczepach (pierwsza przyczepa – lufa z zamkiem, druga – łoże, trzecia – podstawa), wraz z obsługą i zapasem amunicji. W broni pancernej pojazdy wykorzystywano jako ciągnik ewakuacyjny do holowania uszkodzonych czołgów *7TP* i *Vickers E*, w jednostkach saperskich – do holowania przyczep ze sprzętem i materiałami, do zrywania torów kolejowych, a po ustawieniu na prowadnicy szynowej – do przetaczania taboru kolejowego.

145. Ciągnik *C7P* na moście saperskim

146. Ciągnik *C7P* z przyczepą do przewozu lufy moździerza 220 mm

147. Ciągnik *C7P* z przyczepą (od tyłu)

148. Kolumna 1 Pułku Artylerii Najcięższej. Ciągniki *C7P* i samochody *Polski FIAT 621L*

Dane techniczne ciągnika *C7P*

Gąsienicowy ciągnik artyleryjski z nadwoziem stalowym półzamkniętym, osadzonym na kadłubie czołgu *7TP*, z blach stalowych, nitowanych.
– *Silnik PZInż. 235* (*Saurer BLDb*), wysokoprężny, 6-cylindrowy, 4-suwowy, górnozaworowy, chłodzony cieczą, o pojemności skokowej 8550 cm^3. Stopień sprężania 16,5:1. Moc 115 KM (86,6 kW) przy 1800 obr/min.
– *Długość* około 4600 mm, *szerokość* 2400 mm, *wysokość* 2400 mm, *prześwit* 380 mm.
– *Masa własna 8000–8500 kg.*
– *Prędkość maksymalna* 26 km/h.
– *Zużycie paliwa* 96–120 l/100 km.

Ciągnik artyleryjski *C7P*
Wersja seryjna z zaokrąglonymi krawędziami dachu, ostatecznie ustalonym kształtem osłony wlotu powietrza i owalnym oknem z tyłu przedziału załogowego

1:35

CIĄGNIK ARTYLERYJSKI C7P

Ciągniki artyleryjskie Citroën-Kegresse P.19

W pierwszej połowie lat trzydziestych kupiono we Francji półgąsienicowe samochody terenowe *Citroën-Kegresse P.19*, wytwarzane w zakładach Andre Citroën S.A. w Paryżu. W kraju producenta pojazdy były przewidziane jako sprzęt batalionów dragonów, czyli oddziałów rozpoznawczych w pułkach kawalerii zmotoryzowanej.

Rozwiązania techniczne samochodów *P.19* (realizowane według koncepcji Adolpha Kegresse'a i inż. M. Hinstina) różniły się od stosowanych w innych używanych u nas pojazdach półgąsienicowych tylko szczegółami. Na przykład wózek gąsienicowy o konstrukcji wahaczowo-rolkowej był nieco zmieniony w porównaniu ze znanymi już w Polsce podwoziami *Citroën-Kegresse* typu *P10*, jakie zastosowano w samochodach pancernych *wz. 28*, a sama gąsienica była szersza i o większej trwałości (samochód *P.19* mógł przejechać 2800 km bez wymiany gąsienic). Model ten miał ponadto uproszczony system kierowania, ograniczony tylko do kół przednich o sztywnej osi zawieszonej na półeliptycznych resorach piórowych, skrzynkę przekładniową o 3 przełożeniach z rewersem i wzmocnioną ramę. Zasięg pojazdów (z pełnym obciążeniem) wynosił 150 km.

W Polsce używano samochodów z odkrytą kabiną kierowcy i z krótką skrzynią ładunkową, z miejscami siedzącymi (do prób sprowadzono kilka wozów w różnych odmianach: ciągnik z zamkniętą, stalową kabiną kierowcy i siodłowym zaczepem do armaty; odkryty ciągnik z zaczepem holowniczym „normalnym" – badania odbyły się latem 1931 roku – i odkryty ciągnik ze stalowymi burtami przedziału ładunkowego). Skrzynia i kabina mogły być osłonięte brezentową opończą. Z przodu samochodu był zamocowany na krótkich wysięgnikach obrotowy, metalowy walec, który powiększał zdolność pokonywania skarp i rowów. Walec można było zdemontować, co też zrobiono w niedługim czasie po sprowadzeniu pojazdów.

Ciągniki *Citroën* trafiły początkowo do 1 Pułku Artylerii Motorowej, gdzie wykorzystywano je do holowania armat polowych 75 mm. Armaty przystosowano do holowania stosując tak zwane wrotki, to znaczy wózki z ogumionymi małymi kołami, podkładanymi pod drewniane, szprychowe koła. Po wprowadzeniu w pułku sprzętu polskiego (ciągniki *C4P* i samochody *Polski FIAT*) zbyt słabe do holowania armat ciągniki *Citroën* przekazano kompaniom reflektorów przeciwlotniczych.

Ciągniki z morskiej kompanii reflektorów przeciwlotniczych ponownie zastosowano jako artyleryjskie we wrześniu 1939 roku. Morski dywizjon artylerii lekkiej

149. Ciągnik *Citroën--Kegresse P.19* z 1 Pułku Artylerii Motorowej, holujący armatę *Schneider* 75 mm na „wrotkach"

150. Ciągniki *P.19* holujące reflektory przeciwlotnicze

otrzymał od Kierownictwa Marynarki Wojennej wiele dział sprowadzonych z magazynów Flotylli Pińskiej, między innymi armaty 75 mm, bez jaszczy i przodków. Armaty były holowane przez ciągniki z kompanii reflektorów.

Dane techniczne samochodu półgąsienicowego *Citroën-Kegresse P.19*

Samochód półgąsienicowy (ciągnik) z nadwoziem stalowym, drewnianą skrzynią ładunkową i odkrytą kabiną kierowcy. Rama prosta.

– *Silnik Citroën*, gaźnikowy, 6-cylindrowy, rzędowy, 4-suwowy, chłodzony cieczą, o pojemności skokowej około 2500 cm^3. Moc 40 KM (29,4 kW).

– *Ogumienie* kół prawdopodobnie 7,00×20". Gąsienice gumowo-metalowe o szerokości 275 mm.

– *Długość* około 4270 mm (z walcem), *szerokość śladu gąsienic* około 1700 mm, *wysokość do korka chłodnicy* około 1400 mm, *prześwit* 250 mm.

– *Masa własna* około 2500 kg.

– *Prędkość maksymalna* około 45 km/h po drodze, około 15 km/h w terenie.

Transportery PZInż. 222

W 1938 roku inż. Edward Habich z Biura Studiów PZInż. opracował projekt lekkiego transportera półgąsienicowego, zbudowanego z wykorzystaniem podzespołów samochodu *Polski FIAT 618*.

Nowy pojazd, oznaczony symbolem *PZInż. 222*, pomyślnie przeszedł próby laboratoryjno-terenowe przeprowadzone w końcu roku i po rozpoczęciu produkcji (w połowie 1939 roku) miał stanowić podstawowe wyposażenie oddziałów kawalerii zmotoryzowanej. Dzięki daleko posuniętej unifikacji podzespołów z seryjnie produkowanym samochodem ciężarowym prace konstrukcyjno-przygotowawcze trwały niepełny rok, proponowana zaś cena nie była zbyt wygórowana. Zawierać się miała w granicach od 7100 zł (wartość samochodu *Polski FIAT 618*) do 10 000 zł lub trochę więcej (nie przekraczając jednak 15 000 zł – ceny produkowanego seryjnie ciągnika *C4P*, opartego na podzespołach 2,5-tonowej ciężarówki *Polski FIAT 621*). *PZInż. 222* miał silnik typu *Polski FIAT 118A* (*PZInż. 357*), sprzęgło suche, jednotarczowe i skrzynkę biegów o 4 przełożeniach do jazdy w przód i jednym do tyłu. Ten zespół napędowy był stosowany nie tylko w ciężarówce typu *618*, ale i w samochodzie osobowym *Polski FIAT 518*. Pojazd był wyposażony w terenowy reduktor i – na żądanie – w automatyczną blokadę mechanizmu różnicowego, działającą samoczynnie w trudnych warunkach pracy. Odpowiednio dobrane przełożenia reduktora i przekładni głównej sprawiało, że transport mógł pokonywać z pełnym obciążeniem wzniesienia o nachyleniu do 49°. Napęd był przenoszony na gąsienice, zaprojektowane specjalnie do tego modelu. Była to bardzo oryginalna konstrukcja z lekkich, płaskich ogniw połączonych sworzniami o bardzo niewielkiej średnicy, z wymiennymi tulejkami i gumowymi poduszkami umieszczonymi pod sworzniami. Gąsienica miała małe opory ruchu i dużą trwałość – po przebiegu 13 000 km nie wykazywała zbytniego zużycia. Kierowanie pojazdem, podobnie jak i zagranicznych konstrukcji tej klasy, odbywało się wyłącznie za pomocą kół przednich, co powodowało, że promień skrętu był dosyć duży i wynosił 6,6 m.

Pojazd miał dobre zawieszenie na piórowych resorach półeliptycznych, z hydraulicznymi amortyzatorami przy kołach przednich i skuteczne hamulce hydrauliczne – na koła przednie i koła napędowe gąsienicy. Hamulec ręczny, mechaniczny działał na wał napędowy. Transporter wraz z wyposażeniem ważył 2850 kg, a jego ładowność – w warunkach terenowych – wynosiła 1150 kg. Mógł też holować przyczepę o masie całkowitej do 1000 kg.

151. Transporter *PZInż. 222*

152. Podwozie transportera *PZInż. 222*

Niewielkie wymiary zewnętrzne sprawiały, że wóz był trudny do wykrycia, a ze względu na dobre walory trakcyjne, także i trudny do zniszczenia.
Oblicza się, że seria próbna wersji podstawowej, z nadwoziem przystosowanym do przewozu żołnierzy oddziałów kawalerii zmotoryzowanej, opracowanym w PZInż. według wytycznych Biura Badań Technicznych Broni Pancernych, liczyła 12 sztuk. Latem 1939 roku pojazdy przechodziły ostatnie badania w 10 Brygadzie Kawalerii i zapewne wraz z nią uczestniczyły w działaniach wojennych.
Planowano także stworzenie odmian specjalnych – wóz telefoniczny, zwiadowczy oraz ciągnik dla lekkich działek i nasłuchowników *Goertza.* Trudno dziś stwierdzić, czy je budowano. Dokumenty z tego okresu potwierdzają istnienie wersji transportowej, o pozostałych brak informacji. W roku budżetowym 1939/1940 zamierzano wyprodukować 200 pojazdów typu *222* i istnieją przypuszczenia, że do września 1939 roku zgromadzono nawet odpowiedni zapas podzespołów.

Dane techniczne transportera półgąsienicowego *PZInż. 222*

Półgąsienicowy transporter z nadwoziem specjalnym, stalowym, otwartym, krytym brezentową opończą rozpinaną na składanym stelażu, osadzonym na ramie wykonanej z kształtowników stalowych o profilu ceowym.
– *Silnik PZInż. 357* (*Polski FIAT 118A*), gaźnikowy, dolnozaworowy, 4-cylindrowy, chłodzony cieczą o pojemności skokowej 1944 cm^3. Stopień sprężania 6,1 : 1. Moc 45 KM (33,8 kW) przy 3600 obr/min.
– *Ogumienie* kół osi przedniej *Polska Opona Stomil* o wymiarach 7,50×20".
– *Gąsienice* gumowo-metalowe.
– *Długość* 4815 mm, *szerokość* 1800 mm, *wysokość* (z budą) 2150 mm, *rozstaw kół przednich* 1520 mm, *rozstaw środków gąsienic* 1540 mm, *rozstaw osi* 3050 mm, *prześwit* 280 mm.
– *Masa własna* 2850 kg.
– *Prędkość maksymalna* 42 km/h po drodze, 22 km/h w terenie.
– *Zużycie paliwa* 42 l/100 km na drodze, 34 l/100 km w terenie.

Transporter *PZInż. 222*
Pojazd do przewozu kawalerii zmotoryzowanej

1:35

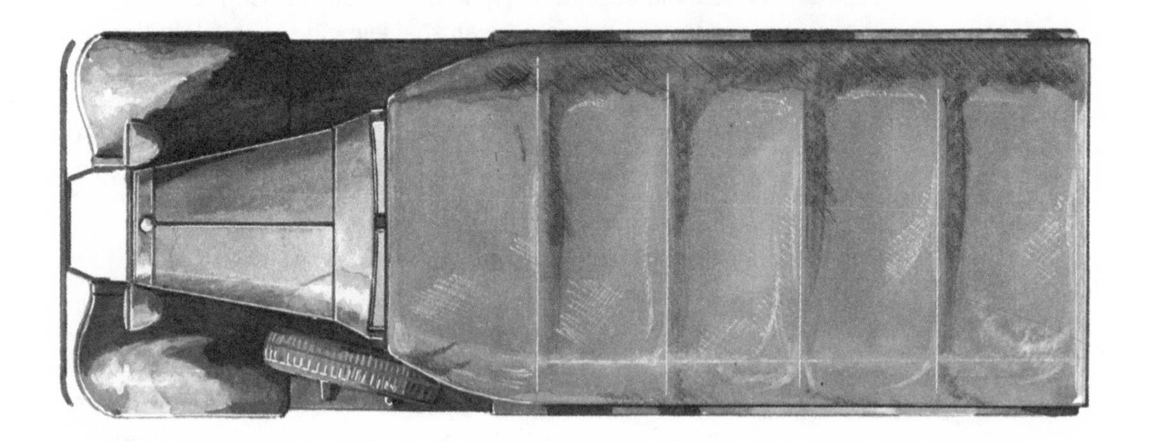

Inne pojazdy gąsienicowe

Omawiając samochody pancerne *wz. 34* wspomniano, że w 1928 roku kupiono we Francji półgąsienicowe podwozia *Citroën-Kegresse* i około 30 z nich użyto do budowy samochodów ciężarowych i osobowych. Czy któryś z tych samochodów dotrwał do 1939 roku, czy też zostały złomowane lub przerobione na samochody kołowe, jak samochody pancerne, nie umiemy odpowiedzieć.

Polscy konstruktorzy opracowali, oprócz już opisanych, jeszcze dwa ciągniki gąsienicowe.

PZInż. 202 był nowoczesnym pojazdem kołowo-gąsienicowym, który mógł holować przyczepę lub działo w masie 5000 kg, przewożąc jednocześnie 1900 kg ładunku, mógł też zostać użyty jako podwozie do samobieżnej armaty przeciwlot-

153. Prototyp ciągnika artyleryjskiego *PZInż. 202*

154. Prototyp ciągnika artyleryjskiego *PZInż. 152*

niczej. Pojazd był wyposażony w wysokoprężny silnik *PZInż. 135* (*Saurer CR1D*) o mocy 65 KM (47,8 kW) przy 1800 obr/min. Zaplanowano również zastosowanie silnika gaźnikowego *PZInż. 705* o mocy 75 KM (55,2 kW). Koła nośne gąsienic były zawieszone w nowoczesny sposób na drążkach skrętnych, a koło osi przedniej niezależnie, na wahaczach i resorze poprzecznym. Wyniki prób i badań były dobre, lecz do produkcji seryjnej nie doszło.

Drugi z ciągników – gąsienicowy *PZInż. 152,* wyposażony w polski silnik gaźnikowy *PZInż. 725* o mocy 100 KM (73,6 kW) przy 2800 obr/min – zapowiadał się bardzo interesująco. Był przewidziany do holowania dział artylerii ciężkiej (uciąg na haku 5000 kg). Większość podzespołów była zunifikowana z zatwierdzonym do produkcji seryjnej czołgiem rozpoznawczym *4TP.* Istniały duże szanse do rozpoczęcia seryjnej produkcji ciągnika, niestety wybuch wojny udaremnił te plany.

Część III

Godła, znaki, mundury

Rozdział 1

Orły

Orzeł – znak polskiego żołnierza – pojawił się w historii polskiego wojska 200 lat temu i od tego czasu był wszędzie, gdzie walczyli Polacy.
Jednolity dla całego wojska wzór orła wprowadził „Przepis ubioru polowego Wojska Polskiego" z 1919 roku. W miarę upływu lat pierwotny projekt uległ modyfikacjom, a że wykonywano orły z różnych sztanc, mniej lub bardziej precyzyjnych, wyróżnić można co najmniej kilkanaście odmian.
Orły bite w latach trzydziestych są staranne w rysunku i wykonaniu. Były bite z białej blachy i oksydowane na kolor starego srebra.
W 1937 roku, wraz z czarnymi beretami broni pancernej i oddziałów zmotoryzowanych, wprowadzono orły haftowane szarostalową nicią na owalnej podkładce z czarnego sukna.

Orły
1 – metalowy, oksydowany na kolor starego srebra, według wzoru z końca lat trzydziestych;
2 – haftowany, do noszenia na berecie
Sztandary i proporzec
1 – strona odwrotna sztandaru 10 Batalionu Pancernego;
2 – strona główna sztandaru 7 Dywizjonu Artylerii Przeciwlotniczej, przykład przepisowego sztandaru z lat 1937–38, sztandary batalionów broni pancernej zamiast cyfry miały „znak pancerny";
3 – proporzec Naczelnego Wodza

1

2

1

2

3

Rozdział 2

Sztandary i proporce

Swoje chorągwie i sztandary – znaki otoczone szczególnym kultem żołnierzy i szacunkiem społeczeństwa – miały pułki piechoty, kawalerii i saperów, a od roku 1937, zgodnie z dekretem Prezydenta Rzeczypospolitej, przyznano prawo do sztandarów samodzielnym batalionom pancernym, artylerii, łączności i szkołom oficerskim oraz szkołom podoficerów zawodowych tych rodzajów broni.
25 marca 1938 roku zostały nadane sztandary 1, 2, 3, 4, 5, 6, 7, 8, 10 i 12 Batalionom Pancernym i Szkole Podchorążych Broni Pancernych (a także obydwu dywizjonom pociągów pancernych). Uroczyste wręczenie i poświęcenie sztandarów odbyło się 25 maja 1938 roku w Warszawie (oprócz batalionów pancernych

155. Poczet sztandarowy 1 batalionu pancernego. Widoczny sztandar batalionu, na drugim planie proporzec pancerny (1938 rok)

156. Samochód *Rolls--Royce* marszałka Edwarda Rydza-Śmigłego. Z prawej strony samochodu umieszczono flagę Generalnego Inspektora Sił Zbrojnych

sztandary otrzymały w tym dniu formacje artylerii z okręgów korpusu Warszawa i Łódź).

Sztandary miały ujednolicone wymiary – 65×65 cm (tylko w pułkach piechoty – 100×100 cm) i ustalony wzór. Na białym tle czerwony krzyż kawalerski, brzegi płatu obszyte złotymi frędzlami. Wszystkie motywy (godło, emblematy, wizerunki i napisy) były haftowane. W środku strony głównej, okolony złotym wieńcem, był wyhaftowany srebrny orzeł ze złotymi szponami, dziobem i koroną. W rogach płatu, w złotych wieńcach wawrzynu, były umieszczone: na sztandarach batalionów pancernych - „znaki pancerne", na sztandarze Szkoły Podchorążych – jej emblemat. Na sztandarach innych formacji umieszczono ich numery pułkowe.

Na lewej stronie płatu w jego środku, w otoku ze złotego wawrzynu, widniał haftowany złotem napis „Honor i Ojczyzna". Na białych polach naroży płatu, na tarczach herbowych, umieszczono na sztandarach broni pancernej w prawym górnym rogu wizerunek Matki Boskiej (Matki Boskiej Częstochowskiej – Bataliony 1, 3, 8 i 10 oraz Szkoła Podchorążych; Matki Boskiej Kodeńskiej – Bataliony 2 i 4; Matki Boskiej Piekarskiej – 5 Batalion; Matki Boskiej Ostrobramskiej – Bataliony 6 i 7; Matki Boskiej Kazimierskiej – 12 Batalion); w lewym górnym rogu wizerunek św. Michała; w prawym dolnym rogu herb miejscowości związanej z historią oddziału; w lewym zaś dolnym – odznakę pamiątkową. Na czerwonych polach krzyża wolno było umieszczać napisy: nazwy miejscowości związanych z tradycją oddziału i daty. Wśród sztandarów batalionów pancernych takie napisy miał tylko 1 Batalion, kontynuujący tradycje 1 Pułku Czołgów armii gen. Hallera i 5 Batalion. W batalionach 4 i 12 napisy–sentencje – umieszczono na wstęgach sztandarowych.

Sztandar był przytwierdzony do jesionowego drzewca z okuciami, od góry zakończonego głowicą w postaci srebrnego orła wspartego na tablicy ze „znakiem pancernym" w batalionach pancernych, monogramem SP w Szkole Podchorążych i z numerem formacji w innych samodzielnych oddziałach.

Jednostki o starych tradycjach – 24 Pułk Ułanów, 10 i 1 Pułk Strzelców Konnych – używały swych dotychczasowych sztandarów.
W oddziałach były też używane różne proporce zarówno jako znaki honorowe, jak i proporce o funkcjach wyłącznie identyfikacyjnych.
Proporzec pancerny grupy pancernej, stanowiący wyróżnienie dla najlepszej jednostki w grupie, jest widoczny na kilku zdjęciach 1 Batalionu Pancernego. Był wręczony w 1938 roku w czasie koncentracji letniej.
Niewielka jest nasza wiedza o proporcach zwanych płomieniami, które były zamocowane na fanfarach sygnalistów. Są znane wizerunki tylko kilku płomieni. W 2 Batalionie fanfary były zaopatrzone w płomienie prostokątne, obszyte frędzlą. Z jednej strony był wyhaftowany, na czerwonym tle, orzeł państwowy, z drugiej, w barwach broni pancernej, cyfra „2". W 5 Batalionie były cztery fanfary i trąbka strzelecka z płomieniami, ale ich wygląd nie jest znany. Możliwe, że trąbka strzelecka stanowiła nagrodę za najlepsze wyniki w strzelaniu – ale nie jest to pewne. W 6 Batalionie płomienie były prostokątne, z haftowanym orłem z jednej strony, a na drugiej stronie, złożonej z pola pomarańczowego i czarnego z granicą wzdłuż przekątnej, był wyhaftowany „znak pancerny". Takie same, sądząc z opisu, były płomienie fanfar 8 Batalionu.

Rozdział 3

Barwy broni i służb

Kolory użyte na proporcach wywodziły się z tak zwanego kodu barw broni i służb. Ich zestaw był ustalony polskimi tradycjami wojskowymi. Od XVIII wieku, kiedy pojawił się barwny mundur jego kolory informowały o przynależności żołnierza do konkretnej broni i pułku. Piechota liniowa Królestwa Kongresowego założyła granatowe mundury z żółtymi wyłogami – granatowy i żółty są barwami piechoty do dziś. Wtedy też ustaliła się tak zwana kolejność barw – pierwsze pułki w dywizjach i brygadach były oznaczane amarantem, drugie kolorem białym, trzecie żółtym, a czwarte – niebieskim.

Barwy broni pancernej, broni i służb zmotoryzowanych i częściowo zmotoryzowanych oraz pułków zmotoryzowanych
– pułkownik broni pancernej,
– porucznik 1 Pułku Strzelców Pieszych,
– rotmistrz 24 Pułku Ułanów,
– porucznik 1 Pułku Strzelców Konnych,
– podporucznik 10 Pułku Strzelców Konnych,
– podporucznik Dywizjonu Rozpoznawczego brygady zmotoryzowanej,
– kapitan Dywizjonu Przeciwpancernego brygady zmotoryzowanej,
– podporucznik 1 Pułku Artylerii Najcięższej,
– major 1 Pułku Artylerii Motorowej,
– podporucznik saperów,
– chorąży łączności,
– podchorąży artylerii przeciwlotniczej,
– rotmistrz łączności w kawalerii,
– podporucznik żandarmerii,
– podporucznik służby uzbrojenia,
– kapitan – lekarz

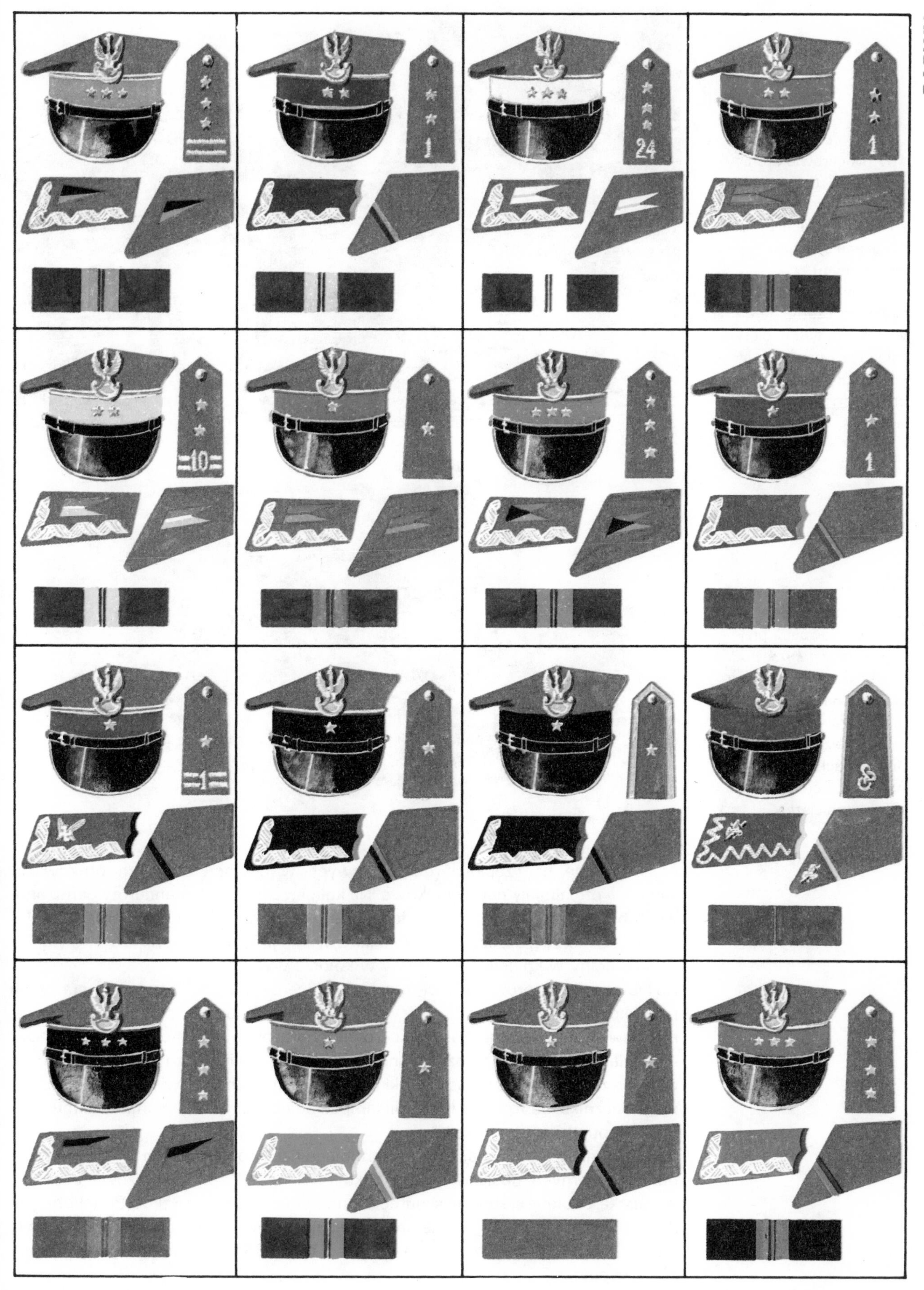
1
24
1
10
1

157. Oficerowie broni pancernej 10 Brygady Kawalerii, pierwszy z prawej sierżant z oznakami stopni zmienionymi w lutym 1939 roku. Kurtki skórzane, czarne berety, wysokie buty. Pistolety założone z przodu, z lewej strony (cecha charakterystyczna w 10 BK)

158. Oficerowie dywizjonu przeciwpancernego 10 Brygady Kawalerii przy samochodzie *Łazik 508*. Kurtki skórzane nowego wzoru, szeregowiec w umundurowaniu sukiennym starego wzoru (bez kieszeni na piersiach), z bagnetem na żabce, berety starego wzoru (mniejsze)

W 1939 roku barwy broni i służb były użyte w komponowaniu znaków i proporców oraz noszone na czapkach garnizonowych w postaci barwnych otoków. W kawalerii otoki miały barwy pułkowe. Na kołnierzach kurtek mundurów garnizonowych barwy noszono w postaci łapek (patek) z wypustką lub proporczyków. Na rogach kołnierzy płaszczy i peleryn sukiennych – jako proporczyki lub dwa wąskie paski – dolny w kolorze łapki, górny w kolorze wypustki.

Na ubiorze wieczorowym oficerowie, podoficerowie i podchorążowie starszych roczników tych broni i służb, którym przysługiwały ciemne spodnie wieczorowe, nosili swe barwy na lampasach. Oficerowie, chorążowie i podchorążowie zawodowi – dwa lampasy szerokie, rozdzielone wypustką w szwie bocznym spodni, podoficerowie zawodowi – lampas szeroki pojedynczy (podchorążowie zawodowi ostatniego rocznika, do roku 1936, nosili lampas pojedynczy). Podchorążowie młodsi – tylko wypustka w szwie spodni.

Barwy broni były też zaznaczone na naramiennikach podchorążych. Podchorążowie brani pancernych nosili od 1937 roku naramienniki pomarańczowe z czarną wypustką, okolone srebrnym sznureczkiem, a podchorążowie Szkoły Podchorążych Artylerii Przeciwlotniczej (o tyle nas interesującej, że artyleria przeciwlotnicza była niemal całkowicie zmotoryzowana) – nosili od 1938 roku naramienniki zielone z żółtą wypustką.

159. 1 Batalion Pancerny w czasie uroczystego wystąpienia z proporcem. Żołnierze w umundurowaniu sukiennym *wz. 36* z barwami broni, hełmy bojowe (odmiana z „krótkim" nakarczkiem), karabinki *Mauser wz. 98.* Oficer, chorąży i starszy podoficer z kordzikami i pistoletami na pasie, z tyłu z prawej strony (maj 1939 roku)

160. Żołnierze broni pancernej w szyku pieszym. Umundurowanie sukienne z barwami broni. Podoficerowie w kurtkach *wz. 36*, szeregowcy w kurtkach starego wzoru, oficer z kordzikiem (Kraków, maj 1939 roku)

162. Podpułkownik Kazimierz Dworak, dowódca zmotoryzowanego 24 Pułku Ułanów. Umundurowanie służbowe z orderami, odznaczeniami i odznaką pamiątkową pułku. Na naramiennikach haftowany numer pułku

161. Żołnierze broni pancernej. Załogi czołgów *TK-3* w kombinezonach i hełmach bojowych (odmiana z „krótkim" nakarczkiem). Podoficer, kierowca *Łazika*, w kurtce skórzanej, hełmie, z pistoletem (Kraków, maj 1939 roku)

163. Wachmistrz i rotmistrz zmotoryzowanego 10 Pułku Strzelców Konnych w płaszczach *wz. 36* i rogatywkach garnizonowych (podoficer z pasem na płaszczu) i sierżant broni pancernej w dwurzędowej kurtce skórzanej starego wzoru z kordzikiem na rapciach

164. Artylerzyści 1 Pułku Artylerii Najcięższej przy moździerzu 220 mm. Kombinezony, czarne berety, na pasie bagnet. Na lewym boku maski przeciwgazowe w metalowych puszkach, na prawym – chlebaki z przytroczoną manierką

165. Artylerzyści, kanonierzy 1 Pułku Artylerii Najcięższej na przyczepie do przewozu lufy moździerza. Czarne berety, kombinezony, okulary motocyklowe na szyi, karabinki *wz. 98*, na pasie ładownice (tylko trzy, z lewej strony). Przez prawe ramię na lewy bok maski przeciwgazowe w puszkach

166. Artylerzyści zmotoryzowanej artylerii przeciwlotniczej na stanowisku kierowania ogniem. Kombinezony, na pasie bagnety i, z lewej strony, trzy ładownice. Maski przeciwgazowe w puszkach, hełmy bojowe *wz. 31* (założone tyłem do przodu!), bagnety. Z lewej oficer z lornetką na szyi i futerałem lornetki na boku. Pistolet na pasie z prawej strony, torba oficerska przez prawe ramię na lewy bok

167. Zmotoryzowana bateria artylerii lekkiej. Armaty *Schneider wz. 97* przystosowane do ciągu motorowego przez zamianę kół jaszczy i armat na koła ogumione. Obsługa w płaszczach *wz. 36,* hełmach *wz. 31,* z maskami przeciwgazowymi w puszkach. Armaty pomalowane w plamy

168. Żołnierze zmotoryzowanej kolumny sanitarnej. Płaszcze sukienne *wz. 36*, hełmy *wz. 31*, maski przeciwgazowe na prawym boku, na lewym boku torby sanitarne. Widoczny przód samochodu *508* i otwarte drzwi ambulansu *FIAT 614*

Barwy broni pancernej, broni i służb zmotoryzowanych i częściowo zmotoryzowanych oraz pułków zmotoryzowanych

Rodzaj broni, służby, pułk	Otok czapki	Łapka — — wypustka	Proporczyk	Spodnie wieczorowe	Lampas — — wypustka
1	2	3	4	5	6
Broń pancerna	pomarańczowy	—	trójkątny, czarno-pomarańczowy	granatowe	pomarańczowe
1 Pułk Strzelców Pieszych	granatowy	granatowa-seledynowa	—	granatowe	żółte
24 Pułk Ułanów	biały	—	kawaleryjski, biały z żółtym paskiem	granatowe	białe
1 Pułk Strzelców Konnych	amarantowy	—	kawaleryjski, szmaragdowo-amarantowy	granatowe	amarantowe
10 Pułk Strzelców Konnych	jasnożółty	—	kawaleryjski, szmaragdowo-żółty, pasek biały	granatowe	jasnożółte
dywizjony rozpoznawcze	amarantowy	—	kawaleryjski, amarantowo-pomarańczowy, pasek zielony (w 10 Brygadzie Kawalerii nieprzepisowy: szkarłatno-pomarańczowy, kąt biały)	granatowe	amarantowe, wypustka zielona
dywizjony przeciwpancerne	szkarłatny		kawaleryjski, szkarłatno-pomarańczowy, kąt czarny	granatowe	szkarłatne, wypustka pomarańczowa
1 Pułk Artylerii Motorowej	ciemnozielony	zielona—czarna	—	ciemnozielone	szkarłatne
1 Pułk Artylerii Najcięższej	ciemnozielony	zielona—malinowa	—	ciemnozielone	szkarłatne
artyleria przeciwlotnicza	ciemnozielony	ciemnozielona—żółta	—	ciemnozielone	szkarłatne
saperzy, kompanie reflektorów przeciwlotniczych	czarny	czarna—szkarłatna	—	ciemnozielone	malinowe
saperzy KOP (Korpusu Ochrony Pogranicza)	granatowy, wypustka zielona	czarna—szkarłatna i zielona	—	ciemnozielone	malinowe
łączność	czarny	czarna—chabrowa	w kawalerii: kawaleryjski, czarno-chabrowy	ciemnozielone	chabrowe
żandarmeria	szkarłatny	szkarłatna—żółta	—	granatowe	szkarłatne, wypustka żółta
służba uzbrojenia	szmaragdowy	szmaragdowa—czarna	—	—	—
kadry służby zdrowia, bataliony sanitarne, lekarze medycyny	wiśniowy	wiśniowa—granatowa	—	czarne	wiśniowe, wypustka błękitna

Rozdział 4

Numery pułkowe, inicjały i emblematy

Na naramiennikach były w Wojsku Polskim noszone numery pułków lub monogramy ich patronów (w rozkazach nazywane inicjałami), a niektóre oddziały miały prawo do noszenia na kołnierzach kurtek i płaszczy swoich emblematów. Spośród interesujących nas formacji monogramy miały Szkoły Podchorążych – litery SP. Emblematy na kołnierzach nosili żołnierze 1 Pułku Artylerii Motorowej (emblemat strzelców podhalańskich – swastyka z trzema gałązkami jedliny), morskiej kompanii reflektorów przeciwlotniczych (kotwica) i podchorążowie (miecz i dębowe liście).

Odznaki i oznaki broni pancernej i formacji zmotoryzowanych
1 – „znak pancerny",
2 – inicjał Szkoły Podchorążych,
3 – emblemat generałów i oficerów dyplomowanych,
4 – emblemat podchorążych,
5 – emblemat morskiej kompanii reflektorów przeciwlotniczych,
6 – emblemat 1 Pułku Artylerii Motorowej,
7 – 22 – odznaki pamiątkowe:
7 – 1 Batalionu Pancernego, 8 – 2 Batalionu Pancernego, 9 – 3 Batalionu Pancernego, 10 – 4 Batalionu Pancernego, 11 – 5 Batalionu Pancernego, 12 – 6 Batalionu Pancernego, 13 – 7 Batalionu Pancernego, 14 – 8 Batalionu Pancernego, 15 – 9 Batalionu Pancernego, 16 – 10 Batalionu Pancernego, 17 – 12 Batalionu Pancernego, 18 – 1 Pułku Artylerii Motorowej, 19 – 1 Pułku Artylerii Najcięższej, 20 – 24 Pułku Ułanów, 21 – 1 Pułku Strzelców Konnych, 22 – 10 Pułku Strzelców Konnych

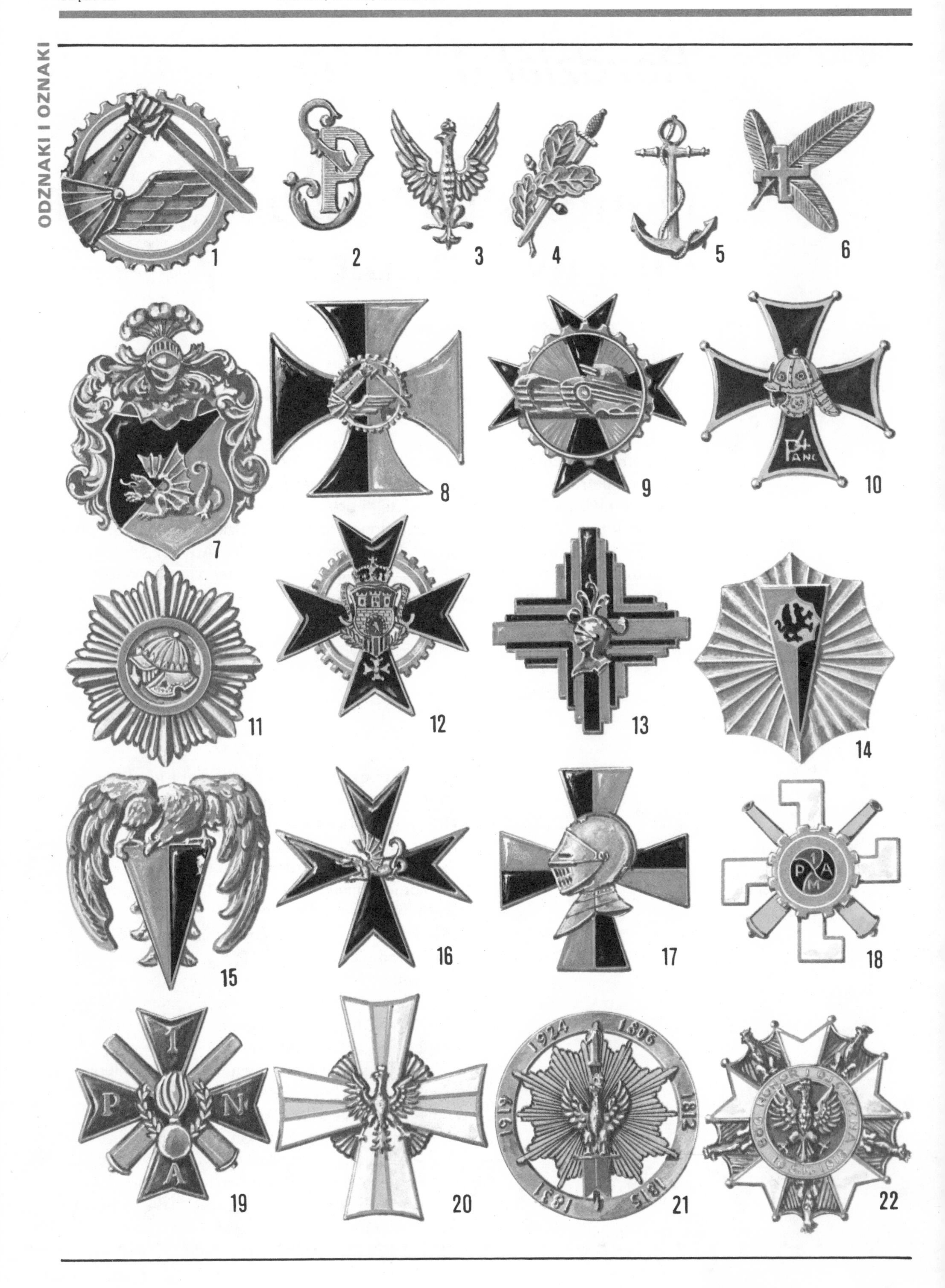
1
2
3
4
5
6
7
8
9
10
11
12
13
14
15
16
17
18
19
20
21
22
1
P
A
M
1
P
N
A
1924
1806
1812
1815
1831
1918

Rozdział 5

Oznaki stopni, odznaki honorowe i pamiątkowe

Oznaki stopni umieszczano na czapkach garnizonowych i beretach oraz na naramiennikach kurtek i płaszczy.

- Generałowie nosili srebrne hafty generalskie i gwiazdki ze srebrnego szychu – haftowane na otoku czapki garnizonowej, a na berecie naszyte poniżej orła. Na kołnierzu kurtki aksamitne patki granatowe z karmazynową wypustką i zygzakowaty haft generalski. W narożnikach kołnierza kurtki i płaszcza – orzełki srebrne haftowane lub metalowe. Na naramiennikach srebrne hafty generalskie i gwiazdki. Hafty generalskie okalały też doły rękawów kurtki – na rękawach płaszcza haftów nie noszono. Spodnie barwy ochronnej z podwójnym lampasem granatowym i granatową wypustką. Z prawego ramienia sznury naramienne podwójne, srebrne, a przy ubiorze polowym bawełniane w kolorze ochronnym (nie obowiązywały). Pas oficerski z szelką naramienną, tak zwaną koalicyjką.
- Oficerowie sztabowi (pułkownicy, podpułkownicy i majorzy) nosili na czapce garnizonowej dwa srebrne galony w górnej części otoku, a na otoku pod orłem gwiazdki srebrne, haftowane. Oznaki stopni na berecie były umieszczone pod orłem i składały się z dwu „belek" i gwiazdek haftowanych. Na kołnierzu kurtki, na łapce lub wprost na kołnierzu, zygzakowaty haft nicią srebrną. Oficerowie dyplomowani pełniący funkcje w sztabach oraz adiutanci i oficerowie do zleceń Prezydenta Rzeczypospolitej, Generalnego Inspektora Sił Zbrojnych i Ministra Spraw Wojskowych – nosili z prawego ramienia sznury naramienne, podwójne (adiutanci w oddziałach – pojedyncze).
- Oficerowie starsi (kapitanowie i rotmistrze) i młodsi (porucznicy, podporucznicy) – na czapce galon pojedynczy u góry otoku i gwiazdki. Na berecie, poniżej orła, gwiazdki haftowane. Na naramiennikach gwiazdki haftowane. Na łapkach lub wprost na kołnierzu kurtki „wężyk" wzoru oficerskiego – haftowany.

Czapki oficerskie były obszyte pojedynczym, srebrnym galonem na krzyż, przez denko czapki (wzdłuż szwów kwater) i miały daszki okute oksydowaną blachą. Pasy oficerskie miały szelkę naramienną.

- Chorążowie nosili czapki oficerskie z okutym daszkiem, ale zamiast galonu srebrnego obszyte bawełnianą tasiemką karmazynową. Na otoku czapki i na naramiennikach gwiazdki haftowane jak dla oficerów, a naramienniki obszyte galonem podoficerskim – srebrną taśmą z karmazynowymi brzegami. Oznaka stopnia na berecie (poniżej orła): wełniana, „belka" karmazynowa i srebrna gwiazdka. Na kołnierzu kurtki „wężyk" jak dla oficerów. Chorążowie mieli prawo nosić pas oficerski z szelką naramienną.

● Podoficerowie i starsi szeregowcy – oznaki stopnia z galonu srebrnego z karmazynowym obramowaniem. Na kołnierzu „wężyki" z wąskiej taśmy srebrnej. Podoficerowie zawodowi – „wężyki" haftowane na łapce lub wprost na kołnierzu.

● Szeregowcy z cenzusem oraz uczniowie i absolwenci szkół podchorążych rezerwy mieli naramienniki obszyte biało-czerwonym sznureczkiem. Czapki podchorążych służby stałej miały daszki okute blachą, czapki szeregowców – bez okuć.

● Zależnie od okoliczności noszono oznaki orderowe pełne lub tylko w postaci baretek.
Odznakę Honorową za Rany i Kontuzje – w postaci wąskiej wstążeczki w barwach Virtuti Militari z naszytymi gwiazdkami, których liczba odpowiadała doznanym ranom – noszono nad baretkami odznaczeń.
Na prawym rękawie, 15 cm poniżej wszycia rękawa, naszywano Odznakę Honorową za Czas Pobytu na Froncie – odwrócone wierzchołkiem do góry srebrne kąty – jeden za pół roku służby frontowej.
Na lewym rękawie podoficerowie zawodowi nosili odznakę za długoletnią służbę – srebrne kąty skierowane wierzchołkiem do dołu. Jeden kąt przysługiwał za każde 3 lata służby. Po 9 latach można było naszyć zamiast trzech jeden, dwukrotnie szerszy.
W 1932 roku wprowadzono odznakę wyróżnienia i specjalizacji pancernych pod nazwą „znak pancerny" – nadawaną przez Ministerstwo Spraw Wojskowych na wniosek dowódcy broni pancernych.

*

Specyficzne znaczenie w Wojsku Polskim miały odznaki pamiątkowe formacji. Ranga odznaki była wysoka. Nie otrzymywało się jej automatycznie – należało spełniać określone przepisami wymagania. Określono: czas służby, kto i kiedy ma prawo nadać odznakę, sposób noszenia odznaki. Popełnienie czynu niehonorowego, nie mówiąc już o kryminalnym, powodowało utratę praw do odznaki.
Odznaki nosiło się na lewej piersi na kurtce mundurowej (nie więcej jednak jak trzy odznaki), wyjątkowo odznakę Wyższej Szkoły Wojennej nosiło się na prawej piersi.
Spośród oddziałów motorowych swoje odznaki pamiątkowe miały bataliony pancerne i Centrum Wyszkolenia Broni Pancernych, zmotoryzowane pułki kawalerii, oba zmotoryzowane pułki artylerii, bataliony saperów i bataliony łączności, 1 Pułk Artylerii Przeciwlotniczej, wspólną wszystkie dywizjony artylerii przeciwlotniczej.
Wielu oficerów i wielu rezerwistów oddziałów pancernych i motorowych nosiło, jako drugą, odznakę formacji motorowych już nie istniejących, rozformowanych w latach 1933–1935, na przykład odznakę pamiątkową Szkoły Podchorążych Wojsk Samochodowych i Obozu Szkolnego Wojsk Samochodowych lub odznaki dywizjonów samochodowych. Wielu oficerów nosiło też odznaki pułków, z których przeszli do broni pancernej (przeważały odznaki kawaleryjskie).

Rozdział 6

Ubiór broni pancernej i formacji zmotoryzowanych

W 1939 roku rozróżniano w wojsku dwa zasadnicze rodzaje ubiorów – polowy i garnizonowy. Ten ostatni miał swoje odmiany: służbową, pozasłużbową i wieczorową do składania wizyt oficjalnych i towarzyskich.

● Na ubiór polowy, przewidziany do walki i na ćwiczeniach w polu, składały się:
– hełm stalowy i beret (furażerki i czapki polowej, używanych w innych formacjach, w oddziałach zmotoryzowanych praktycznie nie używano);
– kurtka bez oznak i ozdób, tylko z oznakami stopnia;
– spodnie do długich butów lub spodnie do owijaczy i butów półwysokich lub spodnie z owijakami lub ze spinaczami do trzewików sznurowanych;
– długie buty czarne dla oficerów, bez ostróg (według przepisów bez ostróg również w pułkach kawalerii zmotoryzowanej – ale były noszone!), półwysokie (3/4, tak zwane saperki) dla kierowców motocyklowych, trzewiki sznurowane dla szeregowców (podchorążowie rezerwy oraz sierżanci mogli nosić długie buty typu oficerskiego);

Umundurowanie
1 – czapka oficerska, rogatywka usztywniona,
2 – rogatywka szeregowca,
3 – rogatywka polowa,
4 – beret,
5 – czapka okrągła saperów Korpusu Ochrony Pogranicza,
6 – hełm czołgowy,
7 – hełm *wz. 31*,
8 – hełm *wz. 16*,
9 – kurtka *wz. 36* oficera broni pancernej,
10 – kurtka sukienna *wz. 36* munduru polowego szeregowca,
11 – kurtka skórzana *wz. 36*,
12 – płaszcz sukienny *wz. 36*,
13 – płaszcz sukienny *wz. 36*, oficerski (z pętem),
14 – peleryna sukienna *wz. 36*,
15 – kombinezon broni pancernych i zmotoryzowanych,
16 – kombinezon motocyklistów

1
2
3
4
5
6
7
8
9
10
11

12
13
14
15
16

– kombinezon nakładany na mundur dla załóg wozów bojowych, kierowców i artylerii zmotoryzowanej;
– płaszcz sukienny tylko z oznakami stopnia, czarna kurtka skórzana, peleryna przeciwdeszczowa (zakazana w akcji bojowej);
– pas główny, dla oficerów z szelką naramienną, zapiętą na wierzchnim okryciu, na pasie broń boczna – pistolet w futerale lub bagnet;
– brązowe rękawiczki ze skóry gładkiej lub zamszowe dla oficerów, brązowe skórzane rękawice z karwaszami do połowy przedramienia dla załóg pojazdów, ciepłe rękawiczki wełniane dla szeregowców i podoficerów;
– oporządzenie: maska przeciwgazowa, chlebak, tornister, ładownica, łopatka, manierka, oficerowie – maska, torba polowa z mapnikiem lub torba bez mapnika i mapnik, lornetka w futerale, busola, gwizdek i latarka;
– sznury naramienne barwy ochronnej (dozwolone, ale nie obowiązujące).
Zestaw umundurowania i oporządzenia zmieniał się w zależności od potrzeb. W części jednostek motorowych żołnierze nie nosili tornistrów (były przewożone na samochodach), załogi wozów bojowych nie nosiły łopatek, różne, zależnie od funkcji, były rodzaje ładownic, sposób ich zakładania itd.

● Ubiór służbowy obowiązywał w szeregach w czasie uroczystych wystąpień oficjalnych, rewii, przeglądów, raportów w służbie garnizonowej i inspekcyjnej, w przypadkach nakazanych specjalnym rozkazem lub oficjalnym zawiadomieniem, we wszystkich uroczystych wystąpieniach w czasie świąt i uroczystości.
Na ubiór służbowy składały się:
– rogatywka garnizonowa (w szeregu i w służbie z podpinką pod brodą) lub hełm stalowy (w wozie bojowym i na motocyklu zawsze);
– kurtka z barwami broni i ozdobami, z oznakami orderów i odznaczeń;
– spodnie i obuwie jak przy ubiorze bojowym (oficerowie kawalerii zmotoryzowanej z ostrogami);
– kombinezon – podczas wystąpień w wozach bojowych;
– płaszcz sukienny z oznakami broni lub peleryna sukienna (zakazane w szeregu, w służbie wartowniczej i inspekcyjnej), kurtka skórzana tylko na specjalny rozkaz;
– pas główny zapięty na wierzchnim okryciu (z wyjątkiem peleryny), na pasie kordzik na rukach lub bagnet na żabce, oficerowie zmotoryzowanych pułków kawalerii – szabla, oficerowie w szeregu lub w służbie – pistolet, w wozach bojowych bez broni bocznej;
– rękawiczki jak przy ubiorze bojowym;
– srebrne sznury naramienne (komu przysługiwały);
– oporządzenie zależnie od rozkazu.

● Ubiór pozasłużbowy stosowało się poza służbą oraz w czasie zajęć kancelaryjnych, o ile nie został nakazany inny ubiór.
Na ubiór pozasłużbowy składały się:
– czapka garnizonowa, w koszarach i podczas prowadzenia pojazdów mechanicznych – beret;
– kurtka sukienna z oznakami albo letnia, lniana lub z cienkiej gabardyny, bez ozdób;
– spodnie i buty jak przy ubiorze służbowym lub – oficerowie – spodnie długie bez strzemiączek i trzewiki;
– pas główny (bez szelki naramiennej), zapięty na kurtce, szeregowi z pasem zapiętym na wierzchnim okryciu;
– płaszcz lub peleryna sukienna;
– rękawiczki brązowe lub kremowe, zamszowe;
– sznury naramienne srebrne lub barwy ochronnej.
Nie nosiło się broni bocznej i oporządzenia, a także rękawic z karwaszami.
Na balach, zabawach, przyjęciach wieczorowych, uroczystych akademiach itp. obowiązywał ubiór wieczorowy. Składały się nań:

– czapka garnizonowa;
– kurtka sukienna z ozdobami i srebrnymi sznurami naramiennymi;
– spodnie ciemne z lampasami (lub długie barwy ochronnej dla służb nie mających spodni z lampasami), buciki lakierowane czarne, tak zwane sztyblety;
– rękawiczki białe, lub kremowe zamszowe;
– pas salonowy, broń biała na rapciach.
Czapkę i rękawiczki należało mieć przy sobie.
Ubiór ten obowiązywał również podczas składania nieoficjalnych wizyt towarzyskich oraz na wystąpieniach i zebraniach towarzyskich przed godziną 20 (obowiązywały wówczas buty wysokie i pas główny). Podczas składania wizyt oficjalnych pas uzupełniano szelką, zakładano też szablę na żabce lub kordzik na rukach. W wystąpieniach oficjalnych dziennych – bez broni białej i szelki naramiennej.

*

Hełm stalowy. Broń pancerna i formacje motorowe były wyposażone w hełmy kilku typów.
Hełmy dla załóg wozów bojowych i dla motocyklistów powstały w wyniku przeróbki francuskich hełmów *wz. 15* (tak zwanego hełmu Adriana). Zachowując bez zmian dzwon hełmu obcięto przednią część ronda zastępując je skórzaną poduszką. Część hełmów przerobiono obcinając również tylną część ronda i przynitowując szeroki nakarczek. Hełmy, przerabiane zapewne przez kilka warsztatów, różnią się niekiedy między sobą również innymi szczegółami.
Artyleria przeciwlotnicza, pułki i oddziały Warszawskiej Brygady Pancerno-Motorowej, artyleria motorowa i niektóre inne formacje zmotoryzowane były wyposażone w nowoczesne i wysokiej jakości hełmy polskie *wz. 31.*
W 10 Brygadzie Kawalerii stosowano stare niemieckie hełmy *wz. 16,* których znaczny zapas znajdował się w magazynach.
Powszechne w Wojsku Polskim hełmy francuskie *wz. 15* w oddziałach motorowych stosowano rzadko.
W służbach sanitarnych i medycznych były używane polskie hełmy *wz. 28.*

Beret. Jako nakrycie głowy przy ubiorze polowym i do pracy przy sprzęcie dla żołnierzy broni pancernej i oddziałów zmotoryzowanych został wprowadzony w 1937 roku. Miał średnicę 29–31 cm, był wykonany z czarnej tkaniny dzianej, miał wierzch zakończony charakterystycznym „ogonkiem". Należało go ściągnąć lekko z czoła i na prawe ucho, tak by orzeł znajdował się w linii nosa. Orzeł był haftowany na sukiennej podkładce, oznaki stopnia poniżej orła – naszyte skośnie w stosunku do krawędzi, tak by po założeniu i ściągnięciu na prawo orzeł i oznaki znalazły się na wprost, w linii nosa.
W niektórych jednostkach używano też beretów starego wzoru (mniejszych) – ale zastępowano je nowymi, zezwalając na „donaszanie" starych tylko na terenie koszar i do pracy przy sprzęcie.

Rogatywka polowa i furażerki. W niektórych jednostkach motorowych były stosowane furażerki, ale wymieniano je sukcesywnie na berety. W 1939 roku były jeszcze używane, ale tylko na terenie koszar, do pracy przy sprzęcie i zajęciach porządkowych.
Rogatywki polowe *wz. 37* wprowadzono na przykład w 1 Pułku Artylerii Najcięższej, ale dość rychło zastępował je czarny beret.

Rogatywka usztywniona. Była nakryciem głowy przy wszystkich odmianach ubioru garnizonowego. Jej wzór został ujednolicony w 1935 roku. Rogatywki szeregowców i podoficerów były wykonane z sukna i miały daszki bez okucia. Rogatywki starszych sierżantów (poza służbą), chorążych i oficerów były szyte z tkanin czesankowych. Czapki oficerów obszywano srebrnym galonem, czapki chorążych karmazynową tasiemką, daszki miały okute. Otoki rogatywek były barwne – kolor otoku odpowiadał barwie broni lub służby, albo barwie pułku.

Czapka garnizonowa okrągła usztywniona. Wzór ujednolicono w 1936 roku. Pośród oddziałów zmotoryzowanych czapki takie noszono w plutonach saperów KOP (Korpusu Ochrony Pogranicza). Daszki czapek okrągłych były okute, a saperzy KOP nosili granatowe otoki i zielone wypustki.

Kurtka. Rozkaz z 1936 roku wprowadził nowy, jednolity wzór kurtek dla wszystkich żołnierzy Wojska Polskiego. Kurtki starego wzoru, oficerskie i dla szeregowców w 1939 roku były jeszcze donaszane, ale w nowo formowanych oddziałach motorowych już ich nie stosowano. Nowa kurtka, *wz. 36,* była jednorzędowa, zapinana na siedem guzików, najniższy guzik był przyszyty tak, że opierał się na nim pas główny. Kieszenie (dwie górne, na piersiach i dwie dolne) naszyte, z klapami zapinanymi na guziki. Kurtka ubioru polowego była taka sama, ale tylko z oznakami stopnia. Kurtki letnie, z tkaniny lnianej, miały krój identyczny, jak kurtki sukienne.

Spodnie. W 1937 roku dla szeregowców i podoficerów, a w polu też dla chorążych i oficerów na stanowiskach do dowódcy plutonu włącznie, wprowadzono nowy wzór spodni sukiennych. Do ubioru letniego stosowano spodnie drelichowe. Były noszone z owijakami (lub spinaczami) do trzewików sznurowanych.
W części jednostek zmotoryzowanych noszono spodnie starego wzoru (do owijaczy) do butów półwysokich, saperek.
Spodnie długie, noszone przez oficerów, chorążych i starszych podoficerów zawodowych oraz podchorążych, podoficerów i szeregowców z cenzusem, były szyte z materiałów czesankowych. Do ubioru wieczorowego były noszone spodnie identycznego kroju, ale ciemnozielone, granatowe lub czarne z lampasami. Były to tak zwane szasery. Do dolnej krawędzi nogawek miały doszyte strzemiączka z elastyczną taśmą gumową, która przeprowadzona pod spodem trzewika, obciągała spodnie.
Spodnie do butów długich, bryczesy, wchodziły w skład każdego rodzaju ubioru oficerskiego. Było dozwolone ich noszenie poza służbą przez chorążych, podchorążych i podoficerów zawodowych.

Kombinezon. Określany też mianem opończy był jednoczęściowy, szyty z drelichu. Był zapinany na guziki, w pasie ściągany paskiem z drelichu. Wyloty rękawów zaopatrzono w małe guziki, patki z guziczkami lub w ściągacze gumowe. Zazwyczaj miał naramienniki. Na piersiach były umieszczone małe, naszyte kieszenie bez klap, w spodniach dwie kieszenie przecięte ukośnie lub łukowato, też bez klap. W szwach bocznych dwa rozcięcia, zapinane na guziki, umożliwiające sięgnięcie do kieszeni munduru.
Odmianą tego kombinezonu był kombinezon dla motocyklistów, z górnymi kieszeniami wpuszczonymi skośnie, z klapami zapinanymi na guziki, z przodu kombinezon zapinał się „na zakład".
W kombinezony wyposażono załogi wozów bojowych, kierowców i motocyklistów, a także artylerzystów artylerii przeciwlotniczej i artylerii najcięższej.

Kurtka skórzana. W 1936 roku został wprowadzony jednolity typ kurtki skórzanej dla żołnierzy broni pancernej i formacji zmotoryzowanych (a także personelu latającego lotnictwa). Kurtka była długa, w rodzaju reglanowego półpłaszcza, z czarnej skóry chromowej, z sukiennym kołnierzem z wykładanymi klapami (można je było zapiąć pod szyją) i sukiennymi naramiennikami. Kurtka w pasie była ściągana paskiem z klamerkami, wyloty rękawów były też ściągane.
W chwili wybuchu wojny kurtki nowego wzoru miała kadra zawodowa i podchorążowie. Szeregowcy donaszali na ogół kurtki starego wzoru – krótkie, dwurzędowe (pięć guzików w rzędzie), z wykładanym skórzanym kołnierzem i dwiema kieszeniami.

Płaszcz. Oddziały pancerne i zmotoryzowane miały płaszcze nowego wzoru, wprowadzonego dla żołnierzy wszystkich rodzajów broni i służb wszystkich stopni w 1936 roku. Był to sukienny płaszcz jednorzędowy, zapinany z przodu na sześć guzików, na piątym od góry opierał się pas główny. Płaszcz oficerski, starszych podoficerów zawodowych, chorążych i podchorążych był spięty z tyłu tak zwanym pętem.

Peleryna sukienna. Została wprowadzona do zestawów umundurowania w 1936 roku dla oficerów, chorążych i podoficerów zawodowych do noszenia poza służbą. Nie miała zapięć z przodu, a tylko pod szyją spinało się ją sznurem plecionym barwy ochronnej z pętlą i baryłką. Była szeroka w ramionach i nie miała wycięć na ręce (tym się między innymi różniła od peleryny podhalańskiej).

Peleryna przeciwdeszczowa. Tym samym rozkazem z 1936 roku została wprowadzona dla oficerów i podoficerów zawodowych (od sierżanta) peleryna przeciwdeszczowa, uszyta z podwójnej tkaniny bawełnianej sklejonej kauczukiem. Z przodu była zapinana na kryte guziki kościane, miała wykładany kołnierz i podpięty pod kołnierz kaptur.
Peleryny nie wolno było nosić w służbie wartowniczej i w czasie wystąpień uroczystych oraz w akcji bojowej. Na pelerynie nie nosiło się barw ani oznak.

Buty. Buty długie, oficerskie, miały czarną wyprawę chromową, czubki lekko wydłużone, szerokie obcasy i wysokie zapiętki (zgodnie z przepisem około 75 mm, a w praktyce 100–120 mm). Ci, którym przysługiwały ostrogi mieli na zapiętkach butów naszyte trójkątne skórzane trójkąciki – podpórki ostróg. W obu pułkach artylerii zmotoryzowanej na obcasach były noszone okucia polerowane, stalowe, srebrzone lub chromowane, na pamiątkę ostróg i „konnego" rodowodu pułków.

Do oficerskich ciemnych spodni wieczorowych obowiązywały trzewiki lakierowane, tak zwane sztyblety. Nie były sznurowane – na wysokości kostek miały wszyte elastyczne ściągacze. Na obcasach miały zamocowane okucia z białego metalu imitujące ramiona ostróg.
Obuwiem dla szeregowców były trzewiki ze skóry juchtowej, czernione, sznurowane, o podeszwach podkuwanych gwoździami i podkówkami na obcasach. Zostały one zalecone dla wszystkich broni i służb, prócz motocyklistów. Motocykliści, jak też żołnierze broni i służb technicznych nosili tak zwane saperki. Były to buty półwysokie, z luźną cholewką, ze skóry juchtowej, czernione i podkuwane.

Pas główny. Oficerski pas główny *wz. 36* był wykonany z blankowej brązowej skóry, miał ozdobne przeszycia i był zapinany na sprzączki z dwoma bolcami. Miał wszyte strzemiączka – dwa górne do szelki naramiennej i dwa dolne do broni bocznej. Szelka naramienna składała się z dwu pasków połączonych sprzączką. Wszystkie części metalowe były oksydowane na kolor starego srebra.
Pas dla szeregowców i podoficerów był zrobiony z jednego kawałka skóry o naturalnej barwie i miał sprzączkę z jednym bolcem.
Starsi podoficerowie mogli nosić poza służbą pasy oficerskie, ale bez szelki naramiennej.

Pas salonowy. Był wykonany z tkaniny jedwabnej barwy ochronnej, tkanej w podłużne prążki z dwoma wyraźnymi, tkanymi ciemniejszym jedwabiem, szlakami przy brzegach. Pas był spinany klamrą, okrągłą, oksydowaną na stare srebro, z płaskorzeźbą przedstawiającą z profilu głowę żołnierza w antycznym hełmie.

Rękawiczki. Przepisowe rękawiczki oficerskie były brązowe, ze skóry licowej, a do ubioru wieczorowego kremowe lub białe zamszowe.
Szeregowcy nosili rękawiczki dziane, barwy ochronnej.
Oficerowie broni pancernej, kierowcy i motocykliści używali wprowadzonych w 1936 roku brązowych rękawic skórzanych z szerokimi mankietami z gładkiej skóry (tak zwanymi karwaszami).

Rozdział 7

Broń boczna, strzelecka indywidualna i zespołowa

Do ubioru służbowego oficerowie i starsi podoficerowie broni pancernej nosili jako broń boczną – kordziki. Był to rodzaj sztyletu o długości głowni około 24 cm, z rękojeścią metalową oksydowaną na stare srebro, z uchwytem z kości lub jej imitacji (z masy o żółtym zabarwieniu). Pochwa była obszyta czarną skórą, okuta i zaopatrzona w koluszka do zaczepiania ruk rapci. Oficerowie kawalerii do ubioru służbowego nosili szable.

Krótka broń palna to polski pistolet *Vis wz. 35* kalibru 9 mm. Pistolet był noszony w skórzanym futerale i był zaopatrzony w tak zwaną smycz (pleciony sznur skórzany założony na szyję i zaczepiony do rękojeści pistoletu). Pistolet nosiło się na pasie z przodu, z prawej strony – tylko w 10 Brygadzie Kawalerii i Warszawskiej Brygadzie Pancerno-Motorowej z lewej.

Bronią strzelecką indywidualną w oddziałach pancernych i zmotoryzowanych były karabinki *Mauser wz. 98* i niewielkie liczby karabinków *wz. 29*.
Lekkie karabiny maszynowe *Maxim wz. 08/15* były używane w bateriach artylerii jako broń do obrony baterii i w batalionach saperów.

Polskiej produkcji ręczne karabiny maszynowe *wz. 28* zostały przydzielone broni pancernej jako uzbrojenie dodatkowe, przewożone w wozach bojowych. W pułkach kawalerii zmotoryzowanej rkm-ów *wz. 28* było: 6 na motocyklach, po 8 w szwadronach liniowych i 1 rkm w poczcie dowódcy pułku. Niewielkie liczby rkm-ów *wz. 28* zostały przekazane do oddziałów saperów. Ciężkie karabiny maszynowe *Maxim wz. 08* były przydzielane oddziałom artylerii przeciwlotniczej, gdzie były używane do ochrony baterii i jako przeciwlotnicze. W sierpniu te ckm-y otrzymała również 10 Brygada Kawalerii – dywizjon przeciwpancerny – 2 sztuki, 10 Pułk Strzelców Konnych – 9 sztuk i 24 Pułk Ułanów – 6 sztuk.

Ciężkie karabiny maszynowe *Browning wz. 30* zostały wprowadzone w 10 Brygadzie Kawalerii we wrześniu 1938 roku (w pułku kawalerii zmotoryzowanej etatowo było 12 ckm-ów). Zostały też wprowadzone do niektórych zmotoryzowanych baterii przeciwlotniczych – zwykle były instalowane na samochodach *Polski FIAT 508/518*.

Strzelecką bronią przeciwpancerną były polskie karabiny przeciwpancerne *wz. 35* – na przykład w 10 Pułku Strzelców Konnych wprowadzono je już po rozpoczęciu działań, 5 września, po dwa na każdy szwadron liniowy. W pułkach Brygady Warszawskiej było po 19 karabinów przeciwpancernych, a w jej Dywizjonie Rozpoznawczym jeszcze 5. Informacje na temat broni zastosowanej w pojazdach bojowych zamieszczono przy opisach sprzętu.

Rozdział 8

Malowanie pojazdów wojskowych

W malowaniu sprzętu wojskowego i pojazdów obowiązywały pewne prawidła, które ostatecznie ustaliły się pod koniec lat trzydziestych i które były przestrzegane dość rygorystycznie. Drobne odstępstwa od reguły oczywiście się zdarzały – pojazdy malowane maskująco były pokrywane farbami w warsztatach poszczególnych batalionów, metodą indywidualną. Każdorazowo więc schemat ułożenia plam był inny i inne były proporcje pokrycia pojazdów poszczególnymi kolorami. Zdarzały się też pojazdy z malowaniem maskującym, które zgodnie z przepisami powinny mieć tylko tak zwane malowanie ochronne (oliwkowozielone), oraz czołgi, których już nie pomalowano w plamy (fabrykę opuszczały tylko z pokryciem ochronnym).

Analiza zachowanych zdjęć skłania do przypuszczenia, że w drugiej połowie 1938 lub w początkach 1939 roku uściślono zalecenia tyczące układu plam barwnych w

169. Czołg *Vickers* w starym typie kamuflażu (od 1936 roku nie stosowanym). Plamy oliwkowe, brązowe i paskowe obwiedzione, czarnymi paskami

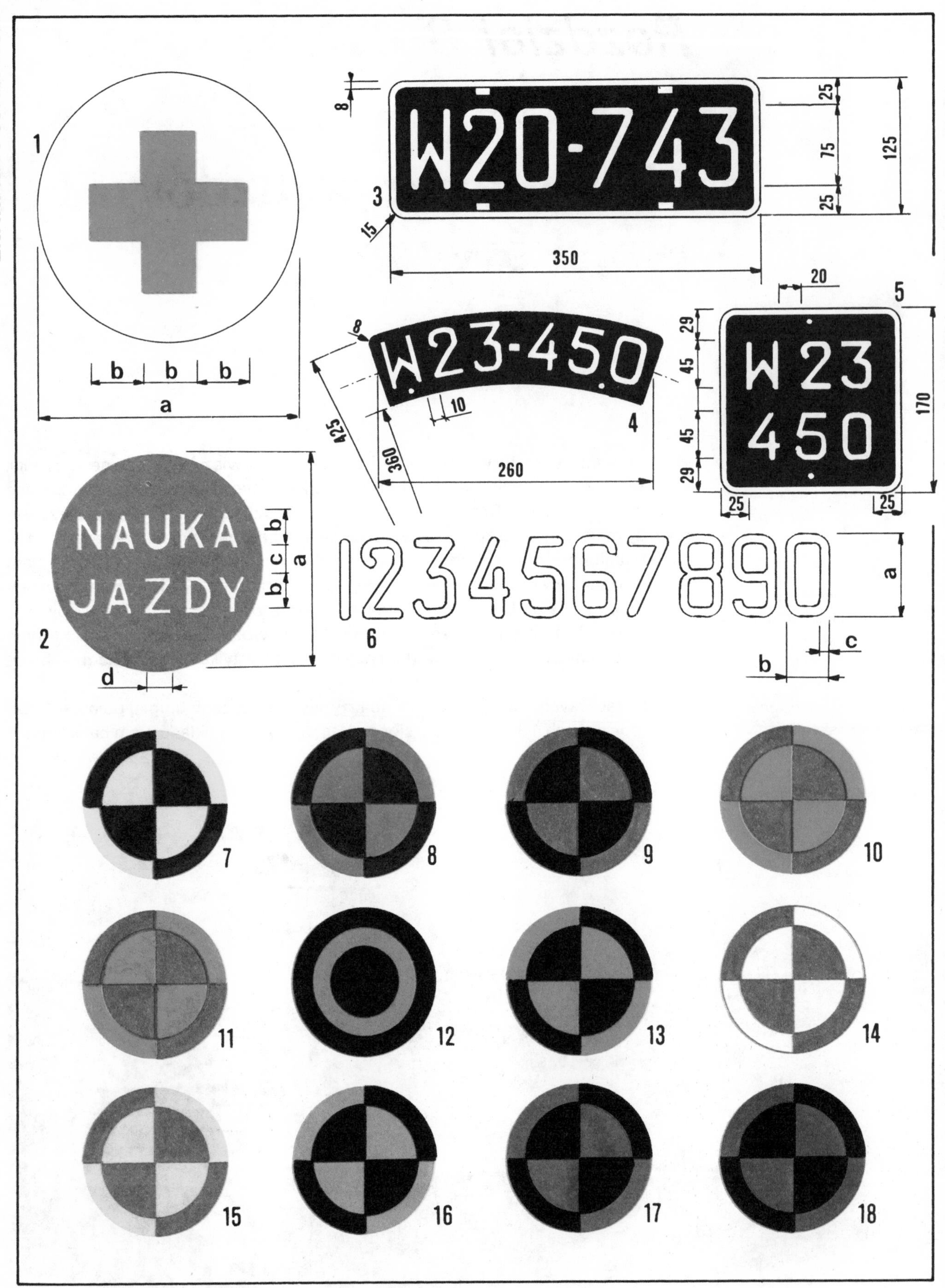
1
b b b
a
W20-743
8
3
15
25
75
125
25
350
W23-450
8
10
4
425
360
260
20
5
W 23
450
29
45
45
29
170
25
25
NAUKA
JAZDY
b
c
b
a
2
d
1234567890
6
a
b
c
7
8
9
10
11
12
13
14
15
16
17
18

kamuflażu. Pojawiają się pewne prawidłowości układu plam, nie stosowane zresztą z aptekarską dokładnością. Owa hipotetyczna instrukcja była prawdopodobnie wydana przez naczelne władze wojskowe – schematy malowania są bowiem podobne, choć wozy bojowe pochodzą z różnych jednostek.
We wszystkich rodzajach pojazdów takie elementy, jak: części podwozi, przegrody czołowe i zamocowane na nich zespoły mechanizmów, deski rozdzielcze, zbiorniki paliwa, tłumiki i przewody wydechowe, fartuchy, kolumny kierownicze, dźwignie zmiany biegów, pedały wraz z ramionami, dźwignie hamulców i cięgła – były malowane na czarno. Zbiorniki paliwa wykonane z mosiądzu pozostawały w barwie naturalnej.

Bloki cylindrów silników benzynowych chłodzonych cieczą były malowane na szaro, silników zaś benzynowych chłodzonych powietrzem – czernione. Bloki cylindrów silników Diesla były malowane czarnym lakierem.
Gaśnice śniegowe były srebrzyste, pokryte farbą aluminiową, gaśnice zaś płynowe malowane na czerwono.

Czołgi. Wszystkie powierzchnie zewnętrzne czołgów, prócz gąsienic, były malowane natryskowo w nieregularne, wydłużone plamy matowymi farbami olejnymi w kolorach szaropiaskowym i ciemnobrązowym (sepia), po wstępnym pomalowaniu na miniowym podkładzie farbą określoną jako farba ochronna lub oliwkowozielona. Wzorcowa farba ochronna zawierała ugier i umbrę w stosunku 2:1, rozprowadzone w pokoście lnianym, miała więc kolor, który raczej nazwać trzeba brązowozielonym niż oliwkowozielonym. Receptura nie była chyba zbyt pilnie przestrzegana – na różnych fotografiach niektóre pojazdy są wyraźnie ciemniejsze, inne wyraźnie jaśniejsze.
Wnętrze czołgu było pomalowane farbą szaropiaskową.

Znaki na pojazdach
1 – znak „czerwonego krzyża": na dachu samochodu a = 1000 mm, b = 200 mm; na bokach i każdej połówce drzwi tylnych a = 500 mm, b = 100 mm; z przodu a = 125 mm, b = 25 mm;
2 – znak „nauka jazdy": na samochodach a = 300 mm, b = 50 mm, c = 40 mm, d = 35 mm; na motocyklach a = 200 mm, b = 34 mm, c = 25 mm, d = 23 mm;
3 – tablica rejestracyjna dla samochodów (ostatniego wzoru);
4 – tablica motocyklowa, przednia;
5 – tablica motocyklowa, tylna;
6 – zalecany krój i wielkość cyfr na tablicach rejestracyjnych: dla samochodów a = 75 mm, b = 40 mm, c = 10 mm; dla motocykli a = 45 mm, b = 30 mm, c = 8 mm
Przykłady znaków broni i służb na samochodach:
7 – piechota, 8 – kawaleria, 9 – artyleria lekka i motorowa, 10 – artyleria ciężka, 11 – artyleria najcięższa, 12 – artyleria konna, 13 – saperzy, 14 – baterie pomiarowe, 15 – artyleria przeciwlotnicza, 16 – broń pancerna, 17 – łączność, 18 – lotnictwo

170. *Łazik 508* broni pancernej z namalowanym znakiem broni (na samochodach osobowych znak broni stosowano bardzo rzadko, ale na tym zdjęciu jest, choć słabo widoczny). Z lewej strony samochodu, w uchwycie do karabinu, osadzono krótką lancę z proporcem trójkątnym w barwach broni pancernej

171. Samochód *Polski FIAT 621L* przygotowany do transportu armaty przeciwpancernej 37 mm. Na burcie, w tylnej części, „okrągła szachownica" w barwach broni

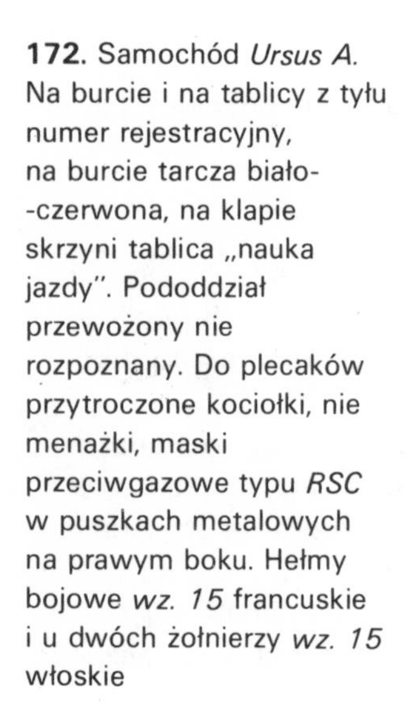

172. Samochód *Ursus A.* Na burcie i na tablicy z tyłu numer rejestracyjny, na burcie tarcza biało-czerwona, na klapie skrzyni tablica „nauka jazdy". Pododdział przewożony nie rozpoznany. Do plecaków przytroczone kociołki, nie menażki, maski przeciwgazowe typu *RSC* w puszkach metalowych na prawym boku. Hełmy bojowe *wz. 15* francuskie i u dwóch żołnierzy *wz. 15* włoskie

Samochody pancerne. Wszystkie powierzchnie zewnętrzne nadwozia pancernego malowano w nieregularne plamy szaropiaskowe i ciemnobrązowe na podkładzie oliwkowozielonym, jak czołgi. Wnętrze samochodu w kolorze szaropiaskowym. Podwozie w kolorze oliwkowozielonym, ale też niekiedy, wbrew przepisom, czarnym.

Motocykle. Ramy motocykli i przyczepek motocyklowych, kierownice, wsporniki siodełek i obręcze kół oraz błotniki i zbiorniki paliwa były malowane piecowo, farbami oliwkowozielonymi. Nadwozia przyczepek – wewnątrz i zewnątrz – w kolorze oliwkowozielonym, malowane lakierami nitrocelulozowymi. Bloki cylindrów i rury wydechowe – według zasad ogólnych, to znaczy czernione.

Samochody osobowe (karety i kabriolety). Nadwozia oraz felgi kół, błotniki, osłony silnika i chłodnicy były malowane oliwkowozielonymi farbami nitrocelulozowymi, podwozia zaś, z wyłączeniem tych części, które wymieniliśmy wyżej, na czarno.
Część samochodów osobowych używanych w instytucjach wojskowych miała malowanie „cywilne" – spotykało się szare i ciemnozielone samochody *FIAT 508*, jak też czarne i ciemnoszare limuzyny i kabriolety reprezentacyjne.

Samochody sanitarne. Podwozia były malowane na zasadniczy kolor oliwkowozielony, farbami olejnymi; nadwozia zewnątrz wraz z błotnikami, felgami kół, osłonami chłodnicy i maską – oliwkowozielonymi farbami nitrocelulozowymi. Niektóre z istniejących fotografii archiwalnych ukazują jednak także sanitarki malowane maskująco, w plamy.
Wnętrza przedziału kierowcy i przedziału sanitarnego od dołu do linii okien były pokryte lakierem ciemnoszarym, wyżej zaś (wraz z sufitem) lakierem jasnoszarym.
Znaki czerwonego krzyża, czerwone na białym okrągłym polu, były umieszczone na dachu, na obu bokach, na każdym skrzydle tylnych drzwi i z przodu nad odwietrznikiem kabiny kierowcy.

Ciągniki gąsienicowe. Podwozie i nadwozie, z wyjątkiem gąsienic, były malowane maskująco, w plamy, farbami matowymi, natryskowo (jak czołgi).
Nadwozie wewnątrz, prócz elementów malowanych według zasad ogólnych, miało kolor szaropiaskowy. Brezentowe części nadwozia były nasycone farbami parafinowymi – niektóre ze zdjęć archiwalnych wykazują, że niekiedy miały malowanie maskujące.

Samochody ciężarowe i specjalne, ciągniki kołowe i kołowo-gąsienicowe. Wszystkie części podwozia były zasadniczo pomalowane oliwkowozieloną farbą olejną. Całe nadwozie zewnątrz wraz z felgami kół zapasowych, błotnikami, stopniami, osłoną chłodnicy i maską – były pomalowane maskująco, w wydłużone plamy. Istnieje jednak wiele zdjęć wykazujących, że bardzo wiele samochodów ciężarowych i ciągników było pomalowanych jednolicie na kolor ochronny (oliwkowozielony), a nie maskująco.
W pojazdach z zamkniętym przedziałem kierowcy i stale osłoniętymi brezentem przedziałami obsługi i skrzyniami ładunkowymi, wnętrze malowano do wysokości oparć lakierem czarnym, wyżej zaś lakierem jasnoszarym. Wnętrze pojazdów z otwartym przedziałem kierowcy i obsługi oraz wnętrze skrzyni ładunkowej było malowane lakierem oliwkowozielonym.
Budy i zasłony brezentowe powinny być malowane farbami parafinowymi, maskująco.

Przyczepki i autotransportery. Przyczepki otwarte i autotransportery były pomalowane na wszystkich powierzchniach maskująco. Przyczepki zamknięte miały wnętrze pokryte farbą szaropiaskową. Osłony brezentowe przyczepek powinny być pomalowane maskująco farbami parafinowymi.

Tablice rejestracyjne i inne znaki. Tablice rejestracyjne były mocowane z przodu i z tyłu pojazdu (na przyczepkach tylko z tyłu). Były wykonane z blachy, cyfry i litery znaku były wytłaczane na wysokość 2 mm. Tablice malowano na czarno, symbole zaś na biało.
Na planszy przedstawiono tablicę nowego wzoru – stary typ i stare numery rejestracyjne pojazdy wojskowe mogły nosić tylko do 1 kwietnia 1939 roku. W istocie jednak jeszcze we wrześniu bardzo wiele pojazdów nie miało zmienionej rejestracji.
Na czołgach lekkich i ciągnikach *C7P* numery rejestracyjne były malowane do czasu zmiany przepisu wprost na pancerzu, z przodu i z tyłu pojazdu. Po zmianie numery zostały zamalowane. Nowych tablic rejestracyjnych na wozach bojowych nie widać – były bowiem mocowane wewnątrz wozu (na przykład w czołgach *7TP* na bocznej ścianie pancerza, z prawej strony kierowcy).
Znaki nauki jazdy były malowane na okrągłych tablicach o średnicy 300 mm, przyczepionych do pojazdów przeznaczonych do nauki jazdy. Kolor tablicy był ciemnobłękitny, a litery znaku – białe.
Zgodnie z przepisem od 31 października 1938 roku na pojazdach wojskowych nie mogło być żadnych napisów i znaków rozpoznawczych – poza znakami czerwonego krzyża. Na czas ćwiczeń polowych formacje organizacyjne lub jednostki taktyczne oznaczało się znakami specjalnymi, malowanymi na tablicach blaszanych, które były przyczepione do sprzętu.
Z czołgów zniknęły znaki batalionowe – ale jak się wydaje tuż przed wojną ponownie zaczęto wprowadzać znaki rozpoznawcze. W materiałach wspomnieniowych można znaleźć między innymi informację o oznakowaniu pojazdów 10 Brygady Kawalerii. „Instrukcja o znakowaniu" z 1939 roku podaje nawet przykłady znaków oraz dopuszcza, wcześniej już malowane na samochodach, znaki broni i służb. Należy jednak zaznaczyć, że znaki broni i służb są widoczne tylko na części zdjęć pojazdów.

LIST OF CONTENTS

SUMMARY

The subject of this book is the state of equipment of the Polish Armed Forces with combat vehicles at the beginning of World War II – in September, 1939. Gathering material on the subject, fifty years after the outbreak of the war, was not an easy task. Many documents were lost during the war, many were scattered, virtually all over the world. The book is characterized by a concise, nearly encyclopaedic manner of presentation. However, the authors did their best to make it as popular and attractive in form as possible.
The material gathered has been divided into three parts. The first part presents the conditions of the mobilisation of the motorized and armoured units, and the operations of those units in September, 1939. The registers of the following armoured units are enumerated: the 1st, 2nd, and 21st Battalions of Light Tanks; the 12th, 111th, 112th, 113th, and 121st Companies of Light Tanks; the 1st and 2nd Companies of Light Tanks, Warsaw Defence Command; the 11th, 21st, 31st, 32nd, 33rd, 51st, 61st, 62nd, 71st, 81st, and 81st Armoured Squadrons; the 11th and 101st Companies of Reconnaissance Tanks; the 31st, 32nd, 41st, 51st, 52nd, 61st, 62nd, 63rd, 71st, 81st, 82nd, 91st, and 92nd Independent Companies of Reconnaissance Tanks; the Squadron of Reconnaissance Tanks of the 10th Cavalry Brigade; the Squadron of Reconnaissance Tanks of the Warsaw Armoured-Motorized Brigade; and the Company of Reconnaissance Tanks of the Warsaw Defence Command. The registers give the date of mobilisation of the units, the names of the commanding officers, the number and type of equipment, and the localities and circumstances of military operations in which the units were engaged in September. The armoured and motorized units took part in all the major defenisive battles: in the border battles, in the defence of the Upper Silesia, in the Battle of the Bzura River, in the defence of Warsaw.
The second part contains descriptions of the particular vehicles used by the Polish Armed Forces. First of all the authors present vehicles included in the regular equipment of the armoured and motorized units, but also described are vehicles mobilized from the paramilitary organisations – the State Police and the Polish Red Cross – and handed over to the Armed Forces before the general mobilization. This information is supplemented with data concerning such prototype vehicles and vehicles manufactured in their first production batches only, which were approved for series production and which took part in the fighting in September, 1939.
The following classes of vehicles are covered: light tanks, reconnaissance tanks, armoured cars, motorcycles, cars, light special vehicles, trucks, medium weight special vehicles, artillery tractors, and personnel carriers. The descriptions provide a brief history of production, the designers, the numbers used, and technical data of the vehicle and its armament. The descriptions are complemented with archival photographs and colour drawings presenting the vehicles scaled down 1:35.
The third part provides descriptions of the emblems and sings of the armoured and motorized units: eagles, banners and ensigns. Detailed descriptions are given of the colours of particular services, and of the uniforms of the armoured service and the motorized formations. Separate descriptions are given of the field and garrison uniforms: service uniforms, off-duty uniforms, and evening uniforms. And finally, the authors present the painting patterns of the military vehicles: tanks, armoured cars, motorcycles, cars, medical ambulances, tracked tractors, trucks, and personnel carriers.

List of illustrations

140. A *C4P* tractor with short chassis frame and open cabin towing a 105 mm gun on a car with rubber-shod wheels

141. *C4P* tractors towing 120 mm guns adapted for motorized traction

142. A *Model 34* truck with a workshop body

143. A *Model 34* truck as an ambulance

144. A *Model 34* truck with a body made by the „Unia Strażacka" workshops in Lwów for the city Fire Brigade

145. A *C7P* tractor on an engineers' bridge

146. A *C7P* tractor with a trailer for the transport of 220 mm mortar tubes

147. A *C7P* tractor with a trailer (rear view)

148. A column of the 1st Heaviest Artillery Regiment. *C7P* tractors and *Polski FIAT 621L* trucks

149. A *Citroën-Kegresse P.19* tractor of the 1st Motorized Artillery Regiment, towing a *Schneider* 75 mm gun on „roller-skates"

150. *P.19* tractors towing anti-aircraft searchlights

151. A *PZInż. 222* personnel carrier

152. A *PZInż. 222* personnel carrier chassis

153. A prototype of the *PZInż. 202* artillery tractor

154. A prototype of the *PZInż. 152* artillery tractor

155. The colour party of the 1st Armoured Battalion. Visible the battalion banner and, in the background, ane ensign (1938)

156. The *Rolls-Royce* car of Marshal Edward Rydz-Śmigły. On the right hand side of the car the flag of the General Inspector of the Armed Forces is placed

157. Officers of the armoured branch from the 10th Cavalry Brigade. First from the right a saergant with rank distinctions as altered in February 1939. Leather jackets, black berets, tall boots. Pistols worn in front, on the left hand side (a characteristic feature at the 10th Cavalry Brigade)

158. Officers of the anti-armour command of the 10th Cavalry Brigade at a *Łazik 508.* New model leather jackets; the private in a cloth uniform of the old model (no breast pockets), with a bayonet on a clip; berets of the old model (smaller)

159. The 1st Armoured Battalion during a ceremonial presentation with the ensign. Soldiers in cloth uniforms *model 36* with service colours, battle helmets (version with „short" neck protector), *Mauser model 98* carbines, the ensign and the senior NCO with swords and pistols on their belts, to the back on the right hand side (May, 1939)

160. Soldiers of the armoured service in foot formation. Cloth uniforms with service colours. NCO's in jackets *model 36*, privates in jackets of the old model, officer with a sword (Cracow, May 1939)

161. Soldiers of the armoured service. Crews of *TK-3* tanks in overalls and battle helmets (version with „short" neck protector). The NCO, *Łazik* driver, in a leather jacket and helmet, with a pistol (Cracow, May 1939)

162. Lt. col. Kazimierz Dworak, CO of the 24th motorized Uhlan Regiment. Service uniform with decorations and the badge of the regiment. Embroidered regiment number on the shoulder boards

163. Sargeant major and captain of the motorized 10th Mounted Rifles Regiment in trench coats *model 36* and garrison fourcornered caps (the NCO with his belt over the trench coat), and an armoured service sargaent in a double--breasted leather jacket of the old model, with a sword on a swordbelt

164. Artillerymen of the 1st Heaviest Artillery Regiment at a 220 mm mortar. Overalls, black berets, bayonets on belts. On the left side gas masks in metal containers, on the right side – haversacks with canteens attached with straps

165. Gunners of the 1st Heaviest Artillery Regiment on a trailer for the transport of mortar tubes. Black berets, overalls, motorcycle goggles on necks. *Model 98* carbines, ammunition pouches on belts (three only, on the left side). Over the right shoulder to the left side gas masks in containers

166. Gunners of motorized anti-aircraft artillery at a fire control post. Overalls, bayonets on belts and, on the left side, three ammunition pouches. Gas masks in containers, battle helmets *model 31* (put on back to front!). On the left side – an officer with field glasses on his neck, and the field glasses case on the side. Pistol on the belt, on the right side, officer's case worn over the right shoulden on the left side

167. A motorized battery of light artillery. *Schneider model 97* guns adapted for motorized traction by changing the gun and the artillery caisson wheels for rubber-shod wheels. Crews in trench coats *model 36*, helmets *model 31*, with gas masks in containers. Guns painted in splotches

168. Soldiers of a motorized medical column. Cloth trench coats *model 36*, helmets *model 31*, gas masks on the right side, medical bags on the left side. Also visible the front of a *508* car open door of *FIAT 614* ambulance

169. A *Vickers* tank in old type camouflage (out of use since 1936). Olive, brown and sand-coloured splotchs contoured with thin black lines

170. A *Łazik 508* of the armoured branch with the service sign painted (it was rare to use the service signs on cars, but there is one in this photograph, though poorly visible). On the left hand side of the car, in the gun grip, a short lance with a triangular ensign in the armoured branch colours is set

171. A *Polski FIAT 621L* truck prepared for the transport of a 37 mm anti-armour gun. On the side-board, in the rear part, a „circular checkerboard" in the service colours

172. A *Ursus A* truck. Registration number on the side-board and on the number plate at the back, a white-red shield on the side-board, a „learner" plate on the tail-board. The sub-unit carried unknown. Cauldrons strapped to the haversacks instead of canteens, *RSC* gas masks in metal containers on the right side. French battle helmets *model 15*, and in the case of two soldiers – Italian helmets *model 15*

***Vickers E* light tanks**

1, 2, 3, 4 – twin-turret tank with *Model 30* machine guns
5, 6 – single-turret tang, frontal and side views
(p. 50 – 51)

***7TP* light tanks**

1, 2, 3, 4 – single-turret tank with radio transmitter; antenna mast elements arranged along the mud guards;
5, 6 – twin-turret tank, side and frontal views
(p. 56 – 57)

***Renault FT-17* light tanks**
1, 2, 3, 4 – tank with conical turret and *Hotchkiss* machine gun
5 – tank with conical turret and *Puteaux* 37 mm gun
8 – tank with octagonal turret and machine gun
(p. 62 – 63)

***Renault R-35* light tank**
As follows from old, not-too-clear photographs, the Polish *R-35* had a tricolor camouflage painting, but the pattern was similar to the one used in France
(p. 66)

***TK-3* reconnaissance tank**
The tank presented is in the original configuration; later some of the tanks were equipped with reversible periscopes, which necessitated alterations in the topside armour
(p. 74)

***TKS* reconnaissance tanks**
1, 2, 3, 4 – tank in the basic version, with *Model 25* machine gun
5 – tank with 20 mm gun
(p. 75)

***Model 34* armoured car**
With a narrow armoured body and a sloping rear armour plate; machine gun support of the universal type
(p. 79)

***Model 29* armoured car**
No machine gun in the anti-aircraft gun aupport; it was deleted as early as the beginning of the 1930's
(p. 83)

***Peugeot 1918* armoured car**
Version with *Hotchkiss* machine gun. There is a possibility that the *Peugeot* cars had military-type camouflage painting
(p. 86)

***Polski FIAT 508 I* with radio transceiver**
Elements of collapsible antenna masts in canvas covers. Some of the cars had double rear door
(p. 105)

Polski FIAT 508 III
1, 2, 3, 4 – a later version of the *Polski FIAT 508 III Łazik*
5, 6 – *Polski FIAT 508 III* vans with low canvas cover
7 – van with canvas cover on high framework, with celluloid windows
8 – van with low canvas cover, in ambulance version; winch drums on rear wheels
9 – *Polski FIAT 508 III Junak* car in four door version
10 – the *Junak* car in two door version, two-colour paint scheme (black mud guards)
11 – closed van, ambulance version with rear door and opaque windows in the ambulance part
(p. 111 – 112 – 113)

***PZInż. 302* tractors and *508/518* vans**
1, 2, 3, 4 – *508/518* van for a motorized telephone patrol
5 – *PZInż. 302* tractor for towing *model 36 Bofors* 37 mm anti-armour guns
6 – *508/518* van with canvas cover
7 – *508/518* van with high rigid wood-canvas body; this type was used for radio cars and to carry optical equipment in 40 mm anti-aircraft batteries
(p. 117 – 118)

Polski FIAT 518
1, 2, 3, 4 – *Polski FIAT 518* car from the pre-production assembly, with „long" mud guards
5 – *Łazik* version with collapsible canvas roof, canvas cockpit sides, and a newer version of ventilation slots on the sides of the bonnet
6 – four-door *Łazik* version, with „short" mud guards, the older version of ventilation slots on the sides of the bonnet, and a towing hook
7 – *Łazik* with high cockpit sills and spare wheels within covers; camouflage painting;
8, 9, 10, 11 – *518 Łazik* with smooth underside and a new rear part of the body
(p. 123 – 124 – 125)

***CWS T-1* cars**
1, 2, 3, 4 – four-door sedan; a removable trunk at the rear, on a folding bench;
5 – car with torpedo-style body, a canvas roof, and a folding shelf for trunk
(p. 130 – 131)

***FIAT 614* ambulance**
Ambulance painted dark green. Some of the ambulances operated by the Polish Red Cross were not painted the regulation colour, but various shades of green
(p. 135)

***PZInż. 303* cross-country vehicle**
Personnel version, with a hook for 37 mm anti-armour gun towing (*Model 36*)
(p. 138)

***Berliet CBA* truck**
Version with fixed cabin roof. Solid wheel rubbers
(p. 142)

Renault MN
Radio version. The paint used was darker than the regulation colour
(p. 145)

***Ursus* vehicles**
1, 2, 3, 4 – *Ursus A* truck, version with fixed cabin roof and electric headlights;
5 – *Ursus A* truck, earlier version with folding canvas roof and short platform;
6 – *Ursus A* truck, version adapted for transporting whippet tanks;
7 – *Ursus A* truck, a later version with closed woodmetal cabin;
8 – ambulance on the chassis of *Ursus A* truck;
9 – bus on the chassis of *Ursus A W*, with a new, wider grille and bonnet;
10 – transport chassis for *TK* tanks on *A30* chassis (with extended wheel base)
(p. 153 – 154 – 155)

***Polski FIAT 621* vehicles**
1, 2, 3, 4 – *Polski FIAT 621* truck in the basic production version, cabin with vents, spare wheel beneath the chassis frame at the rear;
5 – *Polski FIAT 621* truck, early version with long step and wide cabin door, spare wheel over the chassis frame, beneath the load platform;
6 – ambulance on the *621L* chassis;
7 – fire truck of the garrison and industrial fire brigades;
8 – workshop truck on the *621L* chassis, metal rear body

with ridig woodwork covered with canvas hood, new type of cabin (metal), with an imitation leather or asphaltsaturated canvas covered section
(p. 161 – 162 – 163)

***Polski FIAT 618* vehicles**
1, 2, 3 – truck with wood-steel cabin;
4 – one of several versions with small bus bodies;
5 – a 4 × 6 ambulance with a four-wheel car instead of the rear axle (with twin wheels);
6 – closed van with radio transceiver; the closed vans operated by the Polish Post Office, Polish Radio, and Polish Air Lines „Lot" were similar
(p. 168 – 169)

***Saurer* vehicles**
1, 2, 3 – bus on *3BLPL* chassis with Swiss omnibus *BP242* body – some of the *Saurer* vehicles had bodies of this type;
4 – transport platform for transporting *TK* tanks, *Saurer 4BLDP* chassis;
5 – *Saurer* bus on the *4BLDP* chassis with *PZInż.* body, unknown unit of the engineering branch; buses operated by the Road Transport of the Polish Railways had the same or similar bodies
(p. 174 – 175)

***PZInż. 703* truck**
1, 2, 3, 4 – prototype truck with camouflage painting, vehicles of the first production series could have camouflage painting
PZInż. 713 truck (prototype)
(p. 185 – 186)

***PZInż. 603* truck**
Prototype truck in camouflage painting, with canvas tarpaulin, plain
(p. 190)

***C2P* caterpilar tractor**
The tractors were used with tarpaulin spread or furled, with the tarpaulin framework erected or removed; usually, two CO_2 type extinguishers were positioned behind the driver's seat
(p. 201)

***Model 34* half-tracks and *C4P* tractors**
1, 2, 3 – half-track with workshop body – steel platform with swing-down sides, covered with tarpaulin;
4 – half-track in a version with a fixed roof and canvas sides; chassis frame and platform from *Polski FIAT 621L*, older type of track car;
5 – *C4P* tractor with shortened chassis frame, used for towing light artillery pieces;
6 – half-track with ambulance body
(p. 206 – 207)

***C7P* artillery tractor**
Production version with rounded roof edges, final shape of grille, and an oval window in the back of the crew cabin
(p. 211)

***PZInż. 222* personnel carrier**
Personnel carrier used by the motorized cavalry units
(p. 216)

Eagles
1 – metal eagle, oxidized to the colour of old silver, according to pattern from the end of 1930's;
2 – embroidered, worn on the beret.
Banners and ensign:
1 – reverse of the banner of the 10th Armoured Battalion
2 – face of the banner of the 7th Anti-aircraft Artillery Division – an example of the regulation banner of 1937–38; banners of armoured battalions had the „armour" sign instead of the number;
3 – ensign of the Commander in Chief
(p. 222)

Colours of the armoured troops, the motorized and partially motorized troops and services, and the motorized regiments:
- armoured troops colonel,
- lieutenant, 1st Foot Rifles Regiment,
- captain, 24 Uhlans Regiment,
- lieutenant, 1st Mounted Rifles Regiment,
- lieutenant colonel, 10th Mounted Rifles Regiment,
- 2nd lieutenant, Reconnaissance Squadron, motorized brigade,
- captain, Anti-Armour Squadron, motorized brigade,
- 2nd lieutenant, 1st Heaviest Artillery Regiment,
- major, 1st Motorized Artillery Regiment,
- 2nd lieutenant, engineers,
- ensign, communications,
- officer cadet, anti-aircraft artillery,
- captain, signals, cavalry,
- 2nd lieutenant, MP,
- 2nd lieutenant, arms,
- captain doctors

(p. 227)

Badges and tokens of the armoured troops and motorized formations
1 – the „armour" sign,
2 – initial of the School of Officer Cadets,
3 – emblem of generals and licensed officers,
4 – emblem of officer cadets
5 – emblem of marine anti-aircraft searchlights company,
6 – emblem of the 1st Motorized Arlillery Regiment,
7 – 22 – commemorative regimental badges:
7 – 1st Armoured Battalion, 8 – 2nd Armoured Battalion,
9 – 3rd Armoured Battalion, 10 – 4th Armoured Battalion,
11 – 5th Armoured Battalion, 12 – 6th Armoured Battalion,
13 – 7th Armoured Battalion, 14 – 8th Armoured Battalion,
15 – 9th Armoured Battalion, 16 – 10th Armoured Battalion,
17 – 12th Armoured Battalion, 18 – 1st Motorized Artillery Regiment, 19 – Heaviest Artillery Regiment, 20 – 24th Uhlans Regiment, 21 – 1st Mounted Rifles Regiment,
22 – 10th Mounted Rifles Regiment
(p. 236)

Uniforms
1 – officer's cap, four-cornered, stiffened
2 – private's cap, four-cornered
3 – four-cornered cap, battle
4 – beret
5 – round cap, engineers, Frontier Defence Corps
6 – helmet, tanks
7 – helmet, *model 31*
8 – helmet, *model 16*
9 – jacket, *model 36*, officer's, armoured branch

10 – woollen cloth jacket, *model 36*, private's battle uniform
11 – leather jacket, *model 36*
12 – woollen cloth trench coat, *model 36*
13 – woollen cloth trench coat, *model 36*, officer's (with loop)
14 – woollen cloth cloak, *36*
15 – overalls, armoured and motorized branches
16 – overalls, motorcyclists'
(p. 240 – 241)

Markings and decals on vehicles
1 – red cross sign: on vehicle roof – a = 1000 mm, b = 200 mm; on vehicle sides and on each half of rear door – a = 500 mm, b = 100 mm; on the front – a = 125 mm, b = 25 mm; 2 – „learner" sign: on cars, trucks, etc. – a = 300 mm, b = 50 mm, c = 40 mm, d = 35 mm; on motorcycles – a = 200 mm, b = 34 mm, c = 25 mm, d = 23 mm;
3 – number plate for cars, trucks, etc. (final pattern);
4 – number plate for motorcycles, front;
5 – number plat for motorcycle, rear;
6 – recommended type face and size of digits for number plates: for cars, trucks, etc. – a = 75 mm, b = 40 mm, c = 10 mm; for motorcycles – a = 45 mm, b – 30 mm, c = 8 mm; Examples of troops and service markings on vehicles:
7 – infantry, 8 – cavalry, 9 – light and motorized artillery, 10 – heavy artillery, 11 – heaviest artillery, 12 – horse artillery, 13 – engineers, 14 measurement batteries, 15 – anti-aircraft artillery, 16 – armoured branch; 17 – signals; 18 – air force
(p. 249)

TABLE DES MATIÈRES

RÉSUMÉ

L' objet du présent ouvrage est la présentation des véhicules de combat équipant l' armée polonaise en septembre 1939, au début de la Deuxième Guerre mondiale.
Le rassemblement de la documentation, après un demi-siècle, n'a pas été chose facile. En effet, de nombreux documents ont été détruits dans la tourmente, d'autres ont été dispersés en Pologne et à l'étranger.
Ce volume réunit une information concise de caractère encyclopédique. On a veillé néanmoins à ce que la lecture en soit agréable et d'accès facile. L' ouvrage comporte trois parties.
Dans la première partie, on trouve les conditions de mobilisation des unités blindées et motorisées et les mouvements de ces unités en septembre 1939. On trouve ainsi les fiches de mobilisation des unités blindées suivantes:
- les 1er, 2e et 21e Bataillons de Chars légers;
- les 1er et 2e Compagnies de Chars légers du Commandement de la Défense de Varsovie;
- les 11e, 21e, 31e, 32e, 33e, 51e, 61e, 62e, 71e, 81e et 91e Bataillons Blindés;
- les 11e et 101e Compagnies de Chars de Reconnaissance; les 31e, 32e, 41e, 42e, 51e, 52e, 61e, 62e, 63e, 71e, 72e, 81e, 82e, 91e et 92e Compagnies autonomes de chars de reconnaissance;
- le Bataillon de chars de reconnaissance de la 10e Brigade de Cavalerie;
- le Bataillon de chars de reconnaissance de la Brigade Blindée et motorisée et de la Compagnie de chars de reconnaissance du Commandement de la Défense de Varsovie. Les fiches de mobilisation renferment la date de mobilisation de l'unité, les noms des officiers, le nombre et la nature des matériels de combat ainsi que les lieux et circonstances dans lesquelles se sont déroulés les combats de septembre 1939.

Les unités blindées et motorisées ont participé à toutes les opérations défensives: combats frontaliers, défense de la Haute Silésie, Bataille de la Bzura, défense de Varsovie. La deuxième partie de l'ouvrage contient la description des différents véhicules de l'armée polonaise. On y trouve tout d'abord les véhicules organiques des unités blindées et motorisées. Viennent aussi les véhicules des organisations paramilitaires également mobilisées – la Sûreté nationale et la Croix-Rouge polonaise – qui ont été mis à la disposition de l'Armée après la proclamation de la mobilisation générale. On y a ajouté les caractéristiques des véhicules prototypes et de présérie dont la fabrication en série était prévue et qui ont participé aux combats de septembre 1939.
Les véhicules concernés sont les suivants:
chars légers, chars de reconnaissance, voitures blindées, motos et side-cars, voitures de liaison, véhicules légers spéciaux, camions, véhicules spéciaux moyens, tracteurs d'artillerie et transporteurs. Les fiches descriptives contiennent les données relatives à la production, les noms des constructeurs, les quantités et les caractéristiques techniques des véhicules et de l'armement associé. On a illustré l'ouvrage avec des photos d'archives et des planches en couleurs représentant les véhicules à l'échelle 1:35.
La troisième partie renferme une description des emblèmes et insignes des unités blindées et motorisées: aigles, drapeaux et fanions. On y trouve également une description détaillée des couleurs des différentes armes et services, ainsi que l'habillement des unités blindées et des formations motorisées. On décrit séparément les tenues de campagne et de cantonnement:
- tenues de service, tenues de parade et autres.

L' ouvrage se termine sur une présentation des couleurs des véhicules militaires: chars, voitures blindées, motos, voitures de liaison, ambulances, tracteurs à chenilles, camions et transporteurs.

Légendes des images

1. Section de chars légers *7TP*

2. 1er Régiment de chasseurs à cheval. Cérémonie solennelle de remplacement symbolique des chevaux par des camions de transport *Polski FIAT 621L* (août 1939)

3. Voiture automobile *Polski FIAT 508 III* et camion *621L* avec remorques. Don fait à l'armée par le personnel de la Centrale électrique urbaine, à Varsovie

4. Colonne motorisée d'artillerie A.A. en stationnement. Au premier plan – une moto *Sokół 1000*, on voit aussi deux voitures tout-terrain *„Łazik" Polski FIAT 508*, des voitures *508/518* et des tracteurs *C2P*

5. Bataillon de reconnaissance de la 10e Brigade de Cavalerie. Au premier plan – une tankette *TK-3*; au fond une tout-terrain *„Łazik" Polski FIAT 508*. Les soldats sont en tenue de campagne

6. Auto-radio *Polski FIAT 508 I* avec une station radio

7. Canons A.A. de 40 mm. Les artilleurs en tenue de campagne: casque en acier *Mle 31*, et combinaison

8. 10e Brigade de Cavalerie en ordre de combat (avec distances réglementaires)

9. Porte principale de la citadelle de Brześć bloquée par les chars *Renault FT-17*

10. Char à double tourelle *7TP* endommagé (Quartier Ochota, à Varsovie)

11. 10e Brigade de Cavalerie à la frontière hongroise. Au premier plan les motos *M 111* suivis par les voitures *„Łazik" Polski FIAT 518*, les autos-radios sur châssis du *Polski FIAT 508* et les voitures *Polski FIAT 508/518*

12. Chars à tourelle unique *Vickers E* vus de face (on remarque les bouches d'air modifiées et un camouflage nouveau)

13. Char *Vickers E* vu de derrière. Sur la droite un véhicule à double tourelle (1937)

14. Char *Vickers E* à double tourelle, vu de face. Les tourelles sont équipées de fusils mitrailleurs *Mle 30*

15. Chars *Vickers* à double tourelle vus de l'arrière

16. Char *7TP* à double tourelle. Photo de 1938 – les signalisations de la tourelle et de la coque ne seront plus utilisées en 1939

17. Char *7TP* à double tourelle (vu de l'arrière) traversant un pont de pontons (1938)

18. Atelier de montage des véhicules Z.M. „Ursus", PZInż. et d'assemblage des chars *7TP* à tourelle unique

19. Char *7TP* à tourelle unique en déplacement tout--terrain

20. Vue arrière du char *7TP* à tourelle unique avec pot d'échappement à fixation basse

21. Deux chars *7TP* à tourelle unique. On voit derrière des chars 7TP à double tourelle

22. Char *Renault FT-17* avec tour octogonale (1926, Coup de force du mois de Mai)

23. Char *Renault* produit par les Etablissements CWS, avec une tourelle conique et un canon Puteaux

24. Tentative de modernisation du char *FT-17*. Char *CWS* avec patins de chenille minces

25. Char polonais *Renault R-35* à la frontière roumaine.

26. Char français *Hotchkiss H-35* (on n'a pu trouver de photos d'exemplaires polonais)

27. Char *TK-3*. Sur la coque, une plaque distinguant le véhicule du chef de la 1e section du bataillon, au cours de manoeuvres

28. Char *TK-3* en ordre de marche, avec les couvercles d'écoutilles d'observation relevés. Sur la coque, une fiche matricule de véhicule appartenant à la 2e section de chars

29. Char *TK-3* en cours de coloriage au pistolet

30. Char *TKS* de la première série sortie. Sans périscope, avec un fusil mitrailleur *Mle 30*

31. Char *TKS* produit plus tard. Fusil mitrailleur *Hotchkiss Mle 25* et épiscope. Camouflage ancien

32. Chars *TKS*. Cérémonie solennelle de livraison des engins fondés par le personnel des Etablissements PZInż.

33. Chargement des chars *TKS* sur des camions porte--char

34. Voiture blindée *Mle 34* à coque étroite, à une lucarne de conducteur et fusil mitrailleur *Hotchkiss* sur berceau dit universel

35. Voitures blindées *Mle 34* à coque élargie au dessus des ailes arrières et deux lucarnes de conducteur. L' engin de gauche est équipé avec un canon *Puteaux* à berceau circulaire; celui de droite est équipé avec un fusil mitrailleur à berceau en v (1937)

36. Section de voitures blindées *Mle 29* de la compagnie de véhicules blindées à Bydgoszcz. Les voitures ont un camouflage ancien; l'équipage porte des vestes en cuir croisées ancien modèle. La motocyclette du chef type *CWS M 111*, les voitures de service – *Ursus A* (1934)

37. Voiture blindée *Mle 29* avec un nouveau camouflage

38. Voitures blindées *Mle 29* vues de l'arrière. La répartition des taches du camouflage est différente pour chaque véhicule (1937)

39. Voiture blindée *Peugeot 1918*. Photo prise sur la place Trzech Krzyży (Les Troix Croix) à Varsovie en 1926, lors du Coup de force de mai 1926

40. Prototype de char *10TP*. L'engin est préparé pour se déplacer sur roues

41. Char *4TP* (*PZInż. 140*) en cours d'essais

42. Char amphibie *PZInż. 130*

43. Moto *CWS M 55* (série *S-O*)

44. Moto *CWS M 55* (série *S-III*) lors d'une course en 1931

45. Moto *CWS M 111* de la section des chars de reconnaissance TKS. Au deuxième plan on voit des véhicules *Polski FIAT 621* (1935)

46. Motos *M 111* (Rue Krakowskie Przedmieście à Varsovie, course de 1936)

47. Moto *Sokół 1000 M 111* avec fusil mitrailleur. L'équipage porte un manteau de drap *Mle 36* et des casques *Mle 16*

48. Moto *Sokół 600 RT* de la première série fabriquée, avec l'épouse du colonel T. Kossakowski, commandant des blindées

49. Moto *Sokół 600 RT* lors d'essais en tout-terrain

50. Moto *Sokół 200 M 411*

51. Moto *MOJ 130*

52. Moto *Podkowa 98*

53. Moto *Zuch* de l'usine „Automatyk" à Poznań

54. Moto *Perkun 98* de l'usine „Perkun" à Varsovie

55. Moto *Niemen 98* des établissements „Niemen" à Grodno. La moto a été trouvée avec des autres matériels sur le lieu de désarmenent d'une unité de transmissions en septembre 1939 (environs de Magnuszew, photo de 1980)

56. Voiture *Polski FIAT 508 I*

57. Station radio de campagne sur voiture *Polski FIAT 508 I*

58. Voiture *Polski FIAT 508 III Junak*, version à 4 portes

59. Voiture tout-terrain *Polski FIAT 508 III „Łazik"* de la première série fabriquée, avec le „coffret" caractéristique, les roues de secours à l'arrière et les garde-boues „courts"

60. Voiture *„Łazik" Polski FIAT 508 III* de production tardive. Garde-boues allongés, arrière arrondi, roues de secours dans les niches aménagées dans les ailes avants. A l'intérieur, un fusil mitrailleur *Mle 28* sur étrier

61. Le même *„Łazik" 508* avec des soldats de la 10e Brigade de Cavalerie

62. Défilé de *„Łazik" 508* avec les drapeaux du régiment

63. Voiture *Polski FIAT 508 III* type pick-up, utilisée comme auto-ambulance légère

64. Voiture *Polski FIAT 508 III* type fourgon, utilisée comme camionnette médicale

65. Voiture *Polski FIAT 508/518* pour patrouille téléphonique motorisée

66. Voiture *Polski FIAT 508/518* vue de haut

67. Station radio sur voiture *508/518*. Caisse en bois et métal (photo réalisée à l'Ecole de Transmissions à Zegrze près de Varsovie)

68. Autos-radios de la 10e Brigade de Cavalerie. A partir de la gauche: voiture *508/518* avec benne en bois rigide bâchée; voiture *508/518* à fourgon bâché; voiture *508 III* à benne en bois et métal et enfin, la même voiture *508/518* qu'à l'extrême gauche

69. Voiture *Polski Fiat 518* de série

70. Voiture *Polski Fiat 518* adaptée au tout-terrain du 1er Régiment de Chasseurs à cheval (août 1939)

71. Voiture *Polski FIAT 518* adaptée au tout-terrain avec un équipage militaire prenant part à un raid hivernal (février 1939)

72. Voiture *Polski FIAT 518* (autre photo du raid sus--mentionné)

73. Voitures *Buick 90*, offertes à l'armée en août 1939 par les Etablissements Lilpop (Varsovie)

74. Voiture *Buick 90* des Etablissements de construction automobile „Lilpop, Rau et Loewenstein" S.A.

75. Voiture *CWS T-1* avec carosserie torpédo et moteur à 4 cylindres

76. Ambulance *CWS T-1*

77. Faux cabriolet *CWS T-1*

78. Voiture *CWS T-8* avec moteur à 8 cylindres. Extérieurement presque identique au *CWS T-1*

79. Camion *CWS T-1*

80. Voitures-ambulances *FIAT 614* sur la Place du Marché à Cracovie

81. Voitures-ambulances *FIAT 614*. Consécration solennelle des colonnes d'ambulances de la Croix-rouge polonaise (Varsovie, 1937)

82. Camions *PZInż. 303* 4×4 en cours d'essais

83. Camion *PZInż. 303* 4×4, vue de face

84. Camion *Berliet CBA* (début des années trente)

85. Camion *Berliet* avec canon de 75 mm et avant sur plate-forme.

86. Camion *Berliet CBA* – modèle fabriqué dans la moitié des années 20

87. Colonne de camions *Renault MN*

88. Défilé de camions *Renault MN* sur le Champ de Mokotów à Varsovie, en 1934

89. Premier camion *SPA 25C*, dans la cour de l'usine

90. Camions *SPA* près du lac Morskie Oko, dans les Tatras, lors d'un raid d'essai (au centre, un *SPA 25C*)

91. Camions *SPA* et premiers *Ursus*, lors d'un raid de contrôle (Sochaczew près de Varsovie, 1928)

92. Camion *Ursus A* de la première série fabriquée

93. Camion *Ursus A* de 2 tonnes; la cabine du chauffeur est à toit fixe

94. Camion *Ursus A* de la dernière série, avec une cabine fermée en bois et métal (camion adapté pour le transport de chevaux)

95. Autobus *Ursus*. Le premier sur châssis allongé type *AW*. Les deuxième et troisième (postal) sur châssis type A

96. Camion *Polski FIAT 621L* de transport de troupe. Un mât de tir AA (mitrailleuse lourde *Mle 30*) est fixé sur le véhicule

97. Camion *Polski FIAT 621L* de 2,5 t

98. Camion *Polski FIAT 621L* avec remorque pour le transport de pontons du génie

99. Camion *Polski Fiat 621L* avec canons AA de 75 mm

100. Camions *Polski FIAT 621L* avec fourgon médical

101. Camions *Polski Fiat 621L* de l'unité de sapeurs--pompiers de la garnison militaire

102. Autobus *Polski FIAT 621R* (modèle ancien) des transports automobiles des Chemins de fer polonais (PKP)

103. Autobus *Polski FIAT 621R* (modèle nouveau)

104. Prototype de voiture d'état-major sur châssis *621*

105. Tracteur à semi-remorque *Polski Fiat 621L*. Trois unités de ce type ont servi dans les sapeurs-pompiers à Varsovie pour le transport de l'eau. Réquisitionnés en août 1939, ils ont quitté la capitale avec l'armée polonaise dans les premiers jours du mois de septembre 1939

106. Camion de 1,5 t *Polski FIAT 618*, avec une cabine en bois et métal

107. Camion *Polski FIAT 618* pour la cavalerie motorisée.

108. Camions *Polski FIAT 618* avec stations radio. Offert à l'armée par la Corporation des Boulangers chrétiens.

109. Camion *Saurer* de 5 t avec plate-forme pour le transport des chars de reconnaissance TK (Poznań, 1934)

110. Autobus *Saurer* militaire (Wilno?, 1934)

111. Autobus *Saurer* en version militaire utilisée également par les Services de Transport automobile des Chemins de fer polonais (PKP)

112. Châssis de l'autobus *Saurer 3 CT1D* (*PZInż. 153*)

113.Autobus *Saurer* des Services de Transport automobile des Chemins de fer polonais. Sur la gauche, unités de cavalerie et infanterie soviétiques (Wilno, après le 19 septembre 1939)

114. Montage de camions *Chevrolet* dans les Etablissements Lilpop

115. Camion *Chevrolet 157* monté en Pologne

116. Camion tout-terrain *Praga RV* 2×3

117. Véhicule lourd *PZInż. 703* de 3,5 t

118. Véhicule lourd *PZInż. 703*, vue de côté

119. Véhicule lourd *PZInż. 713* de 3,5 t en cours d'essai routier

120. Véhicule lourd *PZInż. 713* sur un pont de pontons du génie

121. Autobus *PZInż. 723G*

122. Camion tout-terrain *PZInż. 603*

123. Camion *PZInż. 603*, vue du côté droit

124. A partir de la gauche: moto *CWS M 111*, deux voitures *Ford T*, une voiture *Polski FIAT 508 I*. Photo faite en 1935; la robustesse et la qualité de l'entretien des mécaniciens militaires, rend probable leur survie jusqu'en 1939

125. Camion mi-lourd *Chevrolet 112* de l'atelier de montage Lilpop (photo de la Brigade des Carpathes faite en Syrie, en 1940)

126. *Limousine Chevrolet Imperial* montée par les Etablissements Lilpop, à Varsovie

127. Voiture *Chevrolet Master* de l'atelier de montage Lilpop (Varsovie)

128. Autobus *Saurer-Zawrat* de la Régie des Transports urbains de Varsovie

129. Autobus français *Samua* avec carrosserie *PZInż.* de la Régie des Transports urbains de Varsovie

130. Autobus *Chevrolet* avc châssis Lilpop et carrosserie des Etablissements Z.P. Bielany S.A., de la Régie des Transports urbains (au fond un autobus *Saurer-Zawrat*)

131. Autobus *Chevrolet* sur châssis Lilpop, appartenant à la Régie des Transports urbains à Gdynia

132. Autocar des Services de Transport interurbains des Chemins de fer polonais, monté sur châssis *Chevrolet*

133. Prototype du véhicule *PZInż. 403 (Lux-Sport)*

134. Tracteur d'artillerie sur roues *PZInż. 341* 4×4

135. Châssis de la voiture tout-terrain *PZInż. 343* 4×4

136. Petit tracteur sur roues *PZInż. 322* avec remorque porte-ponton

137. Tracteurs *C2P* avec canons A.A. de 40 mm

138. Tracteurs *C2P* avec canons du 7e Bataillon d'Artillerie antiaérienne

139.Véhicule blindé semi-chenillé *Mle 34*

140. Tracteur *C4P* à châssis court et cabine ouverte pour canon de 105 mm monté sur remorque à pneumatiques

141. Tracteurs *C4P* tirant des canons de 120 mm prévus pour une traction motorisée

142. Voiture *Mle 34* avec fourgon-atelier

143. Voiture *Mle 34* comme auto-ambulance

144. Voiture *Mle 34* à carrosserie des Ateliers „Unia Strażacka" à Lvov, destinée aux sapeurs-pompiers de la ville

145. Tracteur *C7P* sur pont flottant

146. Tracteur *C7P* avec remorque pour le transport d'un canon de mortier de 220 mm

147. Tracteur *C7P* avec remorque (vue de l'arrière)

148. Colonne du 1er Régiment d'Artillerie lourde. Tracteurs *C7P* et camions *Polski FIAT 621L*

149. Tracteur *Citroën-Kegresse P.19* du 1er Régiment d'Artillerie motorisée, remorquant un canon Schneider de 75 mm sur „patins à roulettes"

150. Tracteurs *P.19* remorquant des phares A.A.

151. Transporteur *PZInż. 222*

152. Châssis du transporteur *PZInż. 222*

153. Prototype de tracteur d'artillerie *PZInż. 202*

154. Prototype de tracteur d'artillerie *PZInż. 152*

155. Détachement d'honneur du 1er Bataillon blindé. Etendard du bataillon visible. Au deuxième plan un fanion (1938)

156. La *Rolls-Royce* du maréchal de Pologne Edward Rydz-Śmigły. A droite, on voit le fanion d'Inspecteur général des Forces Armées

157. Officiers de blindés de la 10e Brigade de Cavalerie. Le premier à partir de la droite est un sergent avec leş insignes de grade modifiés en février 1939. Vestes en cuir, bérets noirs, bottes. Pistolets portés à gauche (trait caractéristique de la 10e Brigade de Cavalerie)

158. Officiers du bataillon antichar de la 10e Brigade de cavalerie avec une voiture *„Łazik" 508*. Les vestes de cuir nouveau modèle; un soldat en vêtement de drap vieux modèle (sans poches de poitrine), avec une baïonnette sur crapaud, et les bérets ancien modèle (plus petits)

159. Le 1er Bataillon blindé en revue avec fanion. Les soldats sont en tenue de drap *Mle 36* avec les couleurs d'arme, les casques de combat (version à couvre-nuque „court") et les carabines *Mauser Mle 98.*. Officier, aspirant et sous-officier avec dagues et pistolet à la ceinture fixé dans le dos à droite (mai, 1939)

160.Tankistes en ordre de marche à pied. Tenue de drap avec couleur d'arme. Les sous-officiers sont en vestes *Mle 36*; les soldats en vestes ancien modèle; l'officier porte une dague (Cracovie, mai 1939)

161. Tankistes. Equipages des chars *TK-3* en combinaisons et casques de combat (version à couvre-nuque „court"). Le pilote du „Łazik" est un sous-officier casqué en veste de cuir armé d'un pistolet (Cracovie, mai 1939)

162. Le lieutenant-colonel Kazimierz Dworak, commandant du 24-e Régiment motorisé de Uhlans. Tenue de service et décorations, distinctions et insigne du régiment. Sur les pattes d'épaules, on distingue le numéro brodé de l'unité

163. Maréchal des logis et capitaine du 10e Régiment de Chasseurs à cheval en manteaux *Mle 36* et casquettes quadricornes („rogatywka"). Le sous-officier est en manteau et ceinturon. Le maréchal des logis est en veste de cuir croisée ancien modèle avec dague sur pendants

164. Artilleurs du er Régiment d'Artillerie extra-lourde près d'un mortier de 220 mm. Combinaisons, bérets noirs, baïonnettes à la ceinture. Sur le côté gauche, des masques à gaz dans leurs boîtiers; sur le côté droit, des havresacs avec gourde attachée

165. Artilleurs et fusillers du 1er Régiment d'Artillerie extra--lourde sur remorque de transport du canon de mortier. Bérets noirs, combinaisons, lunettes de moto sur le cou. Carabines *Mle 98*, chargeurs (3 chargeurs attachés à la ceinture cu côté gauche). En baudrier, de droite à gauche, les masques à gaz en boîtes

166. Artilleurs de l'unité d'artillerie A.A. au poste de commande du tir. Combinaisons, baïonnettes à la ceinture; à gauche trois chargeurs. Masques à gaz en boîtiers, casques de combat *Mle 31* (posés en sens contraire ?), baïonnettes. A gauche, un officier avec des jumelles sur la poitrine et l'étui attaché sur le côté. Le pistolet attaché au ceinturon, à droite. Le porte-documents en baudrier sur le côté gauche

167. Batterie motorisée d'artillerie légère. Canons *Schneider Mle 97* adaptés à la traction motorisée par substitution de roues à pneumatiques. L' équipage porte des manteaux *Mle 36*, des casques *Mle 31*, des masques à gaz en boîtiers. Les canons ont un coloriage de camouflage en taches.

168. Soldats d'une colonne motorisée médicale. Manteaux de drap *Mle 36*, casques *Mle 31*, masques à gaz sur le côté droit. A gauche, trousses médicales. On voit l'avant de la voiture *FIAT 508* et la porte ouverte de l'ambulance *FIAT 614*

169. Char *Vickers* avec camouflage de type ancien (abandonné en 1936). Taches vert olive, marron et sable avec contour en bandes noires

170. Voiture tout-terrain *„Łazik" 508* des unités blindées avec l'insigne de l'arme (l'insigne d'arme était rarement utilisé sur les voutures) faiblement visible. Sur la gauche de la voiture, on a planté dans le support de fusil mitrailleur une lance avec un fanion triangulaire aux couleurs des unités blindées

171. Camion *Polski FIAT 621L* préparé pour le transport d'un canon antichar de 37 mm. Sur le panneau arrière, le cercle grillagé aux couleurs de l'arme

172. Camion *Ursus A.* Sur le panneau arrière et la plaque arrière, on a le numéro d'immatriculation. Sur la ridelle, on a un cercle blanc et rouge, et sur la benne une plaque „L" (voiture école). L'unité transportée n'a pas été indentifiée. On trouve attachèes à l'havresac des casserolles et non des gamelles. Les masques à gaz type *RSC* en boîtiers métalliques sont accrochés sur le côté gauche. Casques de cambat français *Mle 15* et deux soldats portent des casques italiens *Mle 15*

Chars légers *Vickers E*
1, 2, 3, 4 – char à double tourelle et fusils mitrailleurs *Mle 30;*
5, 6 – char à une tourelle, vues de côté et de face
(p. 50–51)

Chars légers *7TP*
1, 2, 3, 4 – char à une tourelle avec émetteur radio; les éléments du mât d'antenne sont rangés le long des garde--boues;
5, 6 – char à double tourelle; vues de côté et de face
(p. 56–57)

Chars légers *Renault FT-17*
1, 2, 3, 4 – char à tourelle conique et fusil mitrailleur *Hotchkiss;*
5 – char à tourelle conique et canon *Puteaux* de 37 mm;
6 – char à tourelle octogonale et fusil mitrailleur
(p. 62–63)

Char léger *Renault R-35*
Sur les vieilles photos peu lisibles, il semble que les *R-35* polonais aient un camouflage tricolore; le dessin des taches est semblable à ce qui se faisait en France
(p. 66)

Char de reconnaissance *TK-3*
Première version de l'engin; une partie des chars ensuite produits, était équipée d'épiscopes qui ont entraîné des modifications du blindage supérieur
(p. 74)

Chars de reconnaissance *TKS*
1, 2, 3, 4 – version de base de l'engin, avec un fusil mitrailleur *Mle 25;*
5 – char *TKS* avec canon de 20 mm
(p. 75)

Voiture blindée *Mle 34*
Coque blindée étroite et blindage oblique arrière; berceau du fusil mitrailleur de type universel
(p. 79)

Voiture blindée *Mle 29*
Dans le berceau A.A., on ne voit pas le fusil mitrailleur qui a disparu dès le début des années trente
(p. 83)

Voiture blindée *Peugeot 1918*
Engin équipé d'un fusil mitrailleur Hotchkiss. Il n'est pas exclu que les voitures Peugeot aient été peintes suivant les règles du camouflage militaire
(p. 86)

Voiture *Polski FIAT 508 I avec station radio*
Les éléments des mâts d'antenne segmentés lógés en étui de bâche. Certaines voitures étaient pourvues de portes arrières à double battant
(p. 105)

Voitures *Polski FIAT 508 III*
1, 2, 3, 4 – version de série tardive du *„Łazik"* tout-terrain *Polski FIAT 508 III;*
5, 6 – fourgons bâchés *Polski FIAT 508 II* sur arceaux bas;
7 – fourgon bâché sur arceaux élevés; petites fenêtres en celluloid;
8 – fourgon bâché sur arceaux bas, en version médicale; sur les roues arrière – les tambours du treuil de halage;
9 – voiture *Polski FIAT 508 III Junak* en version 4 portes;
10 – voiture *Junak* en version 2 portes et deux couleurs (ailes en noir);
11 – fourgon-ambulance avec porte arrière; vitres arrières en verre dépoli
(p. 111–112–113)

Tracteurs *PZInż. 302* et voitures *508/518*
1, 2, 3, 4 – voiture *508/518* équipant la patrouille téléphonique motorisée;
5 – tracteur *PZInż. 302* pour remorquer les canons antichar *Bofors* de 37 mm *Mle 36;*
6 – fourgon *508/518* bâché;
7 – voiture *508/518* avec carrosserie haute, rigide, en bois et bâchée; ce dernier type a servi comme auto-radio et pour le transport du matériel optique des batteries A.A de 40 min
(p. 117–118)

Voitures *Polski FIAT 518*
1, 2, 3, 4 – voiture *Polski FIAT 518* dans une version de présérie, avec des ailes „longues";
5 – voiture tout-terrain *„Łazik"* décapotable, côtés bâchés de la cabine et version tardive des bouches d'aération sur les côtés du capot du monteur;
6 – voiture *„Łazik"* à quatre portes, ailes avant „courtes" et version ancienne des bouches d'air sur les côtés du capot du moteur, avec crochet de halage;
7 – voiture *„Łazik"* avec marche-pieds élevés de la cabine et roues de secours cachées; camouflage;
8, 9, 10, 11 – voiture *„Łazik"* tout-terrain *518,* avec dessous lisse de la coque et nouvelle carrosserie arrière
(p. 123–124–125)

Voitures *CWS T-1*
1, 2, 3, 4 – berline à 4 portes; à l'arrière un coffre amovible sur la banquette rabattable;
5 – voiture avec carrosserie torpédo, toit bâché et banquette rabattable pour coffre
(p. 130–131)

Ambulance sur camion *FIAT 614*
Couleur vert foncé. Une partie des véhicules exploités par la Croix-Rouge polonaise n'avait pas la couleur réglementaire mais différentes teintes vertes
(p. 135)

Véhicule toute-terrain *PZInż. 303*
Version de transport de personnes avec crochet de halage pour canon antichar de 37 mm, *Mle 36*
(p. 138)

Camion *Berliet CBA*
Version à toit de cabine fixe. Roues à bandages pleins
(p. 142)

Camion *Renault MN*
Version camion-radio; teinte plus foncée que la couleur réglementaire
(p. 145)

Camions *Ursus*
1, 2, 3, 4 – camion *Ursus A*, version à toit de cabine fixe et phares électriques;
5 – camion *Ursus A*; version ancienne avec toit bâché décapotable et caisse courte;
6 – camion *Ursus A*; version de transport des tankettes;
7 – camion *Ursus A*; version tardive à cabine de conducteur fermée (bois et métal);
8 – ambulance sur châssis du camion *Ursus A*;
9 – autobus sur châssis du camion *Ursus AW*, avec capot moteur plus large;
10 – plate-forme automotrice de transport de chars *TK* sur châssis *A30* (à grand empattement)
(p. 153–154–155)

Camions *Polski FIAT 621*
1, 2, 3, 4 – camion *Polski FIAT 621* en version de base; cabine à reniflard; la roue de secours sous le châssis, à l'arrière;
5 – camion *Polski FIAT 621*; version ancienne à marche-pied allongé et large porte de la cabine;
roue de secours sur le cadre en dessous de la plate-forme;
6 – ambulance sur châssis du *Polski FIAT 621L*;
7 – véhicule de pompiers des services de gardiennage industriel et de garnison;
8 – camion-atelier sur châssis *621L*; benne métallique à ossature rigide en bois bâchée; nouveau type de cabine du conducteur, avec ouverture dans le toit couverte de derme ou de bâche à revêtement d'asphalte
(p. 161–162–163)

Camions *Polski FIAT 618*
1, 2, 3 – camion à cabine en bois et métal;
4 – une des versions de carrosserie d'un petit autobus;
5 – ambulance 4×6 avec chariot à quatre roues en place de l'essieu arrière (avec roues jumelées);
6 – fourgon-radio; les fourgons des Postes, de la Radio polonaise et ceux des lignes aériennes polonaises LOT étaient semblables
(p. 168–169)

Camions et autobus *Saurer*
1, 2, 3 – autobus sur châssis *3BLPL* avec carrosserie omnibus *BP242* de construction suisse; une partie des camions *Saurer* était équipée avec cette carrosserie;
4 – camion porte-char pour chars *TK*; châssis *Saurer 4BLDP*;
5 – autobus *Saurer* sur châssis *4BLDP* avec carrosserie *PZInż.*; unité non identifiée; les autobus des Transports routiers des Chemins de fer polonais (PKP) étaient équipés avec la même carrosserie, ou avec une carrosserie semblable
(p. 174–175)

Camion *PZInż. 703*
1, 2, 3, 4 – véhicule prototype avec camouflage; les voitures de présérie pouvaient également avoir les couleurs de camouflage
Camion *PZInż. 713* (prototype)
(p. 185–186)

Camion *PZInż. 603*
Prototype bâché avec camouflage; la bâche est sans coloriage
(p. 190)

Tracteur chenillé *C2P*
Les tracteurs exploités étaient bâchés (avec bâche repliée ou non), avec les arceaux en place ou démontés; derrière le siège du conducteur, on trouvait d'ordinaire deux extincteurs à mousse
(p. 201)

Voitures blindées semi-chenillées *Mle 34* et tracteurs *C4P*
1, 2, 3 – voiture-atelier; benne bâchée en acier avec ridelles rabattables;
4 – voiture à toit fixe et parois latérales bâchées; cadre et benne du camion *Polski FIAT 621L*, type ancien de chariot chenillé;
5 – tracteur *C4P* à cadre court pour le remorquage des canons d'artillerie légère;
6 – voiture à fourgon-ambulance
(p. 206–207)

Tracteur d'artillerie *C7P*
Le véhicule de série avec les arêtes du toit arrondies; la forme du capot protecteur de l'admission d'air est fixée, ainsi que la fenêtre ovale à l'arrière du compartiment de l'équipage
(p. 211)

Transporteur *PZInż. 222*
Véhicule de transport de troupe de la cavalerie motorisée
(p. 216)

Aigles
1 – métal oxydé en teinte vieux-argent, suivant un modèle de la fin des années trente;
2 – brodé comme insigne de coiffure.
Drapeaux et fanion
1 – envers du drapeau du 10e Bataillon blindé;
2 – avers du drapeau du 7e Bataillon d'Artillerie A.A; exemple de drapeau réglementaire des années 1937–38; les drapeaux des bataillons blindés portaient „l'insigne des blindés" en place du numéro;
3 – fanion du Commandant en Chef
(p. 222)

Couleurs de l'arme blindée, des armes et services motorisés (entièrement ou partiellement) ainsi que celles des régiments motorisés
– colonel de blindés,
– lieutenant du 1er Régiment de Chasseurs à pied,
– capitaine du 24e Régiment de Uhlans,
– lieutenant du 1er Régiment de Chasseurs à cheval,
– sous-lieutenant du 10e Régiment de Chasseurs à cheval,
– sous-lieutenent du bataillon de reconnaissance de la Brigade blindée-motorisée,
– capitaine du bataillon antichar de la Brigade blindée--motorisée,
– sous-lieutenant du 1er Régiment d'Artillerie extra-lourde,
– commandant du 1er Régiment d'Artillerie motorisée,
– sous-lieutenant du génie,
– aspirant des transmissions,
– élève-officier d'artillerie A.A.,
– capitaine des transmissions dans la cavalerie,
– sous-lieutenant des unités prèvôtales,
– sous-lieutenant des unités de soutien logistique,
– capitaine-médecin
(p. 227)

Décorations et insignes des unités blindées et motorisées
1 – „insigne des blindés",
2 – initiale de l'Ecole d'élèves-officiers,
3 – attribut des généraux et officiers diplômés,
4 – insigne des élèves-officiers,
5 – insigne de la Compagnie marine des phares A.A.,
6 – insigne du 1er Régiment d'Artillerie motorisée.
7–22 – insignes commémoratifs du:
7 – 1er Bataillon blindé, 8 – 2e Bataillon blindé,
9 – 3e Bataillon blindé, 10 – 4e Bataillon blindé,
11 – 5e Bataillon blindé, 12 – 6e Bataillon blindé,
13 – 7e Bataillon blindé, 14 – 8e Bataillon blindé,
15 – 9e Bataillon blindé, 16 – 10e Bataillon blindé,
17 – 12e Bataillon blindé, 18 – 1er Régiment d'Artillerie motorisée, 19 – 1er Régiment d'Artillerie extra-lourde,
20 – 24e Régiment de Uhlans, 21 – 1er Régiment de Chasseurs à cheval, 22 – 10e Régiment de Chasseurs à cheval
(p. 236)

Uniformes
1 – coiffure d'officier, casquette quadricorne rigide,
2 – casquette quadricorne de soldat de troupe,
3 – casquette quadricorne de campagne,
4 – béret
5 – couvre-chef circulaire des sapeurs du Corps des garde-frontières,
6 – casque de tankiste,
7 – casque *Mle 31*,
8 – casque *Mle 16*,
9 – veste *Mle 36* d'officier des blindés,
10 – veste en drap *Mle 36* de la tenue de campagne d'un soldat de troupe,
11 – veste de cuir *Mle 36*,
12 – manteau en drap *Mle 36*,
13 – manteau en drap d'officier *Mle 36* (avec cordon),
14 – pélerine en drap *Mle 36*,
15 – combinaison des unités blindées et motorisées,
16 – combinaison des motocyclistes
(p. 240–241)

Signalisations des véhicules
1 – signe de la Croix-rouge: sur le toit d'un véhicule – a = 1000 mm, b = 200 mm; sur les parois latérales et sur chaque battant de la porte arrière – a = 500 mm, b = 100 mm; sur le devant du véhicule – a = 125 mm, b = 25 mm;
2 – signe „Auto-école": sur les voitures – a = 300 mm, b = 50 mm, c = 40 mm, d = 35 mm; sur les motos – a = 200 mm, b = 34 mm, c = 25 mm, d = 23 mm;
3 – plaque d'immatriculation des voitures (dernier modèle);
4 – plaque avant d'immatriculation de moto;
5 – plaque arrière d'immatriculation de moto;
6 – dessin et taille recommandés des chiffres sur les plaques d'immatriculation: sur les voitures – a = 75 mm, b = 40 mm, c = 10 mm; sur les motos – a = 45 mm, b = 30 mm, c = 8 mm;
Exemples d'insignes d'armes sur les voitures:
7 – infanterie, 8 – cavalerie, 9 – artillerie légère et motorisée, 10 – artillerie lourde, 11 – artillerie extra-lourde, 12 – artillerie à cheval, 13 – génie, 14 – batterie de pointage, 15 – artillerie antiaérienne, 16 – blindés, 17 – transmissions, 18 – aviation
(p. 249)

Indeks nazwisk